U0126154

經學研究論叢

◆第九輯◆

林慶彰主編
張穩蘋編輯

臺灣 學生書局 印行

編者序

本期稿件須特別加以說明者如下：

在蒐集經學資料的過程中，有些論文因原發表的期刊非常罕見，學者一直無法找到。如張西堂的〈三國六朝經學上的幾個問題〉，發表在《師大月刊》第十八期，該月刊流傳不廣，臺灣各圖書館並未收藏。爲了讓這些論文能爲廣大的讀者利用，我們擬將此類論文重刊出版，年中委託北京大學中文系漆永祥教授印得張氏論文，於本期〔經學總論〕一欄刊出。

在《春秋三傳》研究方面，抗戰期間，楊樹達作《春秋大義述》，主要在鼓舞民心、激勵士氣。胡楚生教授作〈楊樹達《春秋大義述》析評〉一文，從篇目之安排、大義之彰顯、論斷之依據、微旨之寄寓等四點來分析楊氏書的內容，以彰顯楊氏撰寫該書之用心。

在《四書》研究方面，佐野公治教授有《四書學史研究》一書，討論《四書章句集注》以來各種《四書》詮釋書的歷史，爲了讓讀者能瞭解該書之內容，請大阪大學碩士張文朝先生先將該書之第四章譯爲中文。

在《孝經》研究方面，京都大學人文科學研究所的古勝隆一先生，現正在中央研究院歷史語言研究所訪問研究，賜來〈略讀《御注孝經》日本藏本〉一文。大陸清華大學思想文化研究所彭林教授對中央研究院中國文哲研究所點校之《點校補正經義考》《孝經》部分有疑誤者提出檢討，兩文對《孝經》研究都有貢獻。

除上述賜稿者外，其他賜稿者如陳彝秋、楊菁、陳恆嵩、陳明義、陳文采、陳秀琳、陳明恩、鍋島亞朱華、張穩蘋等，及撰寫「出版資訊」的劉安剛、許馨元、陳邦祥、謝旻琪、葉純芳等數位學弟，在此一併感謝。

二〇〇〇年九月林慶彰誌於

中央研究院中國文哲研究所

經學研究論叢 第九輯

目　次

【孝經研究】

【日本儒學】

【專題書目】

【經學會議】

【出版資訊】

【附　　錄】

經 學 研 究 論 叢
第 九 輯 頁1～26
臺灣學生書局 2001 年 1 月

三國六朝經學上的幾個問題

張西堂

三國六朝三百餘年期間，是經學上發生很大變遷的一個時代。這時今文經學的流傳漸漸減少，古文經學的流傳也頓改舊觀，博士由分經而不分經，經傳本文則多由分而合，經的解釋由簡而繁，由集解式演進到義疏式，說經之義則更雜以玄學、佛學的色彩，直以「玄」、「佛」的眼光來說經。這種種變遷，比起後漢經學今古的紛爭與雜糅，比起唐、宋《五經正義》之統一及其反動，其花樣之多，是有過之而無不及的。這時期的經學，從表面上看來，不及漢、宋兩代之興盛，所以從來不爲人所注意；不惟不爲人所注意，有些地方簡直爲人所誤解。例如《隋書・經籍志》以爲「晉時，……《穀梁》范寧《傳》……俱立國學」，《北史・儒林傳》以爲「《公羊》、《穀梁》二傳，儒者多不厝懷」，陸德明《經典釋文》說「《齊詩》，魏代已亡」，皮錫瑞《經學歷史》直以李業興素不玄學，爲「北重經學，不雜玄學」之證。這些說法，都是不合乎當日的實際情形的。從唐、宋的學者一直到清儒，對於三國六朝這一時代的經學，頗有無法掌握當日之眞相的，這可以說是件怪有趣味的事情！

在這一篇文字之中，對於這一時期的經學尙無法加以詳整的敘述，現在所要說明的只是關於這時期的：

⑴所謂玄學對於經學的影響。

⑵魏、晉以降太學博士的增損。

⑶經傳的分合與經傳的集解。

⑷義疏的興起與義疏的內容。

(5)所謂三傳之學及其他。

爲節省篇幅起見，對於上列的六項，也只是略說而已，其有不備之處，則亦惟有俟諸異日也。

一、所謂玄學對於經學的影響

三國六朝本是「儒」、「玄」、「文」、「史」並行發達的時期，經學的發展受「玄」、「文」、「史」的影響是極其顯明的。建安時代的文學、正始時代的玄風所給予經學的影響，在干寶《晉紀・總論》說：

> 學者以《老》、《莊》爲宗而黜六經，讀者以虛蕩爲辨而賤名儉。（〈晉書武帝紀〉作「檢」）

《晉書・儒林傳序》說：

> 有晉始自中朝，迄於江左，莫不崇飾華競，祖述虛玄，擯闕里之典經，習正始之餘論，指禮法爲流俗，目縱誕以清高。

《宋書・臧燾徐廣傅隆列傳論》說：

> 自魏氏膺命，主愛雕蟲，家棄章句，人重異術，……自黃初至於晉末百餘年中，儒教盡矣。

《南齊書・劉瓛傳論》說：

> 江左儒門，雖參差互出，於時不絕，而罕復專家；晉世以玄言方道，宋氏以文章問業，服膺典藝，斯風未純，二代以來，爲教衰矣！

《南史・儒林傳序》說：

自魏正始以後，更尚玄虛，公卿士庶，罕通經業，……自是中原橫潰，衣冠道盡，逮江左草創，日不暇給，以迄宋、齊。

以上所謂「魏氏膺命，主愛雕蟲」，「晉世以玄言方道，宋氏以文章問業」，足見玄學、文學之風之盛，竟使「百餘年中，儒教盡矣」，其變遷眞可謂劇烈了！

但是所謂玄學也者，最初固指《老》、《莊》的玄虛之學，後來又指三玄（《老》、《莊》、《易》）而言，後來實又兼指佛理而言。（詳見《高僧傳》、《出三藏集記》等書）魏、晉之際，如何晏、王弼等人以《老》、《莊》之旨說經，這裏且不詳細說他。《南史・儒林列傳》說是：(A)「伏曼容，……善《老》、《易》，……嘗與袁粲罷朝相會言玄理，時論以爲一臺二絕」。(B)「子（伏）暅，……幼傳父業，能言玄理」。(C)「嚴植之，少善《莊》、《老》，能玄言，精解〈喪服〉」。(D)「太史叔明，少善《莊》、《老》」。(E)「全緩，……通《周易》、《老》、《莊》，時人言玄者推之」。(F)「張譏，……篤好玄言，講《周易》、《老》、《莊》而教授焉」。(G)「顧越，……特善《老》、《莊》，尤長論難」。(H)「龔孟舒，亦通《毛詩》，善言名理」。可見後來南學實深受《老》、《莊》的影響。但是佛學對經學之影響，其程度決不亞於《老》學，這是必不可忽視的。《宋書・隱逸傳》說：

周續之，字道祖，鴈門廣武人也。其先過江，居豫章建昌縣。……豫章太守范寧，於郡立學，招集生徒，遠方至者甚眾。續之年十二，旨寧受業，居學數年，通五經並緯候，名冠同門，號曰「顏子」。既而閑居，讀《老》、《易》，入廬山，事沙門釋慧遠，……通《毛詩》六義及《禮》、《論》、《公羊傳》，皆傳於世。

范甯門下的「顏子」，善講〈喪服〉的雷次宗，都是釋慧遠的弟子。而范甯本人，據《世說新語・言語篇》說：

范甯作豫章，八日請佛有板，眾僧疑，或欲作答。有小沙彌在坐末曰：

「世尊默然，則爲許可。」眾從其義。

也與佛學是有交涉的，可見當日的經生對於佛學關係的密切。（尚有他證）

梁武帝是提倡經學的人，而「兼篤信正法，尤長釋典，製《涅盤》、《大品》、《淨名》、《三慧》諸經義記復數百卷，聽覽餘閑，即於重雲殿及同泰寺講說，名僧碩學四部聽眾常萬餘人」。簡文帝著有《法寶連壁》三百卷，元帝著有《內典博要》一百卷，〈昭明太子傳〉說：「高祖大弘佛教，親自講說，太子亦崇信三寶，遍覽眾經，乃於宮內別立慧義殿，專爲法集之所，招引名僧，談論不絕，太子自立『三諦法身義』，並有新意。」上有好者，下必甚焉❶，皇侃《論語義疏》說：

周、孔之教，不得無殺，因殺止殺，故同物有殺也。（〈述而篇〉）
外教無三世之義，見乎此句也。周、孔之教，惟說現在，不明過去未來。（〈顏淵篇〉）

孔穎達〈周易正義序〉說：

江南義疏，十有餘家，皆辭尚虛玄，義多浮誕。原夫《易》理難窮，雖復玄之又玄，至於垂範作則，便是有而教有，若論住內住外之空，就能就所之說，斯乃義涉於釋氏，非爲教於孔門也。

這都足以得見南方經學受佛學的影響。北方之於佛、《老》，其情形也相同，現在多舉條證據來說：

(1)《魏書．釋老志》：「太祖平中山，經略燕、趙，所逕郡國佛寺，見諸沙門道士，皆致精敬，禁軍旅無有所犯。帝好黃老，頗覽佛經。……太宗踐

❶ 詳見《弘明集》卷11。

位，遵太祖之業，亦好黃、老，又崇佛法。」

(2)同上〈世祖紀〉下：「太平眞君……三年，春正月甲申，帝至道壇，親受符錄，仿法駕，旗幟盡青。」

(3)同上〈高祖紀〉下：「雅愛讀書，手不釋卷，五經之義，覽之便講，學不師受，探其精奧。史傳百家，無不該涉。善讀《莊》、《老》，尤精釋義。」

(4)同上〈世宗紀〉：「雅愛經史，尤長釋氏之意，每至講論，連夜忘疲。」

(5)同上〈刁雍傳〉：「好尚文典，……篤信佛道，著《教誡》二十餘篇。」

(6)同上〈盧玄傳〉：「元聿第五弟元明，……性好玄理，作《史子新論》數十篇。」

(7)同上〈趙柔傳〉：「隴西王源賀採佛經幽旨，作〈祇洹精舍圖偈〉六卷，柔爲之注解。」

(8)同上〈程駿傳〉：「師事劉昞，……駿謂昞曰：『今世名教之儒，咸謂《老》、《莊》其言虛誕，不切實要，弗可經世，駿意以爲不然。夫老子著抱一之言，莊生申性本之旨，若斯者可謂之順矣。』」

(9)同上〈崔光傳〉：「肅宗親釋奠國學，光執經南面，百寮剖列，每爲沙門朝貴請講《維摩詰》、《十地經》，聽者常數百人，即爲二經《義疏》三十餘卷。」

(10)同上〈裴叔業傳〉：「植字久遠，叔業兄叔寶子也。少即好學，覽綜經史，尤長釋典，善談理義。」

(11)同上〈高崇傳〉：「子謙之，……專意經史，……好文章，留意《老》、《易》。……涼國盛事佛、道，爲論貶之，……當世名士，競以佛理來難。」

(12)同上〈鹿悆傳〉：「好兵書、陰陽、釋氏之學。」

(13)同上〈儒林傳〉：(A)「劉獻之，……每講《左氏》，盡隱八年便止，云義例已了，不復須解，……六藝之文，雖不悉注，然所標宗旨，頗異舊義。注《涅盤經》未就而卒。」(B)「孫惠蔚，……先單名蔚，正始中侍講禁內，夜論佛經，有愜帝旨，詔使加『惠』，號『惠蔚法師』焉。」(C)「盧景裕，……所注《易》大行於世，又好釋氏，通其大義。」(D)「李同軌，……學綜諸經，多所治誦，兼讀釋氏。」

(14)《北齊書・杜弼傳》：「弼性好名理，探味玄宗，自在軍旅，帶經從役，注《老子道德經》二卷，表上之，……詔答云：『……卿才思優洽，業尚通遠，息棲儒門，馳騁玄肆，既啓專家之學，且暢釋、老之言。』」

(15)同上〈崔暹傳〉：「魏、梁通和，要貴皆遣人隨聘使交易，暹惟寄求佛經，梁武帝聞之，爲繕寫以幡花寶蓋贊唄送至館焉。」

(16)《周書・蘇綽傳》「少好學，博覽群書，……又著《佛性論》、《七經論》，並行於世。」

(17)同上〈薛善附傳〉：「太祖雅好談論，并簡名僧深識玄宗者一百人於第內講說，又命愼等十二人兼學佛義，使內外俱通，由是四方競爲大乘之學。」

(18)同上〈儒林傳〉：(A)「盧光，……解鐘律，又好玄言，……撰《道德經章句》行於世。」(B)「沈重，……學業該博，爲當世儒宗，至於陰陽、圖緯、道經、釋典，無不通涉。」

(19)《隋書・張照傳》：「父羨，……撰《老子莊子義》，名曰『道言』，五十二篇。」

(20)同上〈長孫熾傳〉：「建德初，武帝尚道法，尤好玄言，求學兼經史、善於談論者爲通道館學士，熾應其選。」

(21)《北史・儒林傳》：(A)「辛彥之，……崇信佛道，於城內立浮圖二所，竝十五層。」(B)「何妥，……撰《莊子義疏》四卷，與沈重等撰《三十科鬼神感應等大義》九卷。」

據以上所列看來，北學窮經之士之兼善釋、老的，眞是其數非一，〈儒林傳〉中的人物有劉獻之、孫惠蔚、盧景裕、李同軌、盧光、沈重、辛彥之、何妥等輩，盧、何對於《莊》、《老》並有著述，北之經學亦雜玄學，其證據是再顯明也沒有了。皮錫瑞等據李業興一人之「少爲書生，止習五典，……素不玄學，何敢輒酬」，而抹煞其他的證據，這種說法，並不合於當日的實際情形。《魏書・釋老志》說：

「世祖即位，富於春秋，既而銳志武功，……帝既忿沙門非法，……詔誅沙門長老，焚破佛像。」《周書・武帝紀》說：「（建德三年）初斷佛、道二教，經像悉毀，罷沙門、道士，並令還民，並禁諸淫祀，禮典所不載者盡除之。」在北朝，所謂佛教的三武之厄已佔有其二，這有的固然是因爲三教之爭，而所謂玄學—道、佛之學—仍極興盛，則是很明顯的事實。因爲南、北兩方的玄學都極盛，所以成爲：

⑴六朝義疏發達的原因之一。因爲義疏多用講疏之名，或是受佛教說法的影響而然。

⑵北學之併入南學的原因之一。因爲南學固然極具玄學色彩，北學也是傾向於玄學的。

⑶《周禮》、《儀禮》之學不甚發達的原因之一。因爲《周禮》、《儀禮》說理的地方較少，並不合於談論之風。❷

⑷三國六朝學者思想自由的原因之一。因爲玄學之風既盛，而學者對於疑經疑聖無可顧慮。

前人只認爲三國六朝的學風與「玄」有關係，而不甚理會其與「佛」亦有相當的關係，所以不知義疏的發達是多少要受佛教說法的影響的。他們既認爲北重經學不雜玄風，所以以爲北學併入南學，只是北學嚮慕南學的緣故，而不知二者既道一風同，自然有此傾向。《周禮》、《儀禮》之學不甚發達，當時學者思想之極自由，在他們既不甚注意，更不說其因果了！這些且待下面再爲申說。

史學的發達，在後漢已然，據清儒姚振宗《補後漢書藝文志》所著錄的已可分十五類之多。在姚氏的《補三國藝文志》，關於史學的著述，著錄的有一八四部；黃逢元的《補晉書藝文志》，關於史學的著述錄有三二一部，四五八九卷。錢大昕《元史藝文志》說：「自劉子駿校理祕文，分群書爲六略，是時固無四部之名，而史家亦未別爲一類也。〔晉〕荀勗撰《中經簿》，始分甲乙丙丁四部，而子猶先於史。至李充重分四部，五經爲甲部，史記爲乙部，諸子爲丙部，詩賦爲丁部，而經史子集之次始定。」史學在三國六朝時之發達，眞是附庸蔚爲大國，使目

❷ 《世說新語》卷 2：「劉尹與桓宣武共聽講《禮記》，桓云：『時有入心處，便覺咫尺玄門。』」足爲《禮記》與玄相近之證。

錄的分類，由七略而四部，其影響於經學的，當然是很可觀的。朱彝尊《經義考》上說：

> 胡一桂曰：「干寶《周易傳》十卷，宣和四年蔡攸上其書曰：『其學以卦爻配月，或以配日，時傳諸人事，而以前世已然之跡證之，訓義頗有所據。』」

這是以史事說經，足以證明者一也。《宋書・隱逸傳》說：

> 元嘉十五年，徵（雷）次宗至京師，開館於雞籠山，聚徒教授，置生百餘人。時國學未立，上留心藝術，使丹陽尹何尚之立「玄學」，太子率更令何承天立「史學」，司徒參軍謝元立「文學」，凡四學並建。

「凡四學並建」，此足爲證明者二也。史學的發達，使當時人士多了一條治學的出路，經學的發展自當受其影響，這也是值得注意的。

二、魏晉以降太學博士的增損

後漢的十四博士分掌今文諸經，這在《續漢書・百官志》有很顯明的記載。魏、晉的博士，據《晉書・職官志》說：

> 晉初承魏制，置博士十九人，……及江左初，減爲九人。元帝末，增《儀禮》、《春秋公羊》博士各一人，合爲十一人，後又增爲十六人，不復分掌五經，而謂之太學博士。

據《宋書・百官志》說：

> 博士魏及晉西朝置十九人，江左初減爲九人，皆不知掌何經。

《魏志・杜畿傳》注引魚豢《魏略・儒宗傳》說：

> 樂詳，黄初中徵拜博士，於時太學初立，有博士十餘人。

《魏略》與《宋書》所說，都是較早的記載，不得其詳。《魏志・文帝紀》謂：

> 黄初……五年……夏四月立太學，制五經課試之法，置《穀梁春秋》博士。

《魏志・王肅傳》謂：

> 初，肅善賈、馬之學而不好鄭氏，采會同異，爲《尚書》、《詩》、《論語》、《三禮》、《左氏》解，及撰定父朗所作《易傳》，皆列于學官。

據這兩處所說，則魏代的博士，有掌《穀梁春秋》及王肅所注的八經的。《晉書・荀崧傳》說：

> 轉太常時，方修學校，簡省博士，置《周易》王氏，《尚書》鄭氏，《古文尚書》孔氏，《毛詩》鄭氏，《周官》、《禮記》鄭氏，《春秋左傳》杜氏、服氏，《論語》鄭氏博士各一人，凡九人。其《儀禮》、《公羊》、《穀梁》及鄭《易》皆省不置。崧以爲不可，乃上疏曰：「……世祖武皇帝應運登禪，崇儒興學，……太學有石經古文，先儒典訓，賈、馬、鄭、杜、服、孔、王、何、顏、尹之徒章句傳註眾家之學，置博士十九人。九州之中，師徒相傳，學士如林。……伏聞節省之制，皆三分置二，博士舊置十九人，今五經合九人，準今計古，猶未能半，……今九人以外猶宜增四，……宜爲鄭《易》置博士一人，鄭《儀禮》博士一人，《春秋公羊》博士一人，《穀梁》博士一人。」詔曰：「《穀梁》膚淺，不足置博士，餘如奏。」會王敦之難，不果行。

如若依此及《晉書·百官志》、《宋書·百官志》之說，則是晉承魏制，魏的十九博士似有分掌賈、馬、鄭、杜、服、孔、王、何、顏、尹所注的各經的。不過這十九人之分掌何經，現在實在很難以詳細的確定。王靜安先生在他所著的〈漢魏博士考〉上說：

> 〈王肅傳〉明言其所注諸經，皆列于學官，則鄭注五經，亦列於學官可知。然則魏時所立諸經，已非漢代之今學，而爲賈、馬、鄭、王之古學矣。……今以荀崧所舉數家，與沈約所舉魏博士員數差次之，魏時除《左傳》杜注未成，《尚書》孔傳未出外，《易》有鄭氏、王氏，《書》有賈、馬、鄭、王氏，《詩》及《三禮》鄭氏、王氏，《春秋左氏》服氏、王氏，《公羊》顏氏、何氏，《穀梁》尹氏，適得十九家，與博士十九之人數相當。沈約之說，雖他無所徵，蓋略近之矣。此十九博士之中，惟《禮記》、《公》、《穀》三家爲今學，餘皆古學，於是西京施、孟、梁丘、京氏之《易》，歐陽、大、小夏侯之《書》，齊、魯、韓之《詩》，慶氏大戴之《禮》，嚴氏之《春秋》，皆廢于此數十年之間，不待永嘉之亂，而其亡可決矣。學術變遷之在上者，莫劇于三國之際，而自來無能質言之者，此可異也。

這裏所謂「學術變遷之在上者，莫劇于三國之際」，這話是一點也不錯的；因爲王肅所註諸經皆列于學官，只此一點已足證明其變遷之劇。但是這裏王靜安先生所列的十九博士，也只能說是「蓋略近之矣」，因爲：

(1)據〈王肅傳〉來說，他所註的《論語》，也「皆列于學官」，江左博士減爲九人之時，《孝經》、《論語》尚且列于學官，然則王肅所注《論語》之列學官，在他本傳所說的應當是事實。現在于十九博士中不列王注的《論語》，是否合于當日實際的情形，是很有疑問的。

(2)據《南齊書·陸澄傳》，陸澄與王儉書說：「《左氏》，泰元取服虔而兼取賈逵經，服傳無經，雖在注中，而又有無經者故也。」服虔之注，既如此之不便，服氏之注，也未必爲當時所重；當日王肅既善賈、馬之學，則是十九博士之中，應當列賈逵注的《左傳》，而是否列服虔注《左氏》，也應當是有疑問的。

(3)鄭氏之學，據《舊唐書・元行冲傳》說：「行冲著〈釋疑論〉曰：『王粲稱伊雒以東，淮海以北，康成一人而已，莫不宗焉。咸云先儒多闕，鄭氏道備，粲竊怪歎，因求其學，得《尚書注》，退而思之，以盡其意；意皆盡矣，所疑之者，猶未喻焉。凡有二卷，列于其集。』」鄭學雖受當世宗仰，而如王粲、王肅、王弼、虞翻、鍾會、李譔❸等人，他們都是對鄭氏加以駁難的，鄭注五經是否完全立于學官，也應當是有所懷疑的。

(4)就荀崧的上疏所說：「太學有石經古文，先儒典訓，賈、馬、鄭、杜、服、孔、王、何、顏、尹之徒章句傳註眾家之學，置博士十九人。九州之中，師徒相傳，學士如林，猶選張華、劉寔，居太常之首，以重儒教。」「賈、馬、鄭、杜、服、孔、王、何、顏、尹之徒章句傳註眾家之學」，是否與下文「置博士十九人」有極密切的關係已是很有疑問，而且晉之博士十九人分掌何經也難考定，則魏博士十九人分掌何經也是面臨相同的疑問。

我們現在眞是只能說「蓋略近之矣」，很難以詳細的確定十九博士是分掌何經了！魏時的今文經學，除了「益部多貴今文」而外，實遠不如古文經學之盛，但陸德明《經典釋文》說：「《齊詩》魏代已亡」，這卻不盡然。據《魏略・儒宗傳》說：「魏禧，字子牙，京兆人也，……叅因從問《詩》，禧說《齊》、《魯》、《韓》、《毛》四家義，不復執文，有如諷誦。」隗禧說四家義❹，可見《齊詩》當時未亡。

晉初博士十九人，後來簡省爲九人，誠如《晉書・職官志》、《宋書・百官志》所云，在上引荀崧的疏中也可得知。《南齊書・陸澄傳》說：

時學置鄭、王《易》，杜、服《春秋》，何氏《公羊》，麋氏《穀梁》，

---

❸ 《蜀志・本傳》：「譔著古文《易》、《尚書》，由依準賈、馬，異于鄭玄，與王氏意歸多同。」

❹ 關於此點，陳漢章：《經學通論》已略有說。

鄭玄《孝經》，澄謂尚書令王儉曰：「《孝經》，小學之類，不宜列在帝典。」乃與儉書論之曰：「……晉太興四年，太常荀崧請置《周易》鄭玄注博士，行乎前代。時政由王、庾，皆儁神清識，能言玄遠，捨輔嗣而用康成，豈其妄然？泰元立王肅《易》，當以在玄、弼之間。元嘉建學之始，玄、弼兩立，逮顏延之爲祭酒，黜鄭置王，意在貴玄，事成敗儒。今若不大弘儒風，則無所立學。眾經皆儒，惟《易》獨玄，玄不可棄，儒不可缺，謂宜並存，所以合無體之義。且弼於注經中已舉〈繫辭〉，故不復別注，今若專取弼《易》，則〈繫〉說無注。《左氏》，泰元取服虔，而兼取賈逵經，服傳無經，雖在注中，而傳又有無經者故也。今留服而去賈，則經有所闕。案，杜預注《傳》，王弼注《易》，俱是晚出，並貴後生。杜之異古，未如王之奪實；祖述前儒，特舉其違；又《釋例》之作，所引惟深。《穀梁》，泰元舊有糜信注，顏益以范甯，糜猶如故。顏論閏分，范注當以同我者親。常謂《穀梁》劣《公羊》，爲注者又不盡善，竟無及《公羊》之有何休，恐不足兩立；必謂范善，便當除糜。世有一《孝經》，題爲鄭玄注，觀其用辭，不與注《書》相類，案玄〈自序〉所注眾書，亦無《孝經》。」……儉答曰：「《易》體微遠，實貫群籍，……豈可專據小王，便爲該備，依舊存鄭，高同來說。……」

陸澄與王儉的這一封書，使我們明瞭許多事情：

(1)關於《周易》。《隋書・經籍志》說：「梁、陳，鄭玄、王弼二注列于國學，齊代唯傳鄭義，至隋王注盛行，鄭學寖微，今殆絕矣。」這裏的記載明說時國學置鄭、王《易》，則是〈隋志〉所云「齊代唯傳鄭義」這話是不可信的。《北史・儒林傳序》說：「大抵南北爲所章句，好尚互有不同。江左，《周易》則王輔嗣，《尚書》則孔安國，《左傳》則杜元凱；河洛，《左傳》則服子慎，《尚書》、《周易》則鄭康成。」這一封書中明說「捨輔嗣而用康成」，「依舊存鄭，高同來說」，是則說是「江左《周易》則王輔嗣」，這話也只是「大抵」而已。王肅《易》在南朝也立過學官。《北史・儒林傳》又說：「河南及青、齊之間，儒生多講王輔嗣所注」，並足證南北為章句，好尚互有不同，只是一般的傾向。

(2)關於《穀梁》。《隋書・經籍志》說：「晉時杜預又為《經傳集解》。《穀梁》范寧注，《公羊》何休注，《左氏》服虔、杜預注，俱立國學；然《公羊》、《穀梁》，但試讀文而不能通其義，後學《三傳》通講，而《左氏》唯傳服義，至隋杜注盛行，服義及《公羊》、《穀梁》寖微，今殆無師說。」據這一封信看來，《穀梁》范寧注的立于國學，是在顏延之為祭酒之時，晉時是尚未設立的。至於所謂「《公羊》、《穀梁》但試讀文，而不能通其義」，「《左氏》唯傳服義」，這話是更錯了。❺《四庫總目・隋書提要》說：「惟〈經籍志〉編次無法，述經學源流，每多舛誤。」提出關於伏生《尚書》、衛宏〈詩序〉、小戴《禮記》三事為證，證明〈隋志〉實在是「每多舛誤」的。

(3)關於《孝經》鄭注。陸澄以為「觀其用辭，不與注《書》相類」，懷疑其非鄭玄所注。這是關於此書第一次的爭辯。劉知幾、司馬貞在唐代也爭辯。（《唐會要》卷 77）王應麟《困學記聞》說：「《孝經》鄭氏注，陸德明云：『與康成注五經不同』。今按康成有『六天』之說，（見《禮記・郊特牲正義》）而《孝經》注云：『上帝，天之別名。』故陸澄謂不與注《書》相類。」《孝經》鄭注雖立學官，委實是可疑的，清儒如鄭珍、皮錫瑞皆對此書極其袒護，然而還是不曾解決的。

要之，這一段記載是談東晉、宋、齊博士與經注的關係所不可不知的。

《南齊書・百官志》說：「博士謂之太學博士，國子祭酒一人，博士二人，助教十人。……總明觀祭酒一人，……太始六年以國學廢，初置總明觀『玄』、『儒』、『文』、『史』四科，科置學士各十人。……建元中掌治五禮，永明三年國學建，省。」《隋書・百官志》說：「國學有祭酒一人，博士二人，助教十人。太學博士八人，又有限外博士員。天監四年，置五經博士各一人，舊國子學生限以貴賤，帝欲招來後進，五館生皆引寒門儁士，不限人數。」《魏書・儒林傳》說：「道武初定中原，立太學，置五經博士。」〈劉芳傳〉說：「太和二十年，發敕立

❺ 同前註。

四門博士，於四門置學。」這些則只足見博士增損之跡而已。

三、經傳的分合與經傳的集解

魏、晉時期，經學的發展，有一可注意的事件，即經與傳的合併。本來在《漢志．六藝略》著錄的各經，《周易》是十二篇，〈上經〉、〈下經〉及〈十翼〉是各自分開的。《尚書古文經》是四十六卷，《今文經》是二十九卷，不論除〈書序〉計，或是加〈書序〉計，〈書序〉與本文也是分開的。《三家詩》二十八卷，《毛詩》二十九卷，〈毛序〉與《詩經》原來也是分開的。《儀禮》的記，或者原附於經。《春秋左氏經》十二篇，《公羊經》十一卷，與《左氏傳》三十卷，《公羊傳》十一卷，《穀梁傳》十一卷，也是分開計算的。除了《毛詩》，據鄭《箋》說，「其義則與眾篇之義合編，毛公為《詁訓傳》，乃分眾篇之義各置於篇端。」其〈序〉與經相合較早而外，《書》、《易》、《春秋》經傳序的合併，應該是在這時期才完成的。據《魏志．高貴鄉公紀》說：

> 帝幸太學，……問曰：「孔子作〈彖〉、〈象〉，鄭玄作《注》，雖聖賢不同，其所釋經義一也。今〈彖〉、〈象〉不與經文相連，而《注》連之何也？」俊對曰：「鄭玄合〈彖〉、〈象〉於經者，欲使學者尋省易了也。」帝曰：「若鄭玄合之，於學誠便，則孔子曷為不合以了學者乎？」

高貴鄉公之問，明言「今〈彖〉、〈象〉不與經文相連」，則是當時經與〈彖〉、〈象〉還未合併。以〈彖〉、〈象〉合於經，實始於王弼注，孔穎達《周易正義》說：

> 夫子所作〈象〉辭，元在六爻經辭之後，以自卑退，不敢于亂先聖正〈象〉之辭。及至輔嗣之意，以為〈象〉者本釋經文，宜相附近，其義易了，故分爻之〈象〉辭，各附其當爻下言之，猶如元凱注《左傳》，分經之年與傳相附。

《正義》這個說法極其明瞭，《魏志》所說實有錯誤。清儒李遇孫的〈六朝經術流派論〉說：「此時方論〈彖〉、〈象〉不與經連，何轉云合之耶？方疑鄭注與經文相連，何忽及〈彖〉、〈象〉之合不合耶？此史家承上文有『彖』、『象』二字而誤之耳。」這種說法，甚有道理，但他並未舉出強有力的證據。陸德明《經典釋文・序錄》說：

> 鄭玄《注》十卷，《錄》一卷，《七錄》云：「十二卷」。
>
> 王弼《注》七卷，注《易・上下經》六卷，作《易略例》一卷。

後來的《崇文總目》也說：

> 《周易》一卷，鄭康成注。今惟〈文言〉、〈說卦〉、〈序卦〉、〈雜卦〉合四篇，餘皆逸。

大概《七錄》所列，或是鄭《注》原本，《經》上下及〈十翼〉共十二卷，是鄭注不合〈彖〉、〈象〉的明證。後來的人又有所改易，所以〈隋志〉與《七錄》不同。《崇文總目》的鄭《注》中，〈文言〉猶是單行，更可爲鄭《注》不合〈彖〉、〈象〉的旁證。要之，《易》的經傳的合併，自王弼《注》而始完成如今之式，這是無可疑義的。

《尚書》的〈序〉與經文相連自《僞孔傳》始，〈僞孔安國尚書序〉云：

> 〈書序〉序所以爲作者之意，昭然義見，宜相附近，故引之各冠其篇首。

是〈書序〉與經文相連，始於王肅的《僞孔傳》。杜預《左氏春秋經傳集解》云：

> 分經之年與傳之年相附，比其義類，各隨而解之，名曰《經傳集解》。

是《左氏傳》與經文相附，始於杜預的《經傳集解》。經與傳的合併，大都是魏、晉人所爲是很明顯的。孔穎達《毛詩疏》說：「漢初爲傳訓者，皆與經別行，《三傳》之文，不與經連，故石經書《公羊》皆無經文。……毛爲詁訓，亦與經別也。及馬融爲《周禮》之註，乃云欲省學者兩讀，故具載本文。然則後漢以來，始就經爲注，未審此詩引經附傳，是誰爲之？」陳立《公羊義疏》說：「蔡邕石經《公羊》殘碑無經，《解詁》亦但釋傳也。分經附傳，大抵漢後人爲之。」試看〈隨志〉王愆期的《春秋公羊經傳》十三卷，范甯的《春秋穀梁傳》十二卷，這兩種都是經傳並注的。晉時《公》、《穀》經傳當已相連。（《四庫總目．穀梁注疏提要》：「范甯《集解》乃並經注之，疑即甯之所合。」）大概經傳併合，以魏、晉人所爲者居多，因此如果說三國六朝經學的發展，使經傳的篇籍漸漸由分而合，這大概是可以成立的。

現在再說當日的集解。

⑴標題爲注的集解。集解的意義，依何晏的〈論語集解敘〉說：「今集諸家之善說，記其姓名，有不安者，頗爲改易，名曰《論語集解》。」則是鄭玄的《周禮注》，採取鄭興、鄭眾、杜子春三家之說，而在諸家注下或用己意以破諸家，名雖爲注，已是集解的體例了。這是名爲注而實爲集解，後來當然更多。

⑵何晏的《論語集解》。〈論語集解敘〉下署：「光祿大夫關內侯臣孫邕，光祿大夫臣鄭冲，散騎常侍中領軍安亭侯臣曹羲，侍中臣荀顗，尙書駙馬都尉關內侯臣何晏上。」《四庫總目．論語義疏提要》說：「《晉書》載鄭冲與孫邕、何晏、曹羲、荀顗等共集《論語》諸家訓詁之善者，義有不安，輒改易之，名《集解》。亦兼稱五人，今本乃獨稱何晏，……何晏以親貴總領其事歟？」據此，何晏式的集解，並非晏一人所爲，這可以說是一種官修式的集解。現在我們引用何晏《集解》，如若認爲何晏一人之意，而大講其哲學思想，實在是還有問題的。

⑶杜預的《經傳集解》。杜預的〈自敘〉說：「分經之年與傳之年相附，比其義類，各隨而解之，名曰《經傳集解》。」孔穎達的《疏》說：「杜言集解，謂聚集經傳爲之作解，何晏《論語集解》乃聚集諸家義理以解《論語》，言同而意異也。」

(4)劉兆的《三家集解》。《晉書・儒林傳》說：「劉兆，……武帝時，五辟公府，三徵博士，皆不就。……以《春秋》一經，三家殊塗，諸儒是非之議，紛然互爲讎敵，乃思三家之異，合而通之。《周禮》有調人之官，作《春秋調人》七萬餘言，皆論其首尾，使大義無乖，時有不合者，舉其長短以通之。又爲《集解左氏解》，名曰《全綜》，《公羊》、《穀梁解詁》，皆納經傳中，朱書以別之。」劉兆的著作，在〈隋志〉題爲《春秋公羊穀梁傳》，在〈舊唐志〉題爲《春秋公羊穀梁左氏集解》，在〈新唐志〉題爲《三家集解》。「三家集解」或非本名，然而〈劉兆傳〉上明說「《公羊》、《穀梁解詁》皆納經傳中」，則顯然已是三家集解了。他在武帝時對於《春秋三傳》已有「舉其長短以通之」的說法，實開范甯「擇善而從」之風。〈隋志〉又說：「梁有《春秋集三師三師難》三卷，《春秋集三傳經解》十卷，胡訥撰，今亡。」嚴可均《全晉文編》曰：「胡訥，永和末太學博士。」《通典》卷五十九：「升平元年八月，符問迎皇太后大駕應作樂否？胡訥議婚不舉樂。」升平是晉穆帝永和之末改的年號。范寧〈穀梁集解自序〉說：「升平之末，歲次大梁，先君北蕃迴軫，頓駕于吳，乃帥門生故吏，我兄弟子姪，研講六籍，……」范寧的《集解》比起劉兆固晚，比胡訥的也晚，有人以爲范寧的「擇善而從」具有革命精神，殊不知劉兆、胡訥更要算是這革命精神的急先鋒。

(5)無主名的集解。這一類無主名的集解，〈隋志〉著錄的如：(A)《周易馬鄭二王四家集解》十卷。(B)《周易荀爽九家注》十卷。(C)梁有《尙書音》五卷，孔安國、鄭玄、李軌、徐邈等撰。(D)梁有《毛詩》二十卷，鄭玄、王肅合注，亡。(E)梁有《毛詩音》十六卷，徐邈等撰。(F)《春秋穀梁傳》四卷，殘缺，張、程、孫、劉四家集解。這一類的集解，明是魏、晉以後學者，雜取諸儒之說，集而錄之以爲集解。陳振孫《書錄解題》以《周易荀爽九家注》就是《淮南九師說》，（〈漢志〉：《淮南道訓》二篇，淮南王安聘明《易》者九人，號《九師說》。）朱震以爲是荀爽所集，這都是錯誤的。陸德明《經典釋文》說：「不知何人所集，稱荀爽者，以爲主故也。」惠棟《易漢學》七謂：「九家《易》，魏、晉以後人所撰，其說以荀爽爲宗，朱氏遂謂爽所集，失之。」這一類的集解只是便於講誦的一種「合本」，與其他集解是不可相提並論的。

(6)陸德明的《經典釋文》。爲經籍作音訓，也是三國六朝經學發展上一樁很可注意之事。陸德明《經典釋文》，主張「孫炎始爲反語」，因而他主張「漢人不作音」，鄭玄對於《書》、《詩》作音，只是「後人所託」。但他對於王肅作音則並不懷疑的。其實依據前儒及近來的考訂，反切並不始於孫炎，鄭玄對於眾經作音，本來是可以信任的。（參看吾友劉盼遂先生《文字音韻學論叢・反切不始於孫叔然辨》，人文書店出版。）各經的音義，在鄭玄、王肅以後，學者頗多注釋，這自然要有人出而採集魏、晉以降各經音訓而爲之「集解」了，陸德明《經典釋文》就是作這種工作的。在他的〈條例〉中說：「其音堪互用，義可並行，或字存多音，眾家別讀，苟有所取，靡不畢書，各題姓氏，以相甄識。」這與何晏所謂「集諸家之善說，各記姓氏」，方法正是相同的。所以陸氏的《經典釋文》也可以說是集解的一種，不過他所集的只是音義，一部分的集解而已。

要之，三國六朝經學的發展，因爲注釋的經書內容較多，逐漸發展出集解式的說經之書，這實在是一種進步，至其式樣有五六種之多，則更足以見其發達之盛。

四、義疏之興起及義疏之內容

義疏的發達在南北朝是很顯見的，但是義疏究竟起於何時，以及義疏興起的原因，這是歷來所被忽視的問題。近來或有以爲義疏的興起完全歸之佛教的影響，這實在是不對的。依據〈隋志〉來看，〈隋志〉說：

> 梁有《尚書義疏》四卷，晉樂安王友伊說撰，亡。
>
> 梁有《毛詩義疏》十卷，謝沉撰，亡。
>
> 《毛詩草木蟲魚疏》二卷，烏程令吳郡陸機撰。

只就這三種來看，至少可知義疏起於晉代，疏名起於陸機。伊說的《尚書義疏》，在〈新〉、〈舊唐志〉作《釋義》，而〈隋志〉據《七錄》作義疏，其性質必是合乎義疏的。《晉書・文六王傳》：「樂安平王鑒，武帝踐祚，封樂安王。帝爲鑒及燕王機高選師友。」「伊說當即師友中之明經者」。（用黃逢元補《晉書・經籍志》語）《晉書・謝沉傳》說：「康帝即位，徵爲太子博士。」謝氏的義疏，則是成於東晉時。〈釋文敘錄〉謂陸璣爲吳太子中庶子烏程令，則璣爲三國時人，陸《疏》與後來的疏雖不同，然而已用疏的名稱，則三國時已有疏之名了！皮錫瑞《經學歷史》於〈經學分立時代〉說：「南北諸儒，……倡爲義疏之學，有功於後世甚大。」殊不知在晉武帝時已有伊說的義疏，三國時已有疏之名，並非南北諸儒才倡爲義疏之學！

如果再進一步的考察，恐怕所謂疏也者，就其實質上來說，在後漢之末，便已經產生。《後漢書・孔奮傳》說：「奮晚有子嘉，官至城門校尉，作《左氏說》云。」章懷太子注說：「說，猶今之疏也。」〈隋〉、〈唐志〉都不著錄孔嘉的《左氏說》，〈釋文序錄〉則謂「侍中孔嘉字由甫，扶風人，注解《左氏傳》。」章懷太子的話未必可信，但是疏是解注的，如若依此體裁來看，則所謂鄭玄的《詩箋》，在實際上已是具有疏的性質的一部書，我們決不可因爲他叫做「箋」而不叫作「疏」，於是將其內容忽略過去。所謂《毛傳》者，其實就是注，孔穎達《尙書疏》說：「大率秦、漢之際，多名爲傳；於後儒者，以其傳多，或有改之，別云注解者；仍有同者，以當時之意耳。」賈公彥《周禮疏》說：「注者於經之下自注己意，使經義可申，故云注也，孔君、王肅之等則言傳，傳者使可傳述；若然，或云注，或云傳，不同者，立義有異，無義例也。」《毛傳》與注是沒多大分別的，鄭康成的箋《詩》，無論如何，不惟是釋經，而且是釋注（傳）的。〈六藝論〉說：「注《詩》宗毛爲主，其義若隱略，則更表明，如有不同，即下己意，使可識別也。」《毛詩疏》說：「鄭以毛學實備，遵暢厥旨，所以表明毛意，記識其事，故特稱『箋』，除經無所遵奉，故謂之註。」以毛爲宗，表明毛意，正是後來疏家奉某注爲宗，而更加以疏通證明的辦法。不過後來疏，解釋的較多，而大半用「義」、「疏」、「講疏」、「述義」、「大義」、「義贊」等等名稱，不多用所謂「箋」，遂使我們忘了《鄭箋》實是義疏的一種。《毛詩》「關關雎鳩，在河之洲」，《鄭箋》說：「摯之言至也，謂王雎之鳥，雌雄情意至，然而有別。」這裏不釋經文，只解《毛傳》「摯而有別」，若不是疏的體裁，便應當有釋經的內容。後來的疏，也有不注重專釋注文的，也有不一定尊注如經的，（詳下）拿鄭玄的《詩箋》與這一類的疏相比，其程度之差異實相去不遠，我們如稱《鄭箋》爲義疏之濫觴，亦未嘗不可也。

義疏的興起，說早一點，是在漢末；說晚一點，則在晉初。其發達的原因，不是受佛教的影響是極明顯的。而是因爲要專主一家的注來講經，在隱晦之處不得不加以疏解。論其興起，也當是由於不得不然之勢。佛教在漢末以至晉初，約當三國六十餘年間，在中國尚未十分發達，此時的經學是沒有受到佛經的什麼影響的。

至於義疏的發達，在南北朝的時代，算是最盛的時候。但是義疏爲什麼這樣發達，至少有兩個原因可說：

(1)從經學本身上來說，(A)關於《詩》的，有鄭、王之爭，〈釋文敘錄〉說：「魏太常王肅，更述毛申鄭，荊州刺史王基駁王肅申鄭義，晉豫州刺史孫毓爲《詩評》，評毛、鄭、王肅三家異同，朋於王。徐州從事陳統難孫申鄭。」〈隋志〉著錄的又有〔魏〕祕書郎劉璠的《毛詩義》四卷，《毛詩箋傳是非》二卷。(B)關於《書》的，如王粲的《尚書問》二卷，（見《舊唐書・元行冲傳》）田瓊、韓益的《尚書釋問》四卷，（據〈隋〉、〈唐志〉、〈新唐藝文志〉）是鄭玄、王粲之爭；如〈隋志〉的「《尚書義問》三卷，鄭玄、王肅及晉五經博士孔晁撰。梁有《尚書王氏傳問》二卷，《尚書義》二卷，范順問，吳太尉劉毅答。」是鄭玄、王肅之爭。(C)關於《禮》的，姑以《聖證論》來說，有馬昭的《聖證論難》，張融的《聖證論評》，孔晁的《聖證論答》，（馬國翰〈輯本序〉：今以諸引馬昭、張融參孔晁說而黨於王，則晁固王學輩之首選也。）是鄭、王之爭。(D)關於《易》的，干寶《搜神記》說：「弼注《易》，笑鄭康成爲老奴。」《宋書・隱逸傳》說：「關康之，……少而篤學，晉陵、顧悅之難王弼《易義》四十餘條，康之申王難顧，遠有情理。」《魏志・鍾會傳》：「嘗論《易》無互體」，〈隋志〉：「梁有《周易互體論》三卷，鍾會撰。」而《晉書・荀顗傳》說：「顗難鍾會《易互體》，見稱於世。」這是《易》也有爭論的。(E)關於《春秋》的，則有服、杜之事，如崔靈恩與盧僧誕，（《梁書・儒林傳》）

王元規之與梁代諸儒，（《南史・儒林傳》）衛冀隆之與劉休和、賈思同，（《魏書・賈思同傳》）❻姚文安、秦道靜之與李崇祖，（《北史・儒林傳》）當時學者對於注家有所爭持，他們要疏解他們之注是必然的。

⑵從講學的風氣來說，當時的義疏，很多以講疏爲名。如〈隋志〉：「《周易義疏》十九卷，宋明帝集群臣講。梁又有《國子講易議》六卷，宋明帝集群臣講《易義疏》二十卷，齊永明國學講《周易義疏》二十六卷。」足見這些義疏是開講的講稿，或是講後的記載。（《出三藏集記》卷八〈毘摩羅堤經義疏序〉：「是以即于講次，疏以爲記。」可以參證）《南史・儒林傳》說：「……（嚴）植之館在潮溝，生徒常百數，講說有區段次第，析理分明，每當登講，五館生畢至，聽者千餘人。」「（崔）靈恩聚徒講授，聽者常數百人，……講析精理，甚有精致。……除國子博士，講眾尤盛。」一般講學的風氣也與後漢不同，決不是「鄭玄在馬融門下，三年不得相見，高足弟子傳授而已」的情形了。講說要有區段次第，析理分明，而於經又奉一家之注爲主，這也促進義疏的發達。惟這種講經之法，或緣於當時佛教說法的影響，或是受當時喜言名理的影響，證以《老》、《莊》的講疏在當時也發達，這種情形以經學本身的原因要少，而受當時玄學影響的原因要多。但是經學發展的本身也可以促成義疏的發達，若一概地歸之於玄學的原因，那就未免看得太簡單了。

以上說的是義疏的興起及義疏的發達，以下再說義疏的內容。

六朝義疏的內容，因爲見存者少，亡佚者多，在現在是難以詳細地說明的。但是我們可以從皇侃的《論語義疏》考見「南學」義疏的大概，似乎也可以用北齊時的《公羊徐疏》❼來考見「北學」義疏的大概，最好的方法是利用唐人各經義疏對於六朝義疏的批評和唐人各經義疏所用六朝義疏的地方來考見六朝義疏的內容，

---

❻ 自來對於此事多不注意，兹將原文錄如下：「國子博士遼西衛冀隆爲服氏之學，上書難杜氏《春秋》六十三事，思同較冀隆乖錯者十一條，互相是非，積成十卷。詔上國學集諸孺考之，事未竟而思同卒。卒後魏郡姚文安，樂陵秦道靜，復述思同意。冀隆亦尋物故，浮陽劉休和又持冀隆說，至今未能裁正焉。」

❼ 詳見《師大國學叢刊》1卷1號吳承仕先生〈公羊徐疏考〉。

這樣子是可以比較多得一點當日的情形的。現在先將《五經正義》對於六朝義疏的批評抄列於下方：

(1)〈周易正義序〉：「其江南義疏，十有餘家，皆辭尙虛玄，義多浮誕。原夫《易》理難窮，雖復玄之又玄，至於垂範作則，便是有而教有，若論住內住外之空，就能就所之說，斯乃義涉於釋氏，非爲將於孔門也。……又不顧其注，妄作異端。」

(2)〈尙書正義序〉：「其爲正義者，蔡大寶、巢猗、費甝、顧彪、劉焯、劉炫等，其諸公風趣，多或因循，怗釋注文，義皆淺略，惟劉焯、劉炫，最爲詳雅。然焯乃織綜經文，穿鑿孔穴，詭其新見，異彼前儒，……炫嫌焯之煩雜，……義更太略，辭又過華。」

(3)〈毛詩正義序〉：「其近代爲義疏者，有全緩、何胤、舒瑗、劉軌思、劉醜、劉焯、劉炫等，……然焯、炫等負恃才氣，輕鄙先達，同其所異，異其所同，或應略而反詳，或宜詳而更略，準其繩墨，差忒未免，勘其會同，時有顚躓。」

(4)〈禮記正義序〉：「其爲義疏者，南人有……皇甫侃等，北人有……熊安（生）等，……熊則違背本經，多引外義……又欲釋經文，唯聚難義，……皇氏雖章句詳正，微稍繁廣，又既遵鄭氏，乃時乖鄭義，……此皆二家之弊，未爲得也。」

(5)〈春秋左氏傳正義序〉：「其爲義疏者，則有沈文阿、蘇寬、劉炫。然沈氏於義例粗可，於經傳極疏；蘇氏則全不體本文，唯旁攻賈服；……劉炫於數君之內，實爲翹楚，然……其理致難者，乃不入其根節，又意在矜伐，性好非毀，規杜氏之失，凡一百五十餘條，習杜義而攻杜氏，猶蠹生於木而還食其木，非其理也。」

由(1)的「斯乃義涉於釋氏，非爲教於孔門也，……又不顧其注，妄作異端」，我們知道六朝的玄學，漸漸由《老》《莊》而傾向於佛，所以就是王弼以《老》《莊》之旨注《易》後來也瞧不起，而大談其住內住外之空的佛理了！所以他們的疏對於注旨是無意遵守的。由(2)「詭其新見，異彼前儒，……炫嫌焯之繁雜……義更太略，辭又過華」。我們知道當日的風氣，是好有新的意見，而思想比較自由。劉炫的辭又過華，「雖爲文筆之善」，也足以見「北學」之亦有文學的色彩，所謂明經之士也不免於右文的。由(3)的「或應略而反詳，或宜詳而更略，準其繩墨，差忒未免」，我們知道當日的義疏並無一定的規矩準繩，而其內容決不像《五經正義》之比較有體例。《五經正義》在內容上雖未比六朝義疏進步，在體例上，據其評論前人，應當比較進步的。由(4)的「熊則違背本經，多引外義，……欲釋經文，唯聚難義，……皇氏雖章句詳正，微稍繁富，我們知道《北史》所云「北學深蕪，窮其枝葉」，這話在熊氏的義疏中也可看出。「多引外義」，「唯聚難義」這確是不畏深蕪，窮其枝葉的表現。由(5)的「於義例粗可，於經傳極疏，則亦可推見《北史》所云『南學約簡，得其英華』的大概。「於經傳極疏」可以說是好約簡，「於義例粗可」，或是得其英華。《五經正義》對於六朝義疏的批評雖極簡略，不惟告訴我們內容的一斑，而且也已告訴我們南北的風氣！但是我們所要注意的是：(1)「妄作異端」，(2)「詭其新見」，(3)「輕鄙先達」，(4)「遵鄭氏而時乖鄭氏」，(5)「習杜義而攻杜氏」，都是思想極端自由的表現，在各經的學者都是如此的。所以劉炫的《左氏述議》能有「其處者爲劉氏」不是左氏的原文（文十三年《正義》），「《國語》非邱明所作」（襄二十九年《正義》），這樣大膽的意見。劉毓崧《尚書舊疏考證》說：

> 唐人作疏，不敢經議注家，豈敢疑經疑聖。此（靜言庸違，象恭滔天。）疏云：「虞史欲彰舜德，歸過前人」，是疑《尚書》也。又云：「《春秋》史克以宣公比堯舜，辭頗增甚」。是疑《春秋傳》也。又云：「知此等並作下愚，未有大惡」，是疑堯舜也。以此疏推之，他疏凡疑本經，疑他經，疑聖人者，皆六朝舊疏，非唐人筆也。

在唐初的《五經正義》中有此「疑經」「疑聖」的論調，而《尚書》等正義「名爲新義，實襲舊文」，這種論調當然是沿襲六朝舊疏的。那時思想自由，敢於疑經非聖，自是因受玄學的影響而然，這種風氣，經唐人《五經正義》的傳播，加以唐人思想也很自由，於是有劉子玄之「疑古」「惑經」，於是有啖助、趙匡之排棄三傳，而影響到韓馹之「以識古書之眞僞爲年之進退」，更影響到宋儒之「疑古」

「考古」「改注」等等運動，眞是「論先河後海之義，豈可忘蓽路籃縷之功乎」？

皇侃的《論語義疏》對於注文並不完全作疏，如〈學而篇〉「其爲人也孝弟」章，〈先進篇〉「從我於陳蔡者」章，例證甚多，而他採集四五十家之說，好像是擴大的集解一般。在他稍前的雷次宗的《略注喪服經傳》一卷（《隋志》），在梁釋慧皎《高僧傳》說：

> 慧遠內通佛理，外善群書，時講〈喪服經〉，雷次宗，宗炳等並執卷承旨。次宗後別著義疏，首稱雷氏，宗炳因寄書嘲之曰：「昔與足下共於釋和尚問面受此義，今便卷首稱雷氏乎？」……

在梁僧的心目之中，「義疏」竟與「略注」無別，再知所謂義疏也者，起先原與箋注之意義與形式無大分別。而《皇疏》是比較進步的，且保留集解的意味，傳注集解箋疏演進之跡，我們於此固可見其大略；說《鄭箋》具有義疏的雛形，於此更可以得到確切的證明。

《公羊徐疏》援引賈服經說以正經文同異，兼言「聲勢」「反語」以正經傳音讀，可爲「北學深蕪窮其枝葉」之證。與《皇疏》的「自形器以上，名之爲無，聖人所體也；自形器而還，名之爲有，賢人所體也」。（〈爲政篇〉吾與回言章）指尙虛玄，文多儷偶，是不大相同的。這裡爲篇幅所限，對於二者且不多說。

五、所謂三傳之學及其他

〈北史儒林傳序〉說：「漢世鄭氏並爲眾經註解，服虔何休各有所說；玄，《易》《詩》《書》《禮》《論語》《孝經》；虔，《左氏春秋》，休，《公羊傳》；大行於河北。」這話並不錯。但是又說：「河北諸儒，能通《春秋》者，並服子愼所注；……其河外諸儒，俱服膺杜氏，其《公羊》《穀梁》二傳，儒者多不厝懷」這話則不盡然。但是《經典釋文．序錄》也說：「二傳近代無講者，恐其學遂絕。」《隋志》也說：「然《公羊》《穀梁》，但試讀文，而不能通其義，……後學三傳通講，……服義及《公羊》《穀梁》浸微，今殆無師說」。《公》《穀》之學在六朝時竟無人去理會。皮錫瑞更謂：「《北史》……《儒林傳》載習《公羊》《春秋》者止有梁祚一人，而劉蘭且排毀《公羊》，則此所云「《公羊》大行」，似非實錄。」皮氏也正是因《釋文》《隋志》之說而誤信《北史》後說「《公羊》《穀梁》二傳，儒者多不厝懷」而然的。這一點實不可以不辨。現在略爲分述於下：

(1)「休，《公羊傳》，大行於河北。」《魏書・高允傳》說：「尤好《公羊春秋》。〈劉芳傳〉說：「芳撰……何休所注《公羊》音。」《隋志》有「《春秋公羊解》一卷」，鮮于公撰。又有《春秋公羊疏》十二卷。鮮于公當即《北史・儒林傳》的鮮于靈馥。《公羊徐疏》近來也考定爲北齊人作的。好《公羊》的不止梁祚一人，唯一的疏又出於河北，此外更有三傳並習的人，這已足見《公羊》之大行！劉蘭排毀《公羊》，《儒林傳》說：「由此見譏於世」。可見當時輿論是贊成《公羊》的，這也足見大行於河北之說並不算錯。皮氏以爲似非實錄，未免太過武斷！

(2)「《公羊》《穀梁》二傳，儒者多不厝懷。」三傳通習者，《魏書・辛紹先傳》有辛馥，〈儒林傳〉有劉獻之、孫惠蔚，〈逸士傳〉有李謐。《北齊書・儒林傳》有李鉉、張雕、孫靈輝、潘叔度。《北周書》有陳達、熊安生。《隋書・儒林傳》有房暉遠、劉炫，〈郎茂傳〉有郎茂、張率禮，《隱逸傳》有張文詡。說儒者多不厝懷，只能說是一個大概情形，皮氏據以爲實，也是錯的。南方儒者，如周續之之於《公羊》，孔默之之於《穀梁》（《宋書隱逸傳》），劉之遴之《三傳同異十科》（《梁書》本傳），崔靈恩之《公羊穀梁文句義》，沈文阿之治《三禮》、《三傳》。也不是近代無講者，但試讀文而不能通其義的。

這時的三傳之學，據以上所列，或者南不如北之盛，南不如北之兼及《公》《穀》者多。到了唐代才眞是左氏盛行，二傳幾絕。

三禮之學在六朝是盛而又盛的，但是治《周禮》《儀禮》的遠不及治《禮記》者之多，《北史・儒林傳序》說：諸生盡通小戴禮，於《周禮》《儀禮》兼通者十二三焉。」其實不止北朝如此，在南方也是這樣的。後來唐《五經正義》只有《禮記》的無《周禮》《儀禮》，其原因正在此，鄭樵說：「孔穎達奉詔撰《五經正義》，……獨疑《周禮》《儀禮》非周公書，不爲義疏」。這話殊無以見其然。

南北學之分合，除了玄學的原因外，當然還有政治、經濟等等原因。而南學所用的注本實在比北學要好、要方便、要完全——在當時看來，所以在河南及青齊之間，儒生多講王輔嗣所注。而「杜預注《左氏》，預玄孫坦，坦弟驥於劉義隆世並爲青州刺史，傳其家業，故齊地多習之。」（《魏書儒林傳》）北方之採用南學已非一日，南北學之合併是漸變的，當然隨著政治局面的統一，經濟狀況的進步等等，而北方亦要全講南學，很容易地構成統一的局面的！皮錫瑞說：「天下統一，南併於北，而經學統一，北學反併於南，此不隨世運爲轉移者也。」他還是對於「北學所以併入南學」之故，尚未瞭然！

——原載《師大月刊》第 18 期（1935 年 4 月），頁 32－55。

經 學 研 究 論 叢
第 九 輯　　　頁27～38
臺灣學生書局　2001 年 1 月

唐代科舉與經學

陳彝秋*

在中國傳統文化中，經學是占主導地位的。從經學的學術內容看，它主要是對儒家經典所蘊含的思想內容的闡發及對其文字、名物的訓詁考證。清人皮錫瑞在其《經學歷史》❶中將經學的發展分爲：開闢時代、流傳時代、昌明時代、極盛時代、中衰時代、分立時代、統一時代、變古時代、積衰時代和復盛時代，共十個階段。唐代正處於經學的統一時代。經學發展的階段性以及表現出來的不同特徵，除了有其自身發展的過程和原因，同時也受到每個時代的政治制度、世風人情及意識形態等因素的影響。

科舉制度產生於隋，廢除於晚清，它對中國古代文人的生活和思想影響極爲深遠和長久。在唐代，科舉及第是獲得並保持政治地位、家族門第的重要途徑，所謂「三百年來，科第之設，草澤望之起家，簪紱望之繼世。孤寒失之，其族餒矣；世祿失之，其族絕矣」❷，描述的就是科舉與文人命運息息相關的事實。通常所說的唐代科舉項目，主要是指明經、進士和制舉，這三科對時人影響較大，其中明經和進士二科爲常科，又尤以進士科爲最盛。作爲一種政治文化制度，唐代的科舉制度與經學在唐代的發展有著怎樣的聯繫？本文試圖從常科與經學、制科與經學、經學轉變與科舉改革這三個方面對兩者之間的關係作一些闡述。

---

* 陳彝秋，江蘇曉莊學院中文系講師。

❶ 香港：中華書局，1959 年。

❷ 〈好及第惡登科〉，《唐摭言》（上海：上海古籍出版社，1978 年），卷 9。

壹、常科與經學

唐科舉中常科主要是指秀才、明經、進士、明法、明書、明算等六科，而「終唐世爲常選之最盛者，不過明經、進士兩科而已」。❸此處分而述之。

一、明經科與經學

明經科以儒家經典作爲考試內容，因而一般認爲，在唐代所有的科舉科目中，明經科與經學的關係最爲密切。

《五經正義》的編訂頒行促進了經學的統一。隋平陳而天下統一，南北之學亦歸統一，但是在全國範圍內，經學書籍的版本依然很多，且在傳抄過程中又不免有文字錯訛現象，要作爲科舉考試的內容，一個官方統一版本的出現就成爲必要。貞觀七年（633 年）十一月，「太宗以經籍去聖久遠，文字訛謬，令師古於秘書省考定五經。師古多所釐正，既成奏之。太宗復遣諸儒重加詳議。於時諸儒傳習已久，皆共非之。師古輒引晉宋以來古今本，隨言曉答，援據詳明，皆出其意表，諸儒莫不嘆服。於頒其所定之書於天下，令學者習焉。」❹貞觀十二年，太宗又詔國子祭酒孔穎達等撰《五經義訓》，孔穎達遂與顏師古、王琰等儒者撰成《五經義訓》一百七十卷，名曰《五經正義》，由博士馬嘉運等幾次刊正，至永徽四年（653 年）頒於天下，每年明經，令依此考試，終唐之世至宋，皆遵此本。修訂《五經正義》的時間前後長達二十年，這推動了唐初經學的發展，使之呈現出頗爲繁榮的景象；《五經正義》的正統地位直接造成了唐代經學較爲統一的局面，並且由於科舉制度的保證，它得以在很長時間內具有廣泛性的影響。另有玄宗時《五經字樣》、文宗時《新加九經字樣》，皆是對此的補充和加強。

明經科考試內容上的要求在一定程度上有助於經學典籍的傳播。在唐初，明經科與進士科一樣止試策，至高宗調露二年（680 年），「考功員外郎劉思立奏明經、進士二科並加帖經。」❺發展到後來，「凡明經，先帖文，然後口試，經問大

❸ 〈取士大要有三〉，〔清〕王鳴盛：《十七史商榷》，卷 81。

❹ 《舊唐書・顏師古傳》。

❺ 《通典》卷 15，〈選舉〉三。

義十條，答時務策三道。」❻其中，「試策自改問時務以來，經業之人，鮮能屬綴，以此少能通者。所司知其若此，亦不於此取人。故時人云，明經問策，禮試而已。」❼這樣，應明經舉者所著意的便是帖文和經問大義了。帖文即帖經，類似於今天的填空，就是「以所習經，掩其兩端，中間唯開一行，裁紙爲帖，凡帖三字，隨時增損，可否不一，或得四得五得六者爲通。」❽這其中雖然不乏有各種投機取巧的法門，但仍然要求應試的舉子們要非常熟悉並能夠背誦一些儒家經典，包括其中的注疏。當時經書的流傳方式多爲手抄，據傅璇琮先生在《唐代科舉與文學》❾中的推算，僅每年集中於長安的舉子就約有二三千人，各府州縣的舉子尚未計其中，這麼一個龐大的群體對於經籍的廣泛傳播無疑極具推動性，使得經籍流傳的廣泛程度遠大於以往各代。經問大義十條，原爲口試，建中二年中書舍人趙贊權知貢舉，乃請以所問錄於紙上，各令直書其義，不假文言，這就對經問大義提出了更高的要求，在一定程度上改變了以往明經舉人惟務習帖，至於義理，少有能通的局面，使他們不得不對經書的內容多加注意。這種注意之於經學意義究竟有多大，今天已無法確知，但可以知道的是由於《五經正義》占據了經學正統地位，從而對其他經籍的發展和傳播形成不利。

唐後期明經科地位的下降影響了士人們對經學學習的重視。明經科與進士科本無高下之別，然而隨著科舉制度的發展，唐人後來特重進士一科，於明經則極少推崇，特別是玄宗時將通曉《老子》、《莊子》、《文子》、《列子》的士人和明經出身同樣看待，肅宗時明經出身可以用錢買到以後，明經地位更是一落千丈。這從《登科記考》❿中對於進士及第與明經及第記載材料的多寡對比上亦可見一斑。唐前期，明經科出身的士人在社會地位和政治地位上與進士科出身的士人並無非常明顯的差別。從對《登科記考》和《新唐書·宰相表》中所存資料進行對照統計（皇族爲相者不在統計之列）的結果可知，高宗武后年間的宰相可考有十二人出身

---

❻ 《新唐書·選舉志》。

❼ 同註❺，卷17，〈選舉〉五。

❽ 同註❺，卷15，〈選舉〉三。

❾ 西安：陝西人民出版社，1986年。

❿ 北京：中華書局，1984年。

明經，他們是：張文瓘、裴炎、格輔元、狄仁杰、李昭德、姚璹、陸元方、楊在思、杜景佺（一作杜景儉，此據《新唐書・宰相表》）、韋安石、唐休璟、崔玄暐，出身進士者有二十人：來濟、李義府、許圉師、上官儀、郝處俊、李義琰、高贄周、郭正一、魏玄同、韋思謙、范履冰、婁師德、蘇味道、宗楚客、李嶠、吉頊、李迥秀、韋嗣立、張柬之、韋承慶。兩者差別不太大，且前者中名相並不少於後者。而後的中宗、睿宗與玄宗三朝，明經出身爲相者有敬暉、祝欽明、張嘉貞、杜暹、裴光庭五人，進士入相者可考得十四人：蘇瓌、崔湜、趙彥昭、岑羲、李日知、薛稷、崔日用、宋璟、魏知古、盧懷愼、源乾曜、蘇頲、張九齡、陳希烈。從人數上、作爲上，明經入相已顯衰落跡象。其後，出身明經的宰相僅考有六人，集中在德宗至代宗朝，他們分別是董晉、盧邁、賈耽、程异、元稹和路隋。因材料限制，這些統計也許還不完整，但從中已可見明經地位在唐代日衰的一個側影。至於明經出身爲他官者，吳宗國先生在《唐代科舉制度研究》⓫中認爲，唐前期「明經無論從地位到仕途出路，都不遜於進士科」，而到了唐後期，「明經及第者做到高官或成爲名人者大爲減少」，「明經出身者多擔任中下級官吏」。雖然每年明經科及第人數並未減少，但它在世人思想及官僚結構中地位卻日趨下降，這在一定程度上加速了與之密切相關的傳統經學的衰落。

然而我們亦不可忽視唐代經學發展本身的局限對明經科的衰落應負的責任。唐代社會是一個封建等級急需重新排列的社會，統治階級需要一套新的思想體系來維護其統治。而唐代的經學主流是承前而來的章句之學，屬義疏派。《五經正義》倡導的重訓詁章句名物的傳統限制了人們積極的思想活動，安史之亂後，雖有韓愈、柳宗元、劉禹錫等人積極進行哲學思考，但較之佛教、道教仍顯活力不足，沒能建立起一套適合唐代社會需要的新的經學體系。在這個傳統經學衰微而新的經學體系尚未建立的時候，經學要引起世人的推重是困難的，因而在唐代，經學和佛學、道學一直共處三足鼎立的地位，始終未能佔據絕對優勢，這對於需要藉經學思想獨尊地位而發展的明經科是不利的。

明經科的開設對於漢魏以來的部分經學典籍得以在全社會較大範圍內流布傳

⓫ 瀋陽：遼寧大學出版社，1997 年。

播具有積極意義，這是唐前經學發展所不具備的條件，但同時也影響了其他經學書籍的被重視與傳播；明經科在唐代的衰落降低了士人們對經籍學習的重視；傳統經學在唐代的衰微也制約了明經科的發展，使之地位越來越低。北宋神宗熙寧四年，明經科被廢止，唐末情形已爲前聲。

二、進士科與經學

進士科是唐科舉中最重要的科目，備受時人推崇，《唐摭言》卷一《散序進士》條說：「進士科始於隋大業中，盛於貞觀、永徽之際，縉紳雖位極人臣，不由進士者，終不爲美，以至歲貢常不減八九百人。」唐初進士止試策，貞觀八年詔加讀經史一部，調露二年，劉思立又奏加帖經，至中宗神龍元年（705 年），進士科帖經、雜文、策文三場試始爲定制。其後約在中唐德宗年間，三場試順序變爲詩賦、帖經、策文，又據胡震亨《唐音癸籤》中的記載，至唐末，考試順序已成詩賦、策文、帖經。唐人於進士科重詩賦、策文，輕帖經的風氣從中亦可得到佐證。下面分別就進士科三場試談談唐進士科與經學之間的關係。

㈠帖經考試並未能從根本上促使舉子們重視經學

帖經之議始於調露二年，進士之所以要試帖經，《新唐書・選舉制》中說得明白，是爲了改變「進士唯誦舊策，皆亡實才，而有司以人數充第」的風氣，目的在於促使應試舉子們去鑽研經史本文，提高經學修養。帖經雖然也在一定程度上激發士人去學習經籍，但並未能從根本上扭轉進士科重文詞詩賦的世風，尤其是可以以詩贖帖以後，舉子們更不以帖經爲意了。

㈡進士雜文試題中反映出唐後期經學的變化

永隆二年（681 年），詔加進士試雜文兩首⑫，這在考試內容上有了變化。而徐松在《登科記考》此條下有一按語，對加試雜文的時間似表示了不同的看法：「雜文兩首，謂箴銘論表之類。開元間，始以賦居其一，或以詩居其一，亦有全用詩賦者，非定制也，雜文之專用詩賦，當在天寶之際。」據從《登科記考》中檢索

---

⑫ 參看《登科記考》顯慶四年（659 年）進士條下注文：《詞學指南》：「顯慶四年，進士試〈關內父老迎駕表〉、〈貢士箴〉。」可見在高宗正式下詔試雜文之前，已有知貢舉的官員嘗試試雜文了。

出的進士試題看，此按值得商榷和補充。第一，「開元間，始以賦居其一，或以詩居其一」的說法並不準確。武后光宅二年（685 年）進士雜文題有〈高松賦〉，武后長安二年（702 年）進士試題有〈東堂壁畫賦〉（參進士徐秀條下所引〈徐府君神道碑銘〉：「考功員外郎沈佺期再試〈東堂壁畫賦〉。」），均在開元（開元元年爲 713 年）之前。第二，「雜文之專用詩賦，當在天寶之際」，是符合事實的。值得注意的是，在其後進士考試中，也有不試詩賦的，如：永泰元年（即廣德三年，765 年）進士試〈轅門箴〉，知貢舉爲尚書右丞賈至，此繼楊綰廣德元年上疏奏貢舉之弊，抨擊進士矜尚文詞兩年；建中三年（782 年）進士試〈學官箴〉，進士別頭詩試〈欹器銘〉，此年權知貢舉爲中書舍人趙贊，趙贊曾於建中二年上疏奏以箴、論、表、贊代詩、賦。以後又有建中四年（783 年）試〈易簡知險阻論〉、興元元年（784 年）試〈朱干銘〉，遲至貞元四年（788 年）又改試詩賦。另外，在文宗大和七年（833 年），禮部奏停進士詩賦，大和八年進士試即不以詩賦爲題，其時改革家李德裕爲相。自開天至終唐，進士詩賦世尚浮文艷詞，與之相伴的亦是對此弊端不間斷的指責之聲和改革嘗試。從所列舉的材料看，這不試詩賦的幾年均是指責派或改革派有機會有力量對之進行影響的幾年，他們希望改變這種弊病下經學寖衰的局面，選拔一些精通經義的經世之才以行教化。

從所能考見的進士試題來看，唐進士詩賦的內容大致可分爲三類。一類與唐代社會生活中的風俗、事件、景物有關，具有鮮明的時代感。如：〈玄元皇帝應見賀聖祚無疆詩〉（天寶四載）、〈東郊迎春詩〉（天寶十五載）、〈迎春東郊詩〉（上元二年）、〈禁中春松詩〉（大歷八年）、〈蠟日祈天宗賦〉、〈清明日賜百僚薪火詩〉（大歷九年東都試題）、〈曲江亭望慈恩寺杏園花發詩〉（貞元四年）、〈御溝新柳詩〉（貞元八年）、〈春色滿皇州詩〉（元和十年）、〈火中寒暑退賦〉（乾符四年）、〈東風解凍詩〉（景福元年）等，這類題目可以視爲唐人重視時代精神的反映；一類具有較強的文學性，如：〈湘靈鼓瑟詩〉（天寶十載）、〈省試觀慶云圖詩〉（貞元六年）、〈珠還合浦賦〉（貞元七年）、〈青云干呂詩〉、〈明水賦〉（貞元八年）、〈緱山月夜聞王子晉吹笙詩〉（大和二年）等，這些可視爲唐進士詩賦重文詞的表現；第三類便是出自經史書籍或具有強烈教化意味的題目，有〈籍田賦〉（開元元年）、〈射隼高墉賦〉（大歷二年）、〈寅賓出日賦〉（大歷十四年）、〈青出藍詩〉（貞元十四年）、〈性習相遠近賦〉（貞元十六年）、〈樂德教胄子賦〉（貞元十七年）、〈沽美玉詩〉（貞元二十一年）、〈王師如時雨賦〉（元和十四年）、〈風不鳴條詩〉（會昌三年）、〈堯仁如天賦〉（大中三年）、〈倒載干戈詩〉（咸通三年）、〈被牖以象天賦〉（咸通七年）、〈天下爲家賦〉（咸通九年）、〈王者之道如龍首賦〉（乾符元年）、〈以至仁伐至不仁賦〉（乾符五年）、〈止戈爲武賦〉（景福元年）、〈人文化天下賦〉（乾寧二年）、〈未明求衣賦〉（乾寧四年）等。第三類題目的出現有三個高峰期，一爲大歷年間、二爲貞元元和年間、三爲晚唐亂世。大歷時活躍在文壇上的正是唐代古文運動的先驅者們，他們在世尙文詞的風氣下主張復興古學，注意經世致用，結合現實問題重新思考儒家經典的內涵，希望以此解決實際問題，這是人們思想上的變化所引起的經學的發展變化對科舉所產生的影響；貞元元和時期，陸贄、高郢、權德輿等人知貢舉，他們主張選拔人才以經藝爲進退、致治爲標準，這可看作是經學與科舉間的相互影響；唐末亂世，統治者急需經邦略國之才，這一階段的進士試題蘊含著統治階級以科舉形式表達的對唐代經學轉變的企盼。

值得注意的是，進士科考試中以詩賦取士一直最爲唐人所推重。安史之亂以後，整個唐代社會發生了重大的轉變，儘管經學領域內的變化也折射到進士科考試上，從而在某些時段出現以經術取士的呼聲，但是由於首重詩賦的觀念在人們的思想中具有長久而又強大的慣性，因此，終唐之世，進士一試仍然在總體上維持著以詩賦取士的局面。

㈢唐後期進士試策內容的變化導致了舉子們對經學重視的加強

試策在進士科中貫穿始終。史載唐初進士主要試時務策，從現存的當時策文來看，除了少量的聯繫實際的策文外，其中心內容多爲對統治者的頌揚，當時之務所占比例不大。直到貞元元和以後，經陸贄、高郢、權德輿等人的努力，才使進士試由重文詞慢慢走向重文章實質的道路。他們在試時務方略策時增加了一些與儒學相關的內容，重視考察士子對儒家經典的理解，對現實問題的解決，使舉子們意識到博覽經史的重要及不囿於章句之學的迫切，這對經學風氣的轉變是一個推動。

與此相適應，唐後期進士策文選取標準的這種變化使得一批眞正的才學之士佔據了唐後期官僚中高層。參看吳宗國先生在《唐代科舉制度研究》中所做的統計：

在位國君	憲宗	穆宗	敬宗	文宗	武宗	宣宗	懿宗
宰相總數	29	14	7	24	15	23	21
進士出身數	17	9	7	19	12	20	20

僅宰相一職，進士出身者在其中已呈絕對優勢。他同時也注意到了進士出身的左右僕射和六部尚書，在這之後比重加大，超過半數。大量的進士官員佔據唐統治階級的高層，是進士科在唐後期得以穩固昌盛的保證，同時唐後期高級官吏的進士化又促進了經學的轉變。爲了進士及第，越來越多的舉子們去研究儒家經典，希望以聖人之旨去解決實際問題，這無形中加快了唐後期經學從注重章句訓詁的傳統中解脫出來的速度，並向經世致用的義理之學發展。

貳、制科與經學

唐制科與常科相對，由天子自詔，隨時設科取士。後世稱「有唐稱治，由制科之策」。⓭一般認爲制科設科始於高宗顯慶三年（658 年），實際結束於文宗大和二年（828 年）。在近兩百年的時間裡，制科對唐社會的政治、經濟、文化等均發生了深遠的影響。

唐代制科的設立是待非常之才的，各種各樣有益於時的人才都是制科所欲徵舉的對象，其中自然也包括精通經學的鴻儒。在制科的開設中，仍有不少科目與經學相關。

一、《登科記考》中載有與經學相關的科目及登科者

麟德元年	經明行修科	李思訓
嗣聖元年	抱儒素科	
載初元年	抱儒素之業科	李文蔚
天授二年	英才傑出、業奧大經文儒异等科	祝欽明
開元五年		崔品、褚廷晦、殷踐猷

⓭ 《宋會要輯稿》第 111 冊，〈選舉〉一〇。

天寶元年	儒學通博科	劉浌等八人
天寶十載	博通墳典科	歸崇敬
建中元年	經學優深科	孫玭、黎逢、白季隨
貞元元年	博通墳典達於教化科	熊執易、劉簡甫
貞元十年	博通墳典達於教化科	朱穎
元和三年	博通墳典達於教化科	馮芫、陸亙
長慶元年	博通墳典達於教化科	李思玄

又有上書拜官一人：

長安四年　上書拜官　王元感　上《尚書糾謬》、《春秋振滯》

於《附考》中又補得：

精通經史科	張擇	白居易〈和州刺史張擇神道碑〉云：「應制舉，中精通經史科，補弘文館校書郎。」
經明行修科	李濤	獨孤及〈李濤墓志〉云：「弱歲好學，篤志經術，專戴氏禮。晚年耽太史公書，以經明行修，宗正寺舉第一。」

這些科目的開設，為一部分希望通過研究經術以參知政事，舉身仕途的士人提供了門徑。這在客觀上起到了鼓勵並刺激經學學術發展的作用。

二、唐代制舉科目中反映出唐後期經學的變化

制科中一些科目的頻繁開設也在一定程度上促使了唐後期經學發生變化。唐制科科目多達六七十種，其中賢良方正直言極諫科、博通墳典達於教化科、軍謀宏遠堪任將帥科、詳明政術可以理人四科開設次數較多，也最為著名。如賢良方正直言極諫科就曾在武后永昌元年、天冊萬歲二年、中宗神龍三年、睿宗景雲二年、景雲三年、玄宗開元二年、開元十四年、天寶元年、德宗建中元年、貞元元年、貞元四年、貞元十年、憲宗元和元年、元和三年、穆宗長慶元年、敬宗寶歷元年等年份裡開科取士；而博通墳典科亦於玄宗天寶十載、德宗貞元元年、貞元十年、憲宗元

和三年、元和九年、穆宗長慶元年等年份裡廣徵人才。這二科均集中開設在安史之亂以後。從制科開設者來看，是希望士人們去解決戰後不斷暴露出來的各種社會問題；從應試舉子方面而言，要面對社會問題、解決社會問題，就不能僅僅注重文章的浮華艷麗，以及對經籍內容的不求甚解，而需要他們結合實際，根據自己的需要對儒學傳統觀念作出思考，加以發揮，以追求先王之道，闡揚經學的深層內涵。這些制科科目的開設，推動了經學學風的轉變。

參、經學轉變與科舉改革

先對唐代的科舉改革作一個簡單的回顧。對唐代科舉制存在的弊病表示不滿的聲音從唐初已經發出，且在日後不絕於耳。這些爭議可以歸結爲兩種意見，一爲廢止科舉制，一爲改革科舉制。前者除了薛謙光是爲了維護漸衰的豪門士族的特權外，其餘的均出於尋求世亂緣由、以使唐室再興之目的，其中以代宗時楊綰、賈至、嚴武等人引起的大辯論影響最大。他們將安史之亂的原因歸結爲「忠信之陵頽，恥尚之失所，末學之馳騁，儒道之不舉」，認爲造成這種局面的原因在於科舉試詩賦使舉子們「六經則未嘗開卷，三史則皆同掛壁」⓮，因而他們集中攻擊進士、明經二科，進而提出廢止科舉或科舉與薦舉並行的主張。後種觀點多集中在中唐，其時科舉制已取得比較穩固的地位。在對科舉制持肯定態度的前提下，社會輿論多偏向於對之進行改革，代表人物有：代宗德宗時的趙匡、趙贊，認爲科舉考試應停試詩賦等不急之業，主張士子的進德修業與科舉授官，均需注意其實際的施政才能，其所業應資於時用，趙贊並在建中三年知貢舉時罷試詩賦；權德輿、柳冕、沈亞之等人亦認爲進士試詩賦無益於時，當先理道，本儒意，以成教化；文宗武宗時李德裕兩度爲相，對科舉制尤其是進士試進行改革，並於大和八年罷試詩賦。李德裕之後，終唐世，無人再對科舉制進行改革。

經學轉變與科舉改革間的關係，在前文部分論述中已有所涉及，這裡擬作一個較爲集中的闡述。經學與科舉是相互影響的。經學本身的變化轉型必然會對科舉考試產生影響，而有關科舉制的爭論與改革既與經學思想密切相關，同時又勢必會

⓮ 此二條引自《登科記考》卷10，代宗寶應二年楊綰疏奏。

影響人們對於儒家經典的學習和重視。

一、中唐以後科舉制多集中於進士試的改革，是唐後期經學學風轉變在科舉上的反映

宋元以後講經學史者，往往認爲「唯唐不重經術」。⑮如果僅僅認爲經學繁榮是體現在經學著作和儒學名家的數量上，這種說法勉強可以接受。但是從另一個角度來講，正是在唐代，尤其是中唐以後，經學體現出了一種新的生命力，它開始掙脫章句之學的束縛，強調發展其有補於世的政治作用。

安史之亂以前，唐代經學主要是指章句義疏之學。亂前的唐代社會處於中國封建社會發展的最高峰，全國上下一片歌舞昇平。此種狀況下，深層的哲學思想的發展似乎比不上彩麗競繁的文詞那樣重要和實用。這時儒家思想的發展是單一的、薄弱的，只是順承了舊古文經學的傳統，嚴格按照歷來各家注疏理解經學，而統治者編訂《五經正義》作爲考試內容，又取消了章句之學內部其他各派存在的地位。劉知幾著〈疑古〉、〈惑經〉、對《五經正義》表示不滿尙且受到壓制，更毋論時人想要衝破章句學藩籬的困難了。

安史之亂以後，傳統經學發生變化。戰亂後的唐王朝由極盛走向衰落，朝廷權力亦被各方鎭分削，對於包括皇帝在內的整個統治階級來說，尋找世亂之因，重現盛唐氣象的使命沈重起來。唐憲宗在元和元年（806 年）策才識兼茂明於體用科時說：「元帝優游於儒學，盛業竟衰」⑯，對儒學的社會功能提出了懷疑，同時也表達了他對唐代經學不能致用的不滿。一部分意欲竭忠盡智、匡時濟世的儒者開始從浮飾文詞中走出，有意識擺脫章句，以經駁傳，對經學中一些重大的理論問題進行結合實際的深入思考，希望能察聖人之旨，明儒學之道，做到「生人之意」與聖人之意相通，從而找到一條能夠致世盛明的治理之道。唐後期經學學風的這個根本性的轉變反映在文學形態上是韓愈、柳宗元等人領導的古文運動，反映在文化制度上就是對科舉尤其是唐人特重的進士科的改革，即由重詩賦文采向重策文內容的轉化。

---

⑮ 皮錫瑞：《經學歷史》，卷 7。

⑯ 《登科記考》卷 16。

二、唐經學轉變反映在科舉內容上主要是對文與質關係的爭論，而這些爭論同時又推動了經學的轉變

爲具體說明科舉中關於文與質的關係的爭論情況，試舉二例：
德宗貞元元年禮部侍郎鮑防知貢舉策博通墳典達於教化科問：

> 尚文則彌長其澆風，復質又莫救其鄙俗。立教之本，將何所從？⓱

貞元二十一年禮部侍郎權德輿知貢舉策進士問：

> 言，身之文也，又曰灼於中必文於外。司馬相如、揚雄，籍甚漢廷，其文盛矣。或奏琴心而滌器，或贊符命以投閣，其於溺情敗度，又奚俟於文章耶！至若孔融、禰衡，夸傲於代，禍不旋踵，何可勝言。兩漢亦有質樸敦厚之科，廉清孝順之舉，皆本於行而遺其文。復何如哉？爲辨其說。⓲

這些科舉策問中關於文與質關係的討論，是中唐時人們已非常重視經學儒道的反映。它將文與質關係這個本屬學風、文風的學術型問題轉向了現實政治，上升爲時人所關注的一個政治原則的討論，激發了思想的創新。

唐代經學的發展處於一個艱難的探索階段，它努力擺脫傳統經學的束縛，渴望建立一套經世致用的新的思想體系。雖然最終它未能圓滿完成這個使命，但是在轉變中打下了良好的理論及實踐基礎，直接促成了宋代義理學的生成。在經學的這個發展轉變中，科舉制度一直與之密切相關，兩者互相影響、互相促進。經學的發展離不開科舉的扶持，科舉的改良也依賴了經學的轉變。

⓱ 同前註，卷 12。

⓲ 同前註，卷 15。

經學研究論叢
第九輯　　頁39～56
臺灣學生書局　2001年1月

論《朱子全書》與《性理精義》之編纂特色

楊　菁*

一、前言

有清一朝的學術雖然以乾嘉考據學著稱，但是康熙一朝的程朱學之盛，也是學術史上的重要記事。清朝以一外族入主中原，卻很快能穩定朝綱、安定社會，與其崇尚儒術的政策頗有關係。❶而到了康熙一朝，由於康熙皇帝對於程朱學的愛好，加以諸理學大臣的應和，使得程朱學在此時期盛極一時，其中又以《朱子全書》和《性理精義》二書的御纂為最大盛事，因此這兩部書的纂集，也可視為清初

* 楊菁，東吳大學中國文學系講師。

❶ 如順治九年九月便舉行了「臨雍釋奠」大典；隔年頒諭禮部，提出要「崇儒重道」；十一年，再諭禮部：「帝王敷治，文教是先，臣子致君，經術爲本。……今天下漸定，朕將興文教、崇經術，以開太平」；十四年九月初七，舉行清代第一次經筵盛典。十月，初開日講，祭祀孔子於弘德殿。康熙八年，除去鰲拜集團，清聖祖親臨太學祭奠孔子，並敕諭國子監祭酒、司業等官曰：「朕惟聖人之道，高明廣大，昭垂萬世，所以興道致治，敦倫善俗，莫能外也。……今行辟雍釋奠之典，將以鼓舞人才，宣布教化。……」。翌年八月，恢復翰林院；十月，頒諭禮部，重申「崇儒重道」的基本國策，以「文教是先」，頒「聖諭十六條」。九年，重開日講。十年二月，再度舉行中斷多年的經筵。此後每年春秋二次的經筵講學，便成爲一代定制。至十七年詔舉「博學鴻儒」，「崇儒重道」的國策對於人心的籠絡、社會文化的安定，都起莫大的影響。

程朱學達到極盛的展現。

此外，《朱子全書》及《性理精義》的纂修，是承襲明代的《性理大全》而來，但對於《性理大全》又多所批評與增刪，因此由這兩書的修纂過程，及材料的選汰、裁剪、編目次序等，也可以看出自明《性理大全》（1414）到清《朱子全書》、《性理精義》（1707－1715）之間，朱子哲學思想的變化，且可以藉此略窺清代程朱學學風的轉變及其風貌之呈現。

二、康熙帝與李光地之推崇朱子學

康熙皇帝與李光地都是程朱學的宗奉者。康熙在早年時由熊賜履擔任進講官時，便經常進講性理之學❷，康熙自己也曾說：「朕在宮中，博觀典籍，見宋儒周敦頤所著《太極圖》，義理精奧，實前賢所未發。」❸可見康熙對程朱學一直都懷著濃厚的興趣，他也曾親自手批《性理大全》。❹後來康熙帝在〈御製朱子全書序〉中，自言早期讀書以廣博華麗爲事，剛勇武備爲用。直到康熙三十五年親征天山，才體悟到兵不足窮，武不足黷，若只是好勝而無令聞，豈不與亂者同道。因此他開始探索先王之道，以求反之身心、求之經史。在諸家之中，又特別讚誦朱子學能「集大成而緒千百年絕學之傳；開愚蒙而立億萬世一定之規」、「非此不能知天人相與之奧；非此不能治萬邦於衽席；非此不能仁心仁政施於天下；非此不能外內爲一家。」他把朱子學視爲通天人之道及治理天下的寶典，以道統爲治統之所繫❺，

---

❷ 在《康熙起居注》十二年癸丑九月條，熊賜履便進講：「俯仰上下，只是一理。唯洞徹本原，擴充分量，存之心性之微，驗之事爲之實，則表裏精粗，無有欠缺」（頁 118）；「聖賢本體工夫，只格物二字包括無餘。內而身心意知，外而家國天下，皆物也。物無不格，斯知無不致，而德無不明。聖經賢傳，千言萬語，無非發明此理」（頁 121）。（北京：北京中華書局，1984 年 8 月）。

❸ 同前註，頁 133。

❹ 見《康熙起居注》二十四年乙丑三月條，頁 1299。

❺ 《康熙起居注》十六年丁巳十二月記載：「是日，上親製《日講四書解義序》。其文曰：『朕惟天生聖賢，作君作師，萬世道統之傳，即萬世治統之所繫也。自堯、舜、禹、湯、文、武之後，而有孔子、曾子、子思、孟子。自《易》、《書》、《詩》、《禮》、《春秋》而外，而有《論語》、《大學》、《中庸》、《孟子》之書，……蓋有四子而後，二

並且強調學問的實用性，不喜空談，他曾說：

> 明理最是緊要，朕平日讀書窮理，總是要講求治道，見諸措施。故明理之後，又須實行，不行，徒空談耳。（《康熙起居注》十二年癸丑八月條，頁 116）

他命李光地與熊賜履纂集《朱子全書》、《性理精義》，也可以看出這種強調學問之務實性的精神。

負責纂修《朱子全書》、《性理精義》的主要負責人是李光地（1642－1718），字晉卿，號厚庵、榕村，學者尊爲安溪先生，卒謚文貞，福建安溪人。他曾位居內閣大學士，與康熙皇帝君臣相得，康熙嘗謂「朕知之最眞，知朕亦無過光地者」。❻李光地對康熙朝的理學推動影響甚鉅，他本人自少即研讀性理方面的書籍，曾云「某年十八，手纂《性理》一部；十九，手纂《四書》一部。」❼任官於朝，又與康熙相契，曾進表云：「臣之學，則仰體皇上之學也，近不敢背於程朱，遠不敢違於孔孟。」❽雖然語極謙卑，但他並非只是媚上取寵之徒，他個人在理學上有其見地，且致力於理學的推動，頗具影響力。他也曾說：「若夫窮性命之源，研精微之歸，究六經之旨，周當世之務，則豈特儒者之所用心，帝王之學何以加此。」❾意謂藉著性命之學的精研、六經之旨的探究，周詳當世之務，也正是帝王之學所應學習的。可見他力崇程朱學的用意，也是希望輔助君王，推行於治道。

《朱子全書》與《性理精義》雖是由康熙皇帝下令御纂的，但是早在康熙二十六年三月，李光地即曾面奏：

帝、三王之道傳；有四子之書而後，五經之道備。四子之書得五經之精意而爲言者也。孔子以生民未有之聖，與列國君、大夫及門弟子論政與學，天德王道之全，修己治人之要，具在《論語》一書。《學》、《庸》皆孔子之傳，而曾子、子思獨得其宗。……道統在是，治統亦在是矣。』（頁 339－340）

❻ 《清史稿校註．李光地》，卷 269，列傳 49，（臺北：國史館，1989 年 2 月），頁 8542。

❼ 李光地：《榕村語錄》（北京：中華書局，1995 年 6 月），卷 24，頁 426－427。

❽ 《榕村全集》，卷 10，〈進讀書筆錄及論說序記雜文序〉，頁 524。

❾ 同前註。

> 秦漢以後，禮壞樂崩，六經雖經宋儒闡明，然永樂間所修《大全》未免蕪雜疏漏，宜大徵天下知學之士，搜羅群言，討論編纂，以至禮樂制度，亦稽古論定，有典有則，貽厥子孫，誠千載一時也。❿

康熙也表示同意，只是擔心「士人纂書多挾書聚訟，求其虛心公道，實爲難耳。」⓫可知纂書之提議實起於李光地。

李光地在〈御製朱子全書序文發示恭謝劄子〉一文中也提到了他欲尊朱子學爲官學的原因，乃是鑒於明朝弘正以前將朱子之書列之學宮，在家習戶誦的情況之下，使得經學醇明，且明朝興盛⓬；然而從嘉隆以後，王陽明學說大行，以至於萬曆、天啓年間，言語文字，詭怪百出，因而造成明朝的衰亡。可見朱子之道關乎治亂。因此，除了李光地個人的推崇，再加上康熙帝以「南面之君，深嗜篤好，積數十年體味之勤以造其道，以傳其心，而且實驗於躬行，發揮於政事。」⓭君臣一致的共識，使得《朱子全書》、《性理精義》的編纂能夠順利進行。

李光地希望藉由這兩書的編纂，成爲學者入聖的梯航，以教化人心，他在〈進朱子全書表〉說：

> 於是頒諸宇內，使儒林有入聖之階；布在學宮，凡來者得窮經之指要。
>
> （《榕村全集》，頁1262－1268）

---

❿ 見李清植纂：《李文貞公年譜》（臺北：文海出版社，1966年10月），頁80－81。

⓫ 同前註。

⓬ 明成祖永樂十二年（1414）敕胡廣等纂修《五經大全》、《四書大全》、《性理大全》三部大全，明末陳鼎記此事曰：「我太祖高皇帝即位之初，首立太學，命許存仁爲祭酒，一宗朱氏之學，令學者非《五經》、孔、孟之書不讀，非濂、洛、關、閩之學不講。成祖文皇帝益張而大之，命儒臣輯《五經、四書大全》及《性理全書》，頒布天下。饒州儒士朱季友詣闕上書，專詆周、程、張、朱之說，上覽而怒曰：『此儒之賊也。』命有司聲罪杖遣，悉焚其所著書曰：『毋誤後人。』於是邪說屏息，迨今二百餘年，庠序之所教，制科之所取，一稟於是。」這是遵朱子學於學宮的經過。（《東林列傳》，臺北：臺灣商務印書館，《影印文淵閣四庫全書》本，卷2，頁4上－14下）

⓭ 《榕村全集》，頁1516。

他在〈進性理精義表〉也說道：

> 頒行學校，從此學者先河後海，悟斷潢絕港之差；望牆入宮，識宗廟百官之富。學以從政，人心正而人材興；習焉成風，大道行而大茂化。（《榕村全集》，頁 1268－1273）

足見這兩書的纂集，用意皆在頒行於學校，使學者有入聖之階可循，而後使人心正而人材興，教化可以大行。除了此一教化理想外，《朱子全書》、《性理精義》也都是爲了有補內聖外王之道而作。如他曾要求康熙對《性理精義》治道類「俯加駁正，明賜指示，俾臣得以逐處修改，爰成大醇無疵之書。有補內聖外王之道，天下不勝幸甚。」[14]並使「天下後世學者，知爲學爲治之出於一，不作兩意推求。」[15]都是希望藉由這兩書的編使內聖與外王之道得以合而爲一。又比較這兩書與《性理大全》的纂集，可以見出這兩書的編纂特色，及對清代朱子學風的反映。

三、《朱子全書》的編纂特色

因爲《朱子全書》及《性理精義》的纂修皆是以明代永樂年間胡廣奉敕所編的《性理大全》（1414）爲基礎。《性理大全》是和《五經、四書大全》一起合修的，在《太宗實錄》中記載了此書纂集的用意：

> 《五經》、《四書》皆聖賢精義要道，其傳注之外，諸儒議論，有發明餘蘊者，爾等采其切當之言，增附於下。其周程張朱諸君子性理之言，如《太極》、《通書》、《西銘》、《正蒙》之類，皆六經之羽翼，然各自爲書，未有統會，爾等亦別類聚成編。二書務極精備，庶幾以垂後世。[16]

---

[14] 《榕村全集》，卷 29，〈進性理精義治道類劄子〉，頁 1470。

[15] 《榕村全集》，卷 28，〈奏朱子全書目錄次第札子〉，頁 1399。

[16] 〔明〕夏原吉等撰：《明太宗實錄》（臺北：中央研究院歷史語言研究所，1964 年 4 月），卷 158，頁 2 上。

故知《性理大全》是在《五經、四書大全》之中，另外輯錄周程張朱有關性理之類的精粹言論編輯而成。三部《大全》的修纂，目的在於頒布天下，「使家不異政，國不殊俗，大回淳古之風，以紹先王之統，以成熙皡之治。」⑰

《朱子全書》的纂集始於康熙四十五年(1707)，成於康熙五十二年(1713)，全書共六十六卷。總負責人除了李光地外，尚有熊賜履。熊當時人在江寧府，因此他們在意見的商議辯駁上多以書信往來爲主。又因熊爲李的老師，因此李對熊甚爲恭謹⑱，因此在裁決上多尊重熊的意見。此外，此書的編纂，條條都經過康熙帝的覽閱斟酌，甚至有筆畫及字句的訛謬，即隨貼內簽，命李光地改正的。雙方的交流除了奏疏和朱批，且有不斷的面議。君臣之間的討論，不僅於篇章次序，且在書的內容上也有所討論。如康熙認爲朱子學的重點、平生工夫所在，不在於理氣陰陽太極，而在發明四書五經，這是異於以往宋明儒的觀點，爲李光地所贊賞，並依此而編定《朱子全書》的目錄次序。李光地關於理氣門類下細目的先後，也爲康熙所肯定，並依其意見編入書中。因此在編書的過程中，君臣二人縝密的討論也是難得一見，李光地在上書的奏札中，雖然語多謙卑和順，但實非僅是委曲應和而已。《朱子全書》的卷數由八十二卷之多底定爲六十六卷，皆可見此書在編纂、選汰時的愼重，且也闡現了治學上實事求是的態度。。

《朱子全書》主要是整理朱子的著作，朱子一生著述甚多，除注釋諸經諸子，餘如四書集註、或問、易經本義啓蒙、詩傳、儀禮經傳通解；太極、通書、西銘註，以至韓文考異、楚辭辯正、參同契考異諸成書外，之後由其門人所編《文集》，及《語類》不下數百卷。但是「《語類》一編係門弟子記錄，中間不無訛誤冗複，雜而未理。《文集》一部，則是其平生議論問答，應酬雜著，以至奏牘公移皆具焉。精粗雜載，細大兼收，令覽者苦其煩多，迷於指趣，學人病焉。」⑲有鑒

⑰ 同前註，卷 168，頁 3 下，〈御製序〉。

⑱ 如從〈與孝感熊先生商酌朱子書名目次第書〉（《榕村全集》，卷 28，頁 1612－1617）一文中，便可看到李對熊的恭敬之請示。

⑲ 見〈御纂朱子全書凡例〉。又《四庫全書總目提要》「御纂朱子全書」也說：「晦菴大全集……其記載雜出眾手，編次亦不在一時，故或以私意潤色，不免失真；或以臆說託名，全然無據。即確乎得自師說者，其中早年晚歲持論各殊，先後異同多相矛盾。儒者務博，篤信

於《文集》、《語類》的冗雜，《朱子全書》的編纂乃「合此二書，擷取精要，芟削繁文，以類相次，裒爲全書，以便學者。蓋文雖不悉錄，而微言大義，庶幾具是矣。」⑳

此外《朱子全書》的纂修也是鑒於《性理大全》一書所采，尚有未備，所以康熙帝命令儒臣，依倣門目，逐類增入。

對照《性理大全》、《朱子全書》的主要門目：

《性理大全》：太極圖→通書→西銘→正蒙→皇極經世書→易學啓蒙→家禮→律呂新書→洪範皇極內篇→理氣→鬼神→性理→道統→諸儒→學→諸子→歷代→君道→治道

《朱子全書》：學→大學→論語→孟子→中庸→易→書→詩→春秋→禮→樂→性理→理氣→鬼神→道統→諸子→歷代→治道→詩文

因爲《朱子全書》是以朱子的著述編纂爲主，所以只能見到其「依倣門目，逐類增入」之處，實際上二者的門目，頗有出入。如《朱子全書》沒有收錄「太極圖」等門目，又加入五經等，在門目上多有出入，這是因爲二書的性質不同之故。

在《朱子全書》的目錄編排上，有幾點可以注意的，我們可以由此看出此書在哲學思想上對朱子學說的理解與實踐。如：

㈠將「學」置於卷之首

㈡四書的排列次序爲《大學》、《論語》、《孟子》、《中庸》

㈢以四書、六經居其它門類之首

關於這三點，可以用重實務、輕玄虛之精神貫穿之。

朱子學原是具有實踐精神的，他在編輯《近思錄》時，原不想以道體列爲首卷，恐以惝怳之論，陷於空談，後來因爲相次諸章無頭緒，所以冠之㉑；或者因爲合纂人呂東萊的堅持，所以呂東萊在序中也序其首列的原因。朱熹自己也說：「若

朱子之名，遂不求其端，不訊其末，往往執其一語，奉若六經，而朱子之本旨轉爲尊朱者所淆。」也是對於朱子《文集》的不滿與批評。

⑳ 同前註。

㉑ 黃榦著：〈復李公晦書〉云：「至於首卷，則嘗見先生說，其初本不欲立此一卷，後來覺得無頭，只得存之，近思反成遠思也。以故二先生之序，皆寓此意。」（《勉齋集》，卷8）

只讀此，則道理孤單，如頓兵堅城之下，卻不如《語》、《孟》，只是平舖說去，可以游心。」㉒由此可見朱子亦惟恐學者落於空談。

又朱子的學習方法論，是主張「下學上達」之教的。他在論及讀四書的次第時，曾說：「學問須以《大學》爲先，次《論語》，次《孟子》，次《中庸》。」㉓主張此次第的原因是：

> 某要人先讀《大學》以定其規模。次讀《論語》以立其根本。次讀《孟子》以觀其發越。次讀《中庸》以求古人之微妙處。《大學》一篇有等級次第，統作一處，易曉，宜先看。《論語》卻實，但言語散見，初看亦難。《孟子》有感激興發人心處。《中庸》亦難讀，看三書後，方宜讀之。㉔

朱子又說：

> 《論》、《孟》、《中庸》，待《大學》通貫浹洽，無可得看後，方看乃佳。道學不明，元來不是上面（按指其他三書所討論抽象之理與形而上問題）欠缺工夫，乃是下面（按指大學之教）元無根腳。㉕

朱子這樣的排列次序，乃是代表先形而下而後形而上的學習次序。但在《性理大全》卻以卷二十六到三十七屬形而上者，置於卷四十三至五十二屬於形而下者之前，並沒有發揮朱子論學的方法論。在《朱子全書》卻能闡現朱子此一方法，〈御纂朱子全書凡例〉即強調了這點：

㉒ 《朱子語類》，卷105，第29「近思」條，頁2629。

㉓ 《朱子語類》，卷14，第一，「學問」條，頁397。

㉔ 同前註，第三，「某要」條，頁397。

㉕ 同前註，第五，「論孟」條，頁398。

> 《語類》及《性理大全》諸書篇目，往往以太極、陰陽、理氣、鬼神諸類爲弁首，頗失下學上達之序。子貢曰：「夫子之言性與天道，不可得而聞也」。子路問事鬼神，子曰，「未能事人，焉能事鬼」？此聖學之序也。覩朱子《四書集注》，先《大學》，次《論》《孟》，然後終於《中庸》，則其用意可見。……故今篇目，首以論學，次四書，次六經，而性命道德天地陰陽鬼神之說繼焉。

所以論學、四書、六經，而後性命道德的排列次序，便是此一下學上達之學習方法的表現，能夠貫徹朱子所主張的讀書次序，則能免於空談之弊，這也是此期朱子學風所表現的躬行實踐之精神。

又李光地在〈請發朱子全書磨對劄子〉認爲「首以四書六經，次分門類，足見朱子平生精力，盡在研究經書之指而闡明之；平生議論，無非源本經書之指而發揮之，朱子之學即孔孟之學，一披卷而原委昭然矣。」㉖強調朱子平生之學，乃是本於經書之旨而發明之，基於對經書的重視，皆是重實務、輕玄虛之精神表現。

關於這些特色，也可以見於《性理精義》一書的編纂。

此外，在某些細目的排列，李光地有建議改易的，如「理氣門」下的細目，次序本爲：總論→太極→天地→天度曆法→天文→雷電風雨雪雹霜露→陰陽五行時令→地理潮汐。李光地則主張「陰陽五行時令」應接在「太極、天地」之後，因爲周子的《太極圖說》，首言太極，即繼以陰陽兩儀五行四時。又「天度曆法」應接在「天文」之後。因爲有日月星辰，然後有行度，然後有曆法。「地理」應接在「天文、天度、曆法」之後，因爲有天文即有地理。「雷電風雨雪雹霜露」應在「地理」之後，因爲這數者是地氣上交於天，絪縕聚散於兩間者，所以應附在「天地之後」。㉗這些都在《朱子全書》中有所修正。由此也可以看到李光地在編纂上對於諸門目皆有深入的理解。

㉖ 《榕村全集》，頁 1403－1404。

㉗ 同前註，卷 28，〈進校完朱子全書劄子〉，頁 1410－1411。

四、《性理精義》的編纂特色

《性理精義》成書於康熙五十四年（1715），由李光地總攬其事，當時李光地年已七十四歲。

此書的編輯，和《性理大全》的性質是一樣的，然對於《性理大全》多所增刪及修正，李光地在〈進性理精義表〉中說：

> 《性理大全》之書，修於前代永樂之際，采摭萃備，而芼擇未精，門目雖多而部分失當，學者貪多而無益，使斯道反晦而不明。特發宸衷，重加纂輯，……約其義類，如網在綱，切於進修，猶階有級，詳而有要，簡而無遺。㉘

因爲《性理大全》一書對於冗泛者收采太多，於精要者反有遺漏；且所分門目，也甚爲破碎等，因此反使得聖道不明。故《性理精義》約簡其義類，僅佔舊書的八分之一，另外將諸儒格言，有助於六經，而爲舊書所遺漏的，加以補入；並將門目太多的，加以併省；引用訛錯的，亦與更正。此外程朱語錄，本爲問答之言，其間有鄉音俚語，不便於學者誦習的，如遇襯句虛字，可省去者，也略加刪節。㉙可知《性理精義》在《性理大全》的基礎上，有增亦有減。但因此書成於《朱子大全》之後，兩書的編纂精神相通，故又可說此書是續《朱子全書》而作。

對照《性理大全》及《性理精義》的門目：

《性理大全》：太極圖→通書→西銘→正蒙→皇極經世書→易學啓蒙→家禮→律呂新書→洪範皇極內篇→理氣→鬼神→性理→道統→諸儒→學→諸子

㉘ 同前註，卷 25，頁 1268－1273。關於《性理大全》編纂之失，趙士麟亦說：「竊以《大全》原編，精微固多，榛蕪不少，開卷之首，冠以太極，諸儒之解，雜然繁興，後學病之。」（《性理大中・序》，《四庫存目叢書》本，頁 145 下）又冉覲祖也說：「《性理大全》七十卷備載周程張朱諸儒之言，學者或厭棄之不讀，或讀而畏其煩，不能卒業。」（《性理纂要・序》，《四庫存目叢書》本，頁 42）。

㉙ 同前註，卷 29，〈進性理精義學類劄子〉，頁 1467－1468。

→歷代→君道→治道

《性理精義》：太極圖說→通書→西銘→正蒙→皇極經世書→易學啓蒙→家禮→律呂新書→學→性命→理氣→治道

可以看出其中刪掉了「洪範極內篇」、「鬼神」、「道統」、「諸儒」、「諸子」、「歷代」、「君道」等目。

若考察《性理精義》之內容，可以見到從《性理大全》到《性理精義》之編纂，其間哲學思想的轉變。其中包括：

㈠朱子地位的益加提升

《朱子全書》的御纂已可以見出朱學地位之重要，但因此書是朱子學說之專輯，所以較難凸顯朱子的重要性。而《性理精義》是宋代以來理學家作品的彙集，從其採錄的比例，可以見到所採朱子之說較其他諸儒爲多，如學類、性命類、理氣類、治道類各卷皆可看出。又此書所摘錄宋代新儒家言說，幾僅選錄朱子言說。又《性理精義》保存了同爲朱子門人的蔡元定（1135－1198）之「律呂新書」，而刪去蔡沈（1167－1230）的「洪範皇極內篇」，因前者能代表朱子論點，而後者成書於朱子卒後，不能代表朱子之論。如〈性理精義凡例〉所云：

> 《家禮》、《律呂》乃朱子言禮樂之書也，其文頗繁，學者憚於講究，亦摘其宏綱大節，可以括全書之體要者，約文申義，以發其端，庶有志禮樂之事者，自約入博，由此以稽其全也。至於蔡氏範數之作，朱子不及見矣，稱爲父師之傳，實非朱子之意。……今削不載。

這些皆可見朱子地位愈加升高。

㈡下學上達之精神的貫徹

在《朱子全書》的編纂中對於朱子「下學上達」之方法的實踐，同樣見於《性理精義》中，〈性理精義凡例〉中說：

> 下學上達，原有次第。故孔子雅言詩書執禮，而未及於易。程子以《西銘》示學者，而秘《太極圖說》。朱子於四書，先《大學》《論》《孟》

而後《中庸》，即此意也。朕祖其意，故纂集《朱子全書》從小學起，然後及于天道性命之說。今此書門類先後，亦用此意。

這也是對於朱子「下學上達」之方法論的遵從。此一精神也表現在清初如陸世儀㉚、張履祥、陸隴其這些理學家的學說中，他們都曾認爲窮理非關窮玄研幾，而應爲切問近思。可見清初的理學，對於朱子此一學問方法的重視，也是朱子學重實踐性、不尙空談之精神展現，而《朱子大全》、《性理精義》更以官方的纂集來貫徹此一方法論。

㈢實務重於玄談

由此書對於「太極」問題之處理，也可看出此期學說已將實務置於玄談之上。

「太極」的觀念來自於周敦頤，而爲朱子所強調，「無極而太極」代表理學家的本體論；太極動而生陽、靜而生陰則爲宇宙論。在朱子所輯的《近思錄》，以周敦頤的《太極圖說》居首，《朱子語類》因之，開章明義即爲「太極天地」。之後，《性理大全》、《性理精義》皆沿襲之。可見「太極」觀念在朱子哲學上的重要性。但朱子提出「太極」之說後，引起眾多爭論，陸象山即曾就「無極而太極」一問題與朱子辯論㉛，清儒黃宗炎、朱彝尊都曾詳辨此圖出自道教㉜等，對太極都已失去探玄興趣。

《性理精義》雖與《性理大全》一樣，以「太極圖說」居卷首，但是在《性理精義》最後數卷中，「太極」一目幾已不見。在《性理大全》卷二十六「論理與

㉚ 陸世儀曾說：「愚以爲格物之法，必由近以及遠，由粗以及精，由身心以及家國天下，由日用飲食以至天地萬物，漸造漸進，乃至豁然。夫然後天人物我內外本末幽明死生鬼神晝夜，皆可以一貫之而無疑。」（《思辨錄輯要》，臺北：廣文書局，1977 年 12 月，卷 3，頁 64）張履祥也說：「一生造詣，務在躬行實踐，守下學上達之旨。」（《清儒學案》，卷 10，〈三魚學案〉，頁 22 下）。

㉛ 《陸象山全集》（北京：中國書店，1992 年 3 月），卷 2，〈與朱元晦〉，頁 15－21。

㉜ 見黃宗炎：〈晦木太極圖辨〉，載於全祖望：〈濂溪學案〉，《宋元學案》，卷 11（臺北：臺灣商務印書館，1968 年 12 月），頁 254－256。朱彝尊：〈太極圖授受考〉，《曝書亭集》，卷 58（臺北：世界書局，1983 年 5 月），頁 925。

氣」，有一專節論太極；《性理精義》此專節則已刪除。在《性理精義》「理氣類」，雖有兩節論及太極，一採朱子、一採自朱子門人陳淳，但這兩節都在闡明理的義蘊。在《性理大全》，論及太極、理、氣者達十八頁；論及天地、日月者達二十四頁；但在《性理精義》論及理氣者爲三頁半，論及天地、日月者爲十頁。由抽象玄虛轉入具體的痕跡，明顯可見。

又《性理精義》刪除「鬼神」一目，〈性理精義凡例〉云：

> 鬼神之事，夫子所罕言；四書、六經，及者寥寥，非學者之切務也。故曰：未能事人，焉能事鬼。又曰：務民之義，敬鬼神而遠之。此聖人教人之意。……此書以性理爲名，但令學者用心實學，以知聖德王道之要，有得於此亦不患乎通幽明之無階，論古今之無識矣。

這裏也申明「令學者用心實學，以知聖德王道之要」的旨意，因爲藉此自可達通幽明之階，故無須再設「鬼神」之目。另外，置「禎異」於「兵刑」後；刪除災異徵兆等，皆可見其重實去玄精神之發皇。

㈣學術的兼容並蓄之精神

關於此點，由道統標目的取消可以見出。有關道統的流衍，自朱子訂道統源流，由孔孟、周敦頤、而程氏兄弟，朱子也自任道統之傳，一直到《性理精義》，都承襲這一傳統，〈性理精義凡例〉說：

> 性理之學，自宋而明。自周程授受，粹然孔孟淵源。同時如張如邵，又相與倡和而發明之。從遊如呂如楊如謝如尹，又相與賡續而表彰之。朱子生於其後，紹述周程，參取張邵，斟酌於其及門弟子之同異是非。然後孔孟之指，粲然明白，道術一歸於正焉。宋元諸儒，皆所流衍之支派。宋之眞，元之許，則其最醇者也。

《性理精義》的編排，仍照道統的系列，以周敦頤的《太極圖說》爲首，這也是爲什麼《性理精義》不重視「太極」，又把《太極圖說》列在卷首的原因。此外，又摘錄諸儒言說次第，也一如《性理大全》，自兩程而張載、邵雍、兩程門人、朱子、同時學者，及門人許衡。這一次第在《性理精義》中甚至更加嚴謹，如司馬光後於張載，因司馬光非道統之直系；雖然歐陽脩與張九成年代較早，但將歐陽脩置於程頤之後，張載及張九成置於朱子之後。㉝由此可見到了清代，道統仍具有學術正統的意義，其重要性不可抹殺。

《性理精義》之編排既照道統之次序，但在凡例中卻又說「標道統則啓爭端」，所以刪去「道統」之目。可見《性理精義》之作，雖承認道統的傳承，但也厭棄因道統而造成的學術門戶之爭，就政府言，不強調道統之目，應有對各家學術兼容並蓄的意義在。康熙曾對大臣說：

> 爾等皆讀書人，又有一事當知所戒，如理學之書，爲立身根本，不可不學，不可不行。朕嘗潛玩性理諸書，若以理學自任，則必至於執滯己見，所累者多。反之於心，能實無愧於屋漏乎？……昔熊賜履在時，自謂得道統之傳者。其沒未久，即有人從而議其後矣。今又有自謂得道統之傳者，彼此紛爭，與市井之人何異？凡人讀書，宜身體力行，空言無益也。（《康熙起居注》五十四年乙未十一月，頁 2222）

康熙自云潛玩性理諸書，但也警覺到若以理學自任，則必至於執滯己見，反而自陷窠臼，多所牽累。他同時也看到了朝中大臣「互相標榜，援引附和，其勢漸成朋黨」（同上）的情勢；又因自標道統，致令紛爭不斷，如熊賜履輩，自以爲得道統之傳，卻在過世後不久，譏議四起。而那些自謂得道統之傳的人，彼此紛爭，其醜狀亦如市井之人。康熙既已察覺到朝廷大臣自標門戶，虛僞矯詐的嘴臉，自然深知道統、門戶之見的弊害，所以他推崇理學，再次強調身體力行的重要，且不以理學自任，因此在理學專書《性理精義》的編纂時，取消「道統」標目，以免生端隙，亦是此意。

基本上，康熙是個較有自由思想的人，他早年雖間興文字獄，但大抵都是他

㉝ 《性理精義》分見卷 8、卷 12、卷 7。

未親政以前的事，且大半由奸民告訴官吏邀功，未必出自朝廷授意。他本身是個闊達大度的人，不只政治上常寬仁之義，對於學問，亦有宏納眾流氣象，試讀他所著庭訓格言，便可窺見一斑。所以康熙朝學者，沒有什麼顧忌，對於各種問題，可以自由研究。㉞

所以，比較《性理大全》與《性理精義》對於道統的看法，雖然二書同爲御纂之書，但其用意則有不同。《性理大全》由明成祖所敕纂，因明成祖在即位前所發動的靖難之變，造成恐怖的誅戮與屠殺，所以爲了安撫諸儒的不平之氣，下令纂修如《永樂大典》之圖書，以獲「稽古右文」之美名。㉟因此，《性理大全》除了教化的推行用意之外，其纂修應尙具有「以修書來承繼道統」、「藉修書來宣示正統地位的作法」㊱之用意在。而《性理精義》的纂修，除了同樣具有頒行學校，以助教化的目的之外，因取消道統之標目，所以其宣示正統的意味並不強。且論者常將《性理精義》的修纂歸於康熙的思想統治，實際上，《性理精義》的修纂已在康熙晚年，當時主要的反對勢力多已弭平，國家已是一片安定繁榮之氣象，已無須再統治思想，因此推崇程朱學只能說是因於康熙本人的愛好，及李光地等理學大臣的提倡推助，由道統之標目的取消這一點，也可以佐證之。又《性理大全》的纂修造成明代經學的衰微㊲，而《性理精義》纂修之後，即進入經學鼎盛的乾嘉時期，其間的學術轉移因素固甚爲複雜，但是朝廷對於學術態度的開放，應也是重要原因之一。

又《性理精義》雖然是《性理大全》之縮編，但是卻有其特色。陳榮捷先生認爲剖析《性理精義》一書，最能表達十七世紀程朱學派之實況。㊳他以爲此書與

㉞ 參見梁啓超：《中國近三百年學術史》，頁 22。

㉟ 如〔清〕孫承澤也說：「靖難之舉，不平之氣，遍於海宇，文皇借文墨以消壘塊，此實係當日本意也。」（《春明夢餘錄》，《影印文淵閣四庫全書》本，卷 12，頁 124 上）。

㊱ 見林慶彰先生：《明代經學研究論集》（臺北：文史哲出版社，1994 年 5 月），頁 38。

㊲ 詳見陳恆嵩先生：《五經大全纂修研究》（臺北：東吳大學中國文學研究所博士論文，1998 年 6 月）第 9 章第 1 節〈前人對《五經大全》之批評〉，頁 260－273。

㊳ 有關《性理精義》部分，參見陳榮捷：〈性理精義與十七世紀之程朱學派〉，《朱學論集》（臺北：臺灣學生書局，1982 年 4 月），頁 386。

康熙朝其他輯錄書的不同，重要點有：一、在康熙朝，《性理精義》成書頗晚，在《大清會典》出書後約二十五年。二、《性理精義》以及較早一年出書之《朱子全書》，俱由康熙帝特予敕修，爲新儒家哲學之首次專門輯錄。其他輯錄，則多屬文史。㊴三、其他輯錄，纂者非一人。至於《性理精義》，李光地爲唯一受命編纂者。所以此書確實自成一格。

五、結語

由以上所論，《朱子全書》、《性理精義》在編纂上輕玄談、重實務的特色，正好和清初以來顧炎武等人所主張經世致用的實學學風相呼應，且對於乾嘉考據學風的開啓，其路線是一致的。可見《朱子全書》、《性理精義》乃至清初的程朱學風和清代的實學思潮，是不違背的，甚至有輔助之作用。

在《榕村譜錄合考》有提到，自康熙四十五年李光地承修《朱子全書》，「其後群經以次修纂，皆自是書啓之。」㊵又《李文貞公年譜》也說，五十三年李光地承修《周易折中》，同時上奏康熙，經學隆汙，有關世運，應引群臣講論經書，如讀《朱子全書》一般，「上遂分簡大臣，修纂《詩》《書》《春秋》；又別纂《律呂正義》，釐定韻學之書，皆命就公是正焉。」㊶可見因《朱子全書》的纂修同時帶起群經的纂修，對於提振經學的風氣也有助益。

又有關《性理精義》的纂修，也帶起了近思錄研討之風氣。《四庫全書總目提要》曾言《性理大全》爲《近思錄》之擴大㊷，而《性理精義》也是同性質的纂書。自《性理精義》之後，出現了五種註解《近思錄》之書，如李文炤（1672－

㊴ 康熙十八年重開明史館，「博學鴻儒」科錄取的人員皆入館預修《明史》，另有本朝史事如《三朝實錄》、《太祖、太宗聖訓》、《大清會典》、《平定三逆方略》諸書的纂修。康熙二十三年以後，更擴及詩文、音韻、天文、曆法、數學、地理及名物匯編，如《佩文韻府》、《淵鑑類函》、《分類字錦》、《古今圖書集成》、《全唐詩》、《律曆淵源》、《周易折中》等；之後，又有性理類的《性理精義》、《朱子全書》等。

㊵ 〔清〕李清馥編：《榕村譜錄合考》（清道光六年刻本），頁608。

㊶ 〔清〕李清植纂：《李文貞公年譜》（臺北：文海出版社，1966年10月），頁233。

㊷ 《四庫全書總目提要》「性理大全」下云：「近思錄其權輿矣……後來刻性理者，汗牛充棟，其源皆出於是書。」

1735）之《近思錄集解》；茅星來（1678－1748）之《近思錄集註》；江永（1681－1762）之《近思錄集註》；施璜（壯年 1705）之《五子近思錄發明》；陳沆（1785－1826）之《近思錄補注》及汪紱（1692－1759）之《讀近思錄》，此外張伯行（1651－1725）輯《續近思錄》、《廣近思錄》等；鄭光羲（壯年 1700）輯《續近思錄》等，也可視爲《性理精義》影響下之作品。

主要參考資料

朱子語類　〔宋〕黎靖德編　臺北　文津出版社　1986 年 12 月

康熙起居注　北京　中華書局　1984 年 8 月

御製性理大全　〔明〕胡廣纂　濟南　山東友誼書社　1989 年

御纂朱子全書　〔清〕李光地纂　臺北　臺灣商務印書館　1983 年

性理精義　〔清〕李光地纂　臺北　臺灣中華書局　（《四部備要》本）

榕村全集　〔清〕李光地著　大西洋圖書公司　出版地、年不詳

榕村語錄、榕村續語錄　〔清〕李光地著　北京　中華書局　1995 年 6 月

李文貞公年譜　〔清〕李清植纂　臺北　文海出版社　1966 年 10 月

榕村譜錄合考　〔清〕李清馥纂　清道光六年刻本

朱學論集　陳榮捷著　臺北　臺灣學生書局　1982 年 4 月

宋明理學史　侯外廬、邱漢生、張豈之編　北京　人民出版社　1997 年 10 月

《五經大全》纂修研究　陳恆嵩著　臺北　東吳大學中國文學研究所博士論文　1998 年 6 月

經　學　研　究　論　叢
第　九　輯　　　頁57～94
臺灣學生書局　2001年1月

劉三吾編纂《書傳會選》研究

陳恆嵩*

一、前言

明代經學爲中國經學發展史的一個環節，學風承襲自宋元兩代，以注重經書的內涵義旨爲主，崇尚實踐篤行的工夫，是經學發展由宋代理學經學轉變爲清代乾嘉考據經學的重要關鍵時期。然自成祖（1360－1424）時胡廣（1370－1418）等奉敕編纂《四書大全》、《五經大全》等書，因陋就簡，傳註取材勦襲元人經說著作，致迭受後儒所詬病。❶清初顧炎武（1613－1682）受到《五經大全》惡劣印象之影響，遂譏評明代經學自「弘治以後經解之書，皆隱沒古人名字，將爲己說者也。」、「若有明一代之人，其所著書，無非竊盜而已。」❷《四庫全書總目》編者承襲顧氏之意見，論斷宋、元學術雖偶有譏刺貶抑之詞，然大體上都持肯定稱許的態度，唯獨評論明代經學時，幾乎都持批判否定的態度，罕所稱許。後儒受清儒觀念影響，普遍認爲明代經學積衰，不值得研究，以致比起其他朝代的學術研究成果的豐碩，相對衰微許多。

---

* 陳恆嵩，東吳大學中國文學系副教授。

❶ 參見林慶彰先生：〈五經大全之修纂及其相關問題探究〉，收入《明代經學研究論集》（臺北：文史哲出版社，1994年5月），頁45－50及筆者所撰《五經大全纂修研究》（臺北：東吳大學中國文學研究所博士論文，1998年6月）第4章至第8章。

❷ 參見顧炎武撰：《原抄本日知錄》（臺北：文史哲出版社，1979年4月），卷20，頁542，〈竊書〉條。

蔡沈（1167－1230）自南宋寧宗慶元五年（1199）受其師朱熹（1130－1200）之託囑，經十年沉潛，參考諸家精義，反覆尋繹研究，融會貫通，終在南宋寧宗嘉定三年（1209）完成其師生前所交託的《尚書》解說工作，完成《書集傳》。蔡《傳》可謂集宋代《尚書》學之大成，編撰成書後，普遍受到稱頌與讚譽，以爲「九峰蔡氏親授朱子指畫，作爲集解，而諸家之說始有折衷，學者始有準則，二帝三王之道亦既廓然明矣。」❸「祖述朱子之遺規，斟酌群言，而斷以義理，洗滌支離，而一於簡潔。」❹該書雖然如此受到推崇，批評其書者亦復時有所聞，宋、元之際，即有許多學者因不滿蔡《傳》而紛紛爲書訂正其疑誤，如張葆舒作《尚書蔡傳訂誤》，黃景昌《尚書蔡氏傳正誤》，程直方作《蔡傳正誤》，余芑舒作《讀蔡傳疑》，陳櫟作《書傳折衷》，王充耘作《讀書管見》，均交相提出疑難，批駁論斷蔡《傳》的缺失。❺然自該書在元仁宗延祐年間被列爲科舉考試的模範定本後，批評之論隨即消聲匿跡，駁議著作也佚而不傳。

明代科舉功令，基本上沿襲元代，《尚書》學亦主蔡沈《書集傳》。劉三吾等奉詔編纂的《書傳會選》，目的旨在糾正蔡沈《書集傳》的缺失，在明代《尚書》學研究史上是相當重要而具有意義的一部著作，顧炎武就稱讚編纂者及該書是「宋元以來諸儒之規模猶在，而其爲此書者皆自幼爲務本之學，非由八股發身之人。故所著之書雖不及先儒，而尚有功於後學。」❻《四庫全書總目》也說「以炎武之淹博絕倫，罕所許可，而其論如此，則是書之足貴可略見矣。」❼是少數被鈔錄進《四庫全書》頗受肯定的經著，然而該書卻長期受到冷落，不被世人所重視，令人深爲惋惜。

---

❸ 參見〔清〕朱彝尊撰，許維萍等點校：《點校補正經義考》（臺北：中央研究院中國文哲研究所，1985年9月），卷87，《書》16，頁445。

❹ 參見〔宋〕王柏撰：《書疑・序》，《通志堂經解》（臺北：大通書局，1972年9月），頁1。

❺ 詳見《書傳會選》（臺北：臺灣商務印書館，1986年3月，影印文淵閣《四庫全書》本），卷首提要，頁3上。

❻ 同註❷，卷20，頁526，〈書傳會選〉條。

❼ 同註❺，卷首提要，頁3上。

近數十年來，明代的《尚書》學研究比起以往雖有相當顯著的進步，研究成果仍相當有限，僅有戴君仁《第一個蒐集證據證明僞古文尚書的人——梅鷟》、劉文起《梅鷟尚書考異述略》、傅兆寬《明梅鷟、郝敬尚書古文辨之異同》及《梅鷟辨僞略說及尚書考異證補》、林慶彰先生的〈梅鷟〉（《明代考據學研究》第四章）、〈梅鷟《尚書譜》研究〉及筆者《五經大全纂修研究》第五章〈書傳大全研究〉等寥寥數篇，且大都集中在梅鷟《尚書考異》、《尚書譜》、郝敬《尚書辨解》及《書傳大全》四部著作上，《書傳會選》仍未有人加以重視，筆者爲求對《書傳會選》作較深入的分析，擬將全文分爲：《書傳會選》的編纂動機、《書傳會選》的修纂人問題、〈凡例〉所稱刪改六十六條問題、蔡《傳》之商榷、〈召誥篇〉刪改情形、《書傳會選》對蔡沈《書集傳》的增補、結論等章節加以分析討論，以檢證顧炎武、《四庫全書總目》等前代儒者說法的詳細情形爲何。

二、《書傳會選》的編纂動機

明太祖朱元璋（1328－1398）出身低微，在元末群雄競起逐鹿之際，憑藉著本身的努力，及善於任人用賢，驅除元人，定鼎中原，建立有明一朝。朱元璋雖然貧苦出身，卻深諳奪取天下與統治天下之道。他深切瞭解儒家學術對於統治國家穩定天下有極大功用。儒家學術記載在《四書》、《五經》等經籍之中，因而大力提倡程朱理學，強調「《五經》、《四書》如五穀，家家不可缺」❽，他自己也每每於「宮中無事，輒取孔子之言觀之」。❾洪武十七年（1384）他下令頒定科舉程式，將《四書》、《五經》作爲考試科目，註解大都採用宋儒程朱學派的解說❿，

---

❽ 參見〔明〕黃溥：《閑中今古錄摘抄》，《叢書集成新編》本（臺北：新文豐出版公司，1989年8月），卷1，頁15－16。

❾ 〔清〕谷應泰撰：《明史紀事本末・開國規模》（臺北：三民書局，1985年9月），卷14，頁133。

❿ 明太祖在洪武十七年（1384）詔頒定科舉程式，「《四書》主朱子《集註》，《易》主程《傳》、朱子《本義》，《書》主蔡沈《集傳》，《詩》主朱子《集傳》，《春秋》主《左氏》、《公羊》、《穀梁》及胡安國、張洽《傳》，《禮記》主古註疏」（《明史・選舉志》，卷70，頁1694）。

尤以朱子的註解爲主，明末高攀龍論述明初興學時的情況說：「我太祖高皇帝即位之初，首立太學，命許存仁爲祭酒，一宗朱子之學，令學者非《五經》孔、孟之書不讀，非濂洛關閩之學不講。」⓫《明史·儒林傳》論述明代學術：「皆朱子門人之支流餘裔，師承有自，矩矱秩然。」清初顧景星也說：「高皇帝既定海內，恐士不醇一，悉置諸家傳注，以程朱之《易》、《詩》，蔡沈之《書》，陳澔之《禮》，胡安國之《春秋》立學宮，非是則不名正學。」⓬由此可見其對程朱學術的推崇與重視。

明太祖既然對朱子學術思想如此推崇，何以還要特地命令大臣劉三吾等刪改蔡沈《書集傳》的註解，另行編纂《書傳會選》一書？其纂修動機爲何？根據《明太祖實錄》在明太祖洪武十年（1377）丁未條說：

> 洪武十年三月，上與群臣論天與日月五星之行，翰林應奉傅藻、典籍黃麟、考功監臣郭傳皆以蔡氏左旋之說爲對。上曰：「天左旋，日月五星皆右旋。二十八宿，經也，附天體而不動；日月五星，緯乎天者也。朕自起兵以來，與善推步者仰觀天象二十有三年矣。嘗於天氣清爽之夜，指一宿爲主，太陰居是宿之西，相去丈許，盡一夜則太陰漸過而東矣。由此觀之，則是右旋，曆家亦嘗論之。蔡氏謂爲左旋，此則儒家之說，爾等不晰而論之，豈所謂格物致知之學乎？

《太祖實錄》在明太祖洪武二十七年四月丙戌條說：

> 詔徵儒臣定正宋儒蔡氏《書傳》，上觀蔡氏《書傳》日月五星運行與朱子《詩傳》不同，及其他注說與鄱陽鄒季友所論，間有未安者，遂詔天下儒臣定正之。

⓫ 參見〔清〕陳鼎撰：《東林列傳·高攀龍傳》（臺北：臺灣商務印書館，1986 年 3 月，文淵閣《四庫全書》本），卷 2，頁 14 上。

⓬ 〔清〕顧景星：《白茅堂全集·復經學議》（清康熙間刻本），卷 27，頁 9 上。

〔明〕祝允明《野記》、黃光昇編輯《昭代典則》等書亦有相類似的記載⓭，從《明太祖實錄》的記載，可以很清楚知道明太祖要修訂蔡《傳》註解，純粹係起因於朱元璋在與大臣討論天體日月五星運行方式，朱元璋以親身觀測天象經驗主張右旋，大臣卻與之相異，多偏主蔡《傳》左旋說，兩者遂產生爭論。其後明太祖在閱讀蔡沈《書集傳》時，又發現蔡氏書中所論日月五星運行方式也與朱子《詩集傳》所說並不相同，其他注解也偶有與元儒鄒季友《尚書音釋》所論互有出入。知道蔡沈《書集傳》雖係受朱子之託歷經十年沈潛融貫諸家說法而撰成，然尚有可議者，乃在洪武二十四年（1391）召集群臣商議修正蔡沈《書集傳》的缺失。而於二十七年（1394）夏四月正式開局翰林院。⓮劉三吾在〈書傳會選序〉中也談到編纂緣起及對蔡沈《書集傳》所做的訂正工作：

> 今天下車同軌，書同文，行同倫，當大德聖人在天子位之日，舉議禮制度考文之典，謂六經莫古於《書》，帝王治天下之大法，莫備於《書》。今所存者僅五十八篇，諸儒訓註，又各異同。至宋九峰蔡氏，本其師朱子之命，作爲《集傳》，發明殆盡矣。然其書成於朱子既歿之後，有不能無可議者，如〈堯典〉天與日月皆左旋，〈洪範〉「相協厥居」爲「天之陰騭下民」。有未當者，宜考正其説，開示方來。臣三吾備員翰林，屢嘗以其

⓭ 〔明〕祝允明：《野記》，收入鄧士龍輯，許大齡、王天有點校：《國朝典故》（北京：北京大學出版社，1993 年 4 月），卷 31，頁 496－497。黃光昇編輯：《昭代典則》（北京：北京大學出版社，1993 年 8 月），卷 11，頁 24 上－24 下。

⓮ 朱彝尊〈書傳會選跋〉曰：「《書傳會選》六卷，明孝陵命儒臣考正九峰蔡氏《書傳》成書。稽今所存《實錄》紀載不詳。按其本末，自洪武十年春，帝與翰林應奉傅藻、典籍黃鄰、考功監丞郭傳論及天體左旋、日月五星右旋，鄰、傳咸主蔡氏之說，帝乃作〈七曜天體循環論〉喻之。二十四年冬，禮部右侍郎張智奉命同學士劉三吾等會議改定蔡《傳》。二十七年夏四月，詔徵致仕編修張美和、國子博士錢宰等二十七人。既至，開局翰林院，命三吾總其事，朝士偕入書局者：國子祭酒胡季安，左右贊善門克新、王俊華，修撰許觀、張信，編修馬京、盧原質、齊麟、張顯宗、景清、戴德彝，國子助教高耀、王英、定公靜。次年春正月書成。」見朱氏撰：《曝書亭集》，文淵閣《四庫全書》本（臺北：臺灣商務印書館，1986 年 3 月），卷 42，頁 6 上－6 下。

說上聞，皇上允請，乃召天下儒士倣石渠虎觀故事，與臣等同校定之。凡蔡氏之得者存之，失者正之，旁采諸家之說，足其所未備。書成，賜名曰《書傳會選》（《書傳會選》卷首，頁1上－1下）

從劉氏的〈序〉文中，可知朱元璋命大臣纂書修訂蔡沈《書集傳》之錯誤，係基於蔡《傳》成疏於朱子逝世之後，未曾經過朱子刪定，不可能毫無錯誤，他並舉書中〈堯典〉、〈洪範〉兩篇註解為例，說明他們奉旨所要做的工作是「凡蔡氏之得者存之，失者正之，旁采諸家之說，足其所未備」，目的在使蔡《傳》註解能更臻於完美無缺。

三、《書傳會選》的修纂人問題

《書傳會選》的纂修係由翰林學士劉三吾總其事，開局於翰林院，在明太祖洪武二十七年九月編纂完成呈上後，命禮部刊行天下。然而當初最早由禮部刊刻印行的《書傳會選》原始刻本，目前已完全看不到，今可見者主要有明初刻本、趙府味經堂刻本及清乾隆間的文淵閣《四庫全書》本。⓯

當時實際參與編纂的修纂人員究竟有多少人，《明史》並未記載，而是詳細記錄在《書傳會選》卷前和《明太祖實錄》之中。根據國家圖書館典藏的趙府味經堂刻本《書傳會選》的記載，書前有〈書傳會選發端〉，〈書傳會選發端〉總共包括有：劉三吾的〈書傳會選序〉、「凡例」、「所引先儒姓氏」及「會選今儒姓氏」等四項。其中「會選今儒姓氏」所列的即是當時實際參與纂修工作的儒臣名單，合計有四十人，他們的名單如下：

翰林學士：劉三吾
國子祭酒：胡季安
左春坊左贊善：門克新

⓯ 本文所徵引《書傳會選》文字，係採用臺灣商務印書館影印文淵閣《四庫全書》本。《四庫全書》本係採用朱彝尊家曝書亭藏本，唯所引文字並持與國家圖書館收藏的明初刻本及趙府味經堂刻本相校。

右春坊右贊善：王俊華

翰林致仕編修：張美和

國子致仕博士：錢宰

翰林修撰：許觀、張信

翰林編修：馬京、盧原質、齊麟、張顯宗、景清、戴德彝

國子助教：高耀、王英、定公靜

教　授：高讓

學　正：王子謙

教　諭：張仕諤、何原銘、傅子裕、周惟善、俞友仁

訓　導：趙信、謝子方、周寬、洪初、王廷賓、萬鈞、唐棐

儒　士：熊釗、蕭尚仁、揭軌、靳權、張文翰、王允升、張師哲、蕭子尚、解震

刻本記載的這四十個修纂人員名單，與文淵閣《四庫全書》本卷前〈凡例〉所載錄的纂修名單完全相同。而《明太祖實錄》在洪武二十七年四月丙戌條，在詳細敘述修纂《書傳會選》經過時，同樣詳載有由太子少保唐鐸舉薦的纂修人員名單，茲將其詳列如下：

翰林院編修致仕：張美和

國子監博士致仕：錢宰

助教致仕：靳觀

教　授：高讓

學　正：王子謙

教　諭：張士諤、俞友仁、何原銘、傅子裕、周惟善

訓　導：唐棐、周寬、趙信、洪初、萬鈞、王賓、謝子方、吳子恭

儒　士：解震生、熊釗、揭軌、蕭尚仁、蕭子尚、王允昇、張文翰、張思哲、宋麟

將上述兩種名單相較，可發現纂修人員名字寫法有些並不相同，如《書傳會選》的「王廷賓」《實錄》題作「王賓」，「王允升」《實錄》作「王允昇」，「張師哲」《實錄》作「張思哲」，「解震」《實錄》作「解震生」，「王允升」《實

錄》作「王允昇」，「王廷賓」《實錄》作「王賓」。而纂修人員數目也有相當大的出入，如《書傳會選》列載的纂修人員無「靳觀、吳子恭、宋麟」三人，而有「胡季安、門克新、王俊華、許觀、張信、馬京、盧原質、齊麟、張顯宗、景清、戴德彝、高耀、王英、定公靜、靳權」等十五人。同一本書的編纂人員，《書傳會選》的〈凡例〉登載四十位，《明太祖實錄》所列載的修纂人員卻僅有二十七人，何以兩處所記載的名單相差那麼大，何者較可信，當以何書所載爲準，其故安在？朱彝尊曾在《經義考‧書傳會選》條後的按語中，對此種差異現象提出他個人的看法，他說：

> 《書傳會選》載纂修諸人無靳觀、吳子恭、宋麟，而有國子祭酒胡季安，左春坊左贊善門克新，右春坊右贊善王俊華，翰林修撰許觀、張信，編修馬京、盧原質、齊麟、張顯宗、景清、戴德彝，國子助教高耀、王英、定公靜，儒士靳權，凡一十五人。蓋永樂中修《實錄》，以許觀、景清等皆坐逆黨，因連類而刪去之也。（《點校補正經義考》卷87，書16，頁439）

朱彝尊另外在〈書傳會選跋〉一文中對此續有所申論，他說：

> 以予所傳聞，若是實錄書法，凡著書開局，必具書纂修官姓名，以垂後世。而《明祖實錄》，其初修自建文即位之初，領其事者：太常少卿高遜志、僉都御史程本立等。假是編在，則開國之政治必粲然可觀。迨永樂中再修、三修，要不外楊士奇一手所改削，避禍益巧，逢君益工，而是非之心無復存焉。跡其于考正《書傳》諸儒，僅先期書徵召姓名。若朝士入選者，概從削去。原其故，則許、盧、景、戴四公先後咸死于難，去之惟恐不盡，遂并入局之朝士悉削之也。（《曝書亭集》，卷42，頁6上－7下）

朱氏認爲明成祖朱棣不滿建文帝削藩政策，假借靖難之舉，篡位成功，大肆殺戮不肯迎附之大臣。而參與纂修官員中，許觀、盧原質、景清、戴德彝等人，即因反對明成祖朱棣篡位，以致在靖難之變時被誣爲奸臣逆黨而遭難。永樂年間，楊士奇奉成祖之命重修《明太祖實錄》，以彌縫掩飾其得位之不正，許、盧、景、戴四人皆死于靖難之役，遂將四人姓名刪除。至於胡季安、門克新、王俊華、張信、馬京、齊麟、張顯宗、高耀、王英、定公靜、靳權等十一人則係連帶關係而遭一併被刪除。唯《四庫全書總目》對朱彝尊的說法卻不表贊同：

> 惟《實錄》所載纂修諸臣姓名與此本卷首所列不符。朱彝尊《經義考》謂許觀、景清、盧原質、戴德彝等皆以死建文之難，刪去其說是已。然胡季安、門克新、王俊華等十一人何以併刪？且靳觀、吳子恭、宋麟三人，此書所不載，又何以增入。蓋永樂中重修《太祖實錄》，其意主於誣惠宗君臣以罪，明靖難之非得已耳。其餘草草，非所注意，故舛謬百出，不足為據，此書為當時舊本，當以所列姓名為定可也。（《曝書亭集》，卷 42，頁 6 上－6 下）

《四庫總目》則認為其中關鍵出於永樂年間《明太祖實錄》的重修工作之上，主要原因是明成祖以武力篡位成功，為掩飾靖難之役係出於不得已，又要「誣惠宗君臣以罪」，遂假借重修《實錄》名目，塗飾相關資料，態度草率，以致《太祖實錄》中的資料，「舛謬百出」，實在不足以作為依據。

綜合上述所論，《書傳會選》的修纂人員，書前〈凡例〉所列人數與《太祖實錄》記載者並不同，朱彝尊與《四庫全書總目》兩家說法，皆以為出於《太祖實錄》經過楊士奇等兩次的重修塗改，資料已非原本舊貌，內容造成許多舛謬，不足採信。至於是因連類而被刪去，抑或是修纂草草，不注意而被刪。由於兩家說法均係推測論斷，並無實據證明。在缺乏佐證資料情形下，修纂人的問題，仍以現傳明代趙府味經堂刻本所列較為可據。

四、〈凡例〉所稱刪改蔡《傳》六十六條問題

蔡沈《書集傳》雖秉承朱子之意而修撰，其中蔡氏自己意見也不少，後世批評者已多有異論，等到宋、元朝代更替之際，有許多學者因不滿蔡《傳》而紛紛為書訂正其疑誤，如張葆舒作《尚書蔡傳訂誤》，黃景昌《尚書蔡氏傳正誤》，程直

方作《蔡傳正誤》，余苞舒作《讀蔡傳疑》，陳櫟作《書傳折衷》，交相提出疑難，論斷蔡氏的缺失。

劉三吾等奉朱元璋之命修訂蔡沈《書集傳》的解說，劉氏〈書傳會選序〉中曾談到他們在編纂過程中，對蔡沈《書集傳》所做訂正工作的原則是：

凡蔡氏之得者存之，失者正之，旁采諸家之說，足其所未備。

而《書傳會選》的編纂〈凡例〉也提到修訂蔡沈《書集傳》解說的更易數目：

五十八篇之傳，有非蔡氏之舊者，別而出之，凡六十六條。

綜合劉氏序言及〈凡例〉所說，可知《書傳會選》訂正蔡《傳》解說的方式有兩種：一種是刪除蔡《傳》解說而改以前儒說法替代，一種是在蔡《傳》之外再增補前代儒者的經說。經編者刪除改訂蔡沈《書集傳》的註解者，總數合計有六十六條。爾後不論是《四庫全書總目》或各家經學史著作，在談論《書傳會選》對蔡沈《書集傳》的修訂增補時，都採用《凡例》中的說法作為論斷的根據。

欲徹底釐清《書傳會選》修訂更易蔡沈《書集傳》的註解，是否誠如卷首〈凡例〉中所言僅「六十六條」，筆者首先將《書傳會選》與《書集傳》中的蔡沈註解兩書逐一詳細比對，記錄其刪改移易數目。發現若不計〈召誥篇〉的刪改他說情形，則統計全書更易他家解說的次數，總共有九十八條，與〈凡例〉所言並不相同。以下試將編纂者所引用的更易他家解說姓氏名稱及其引用次數，列成表格，以清眉目：

引用稱號	姓名	引用次數	引用稱號	姓名	引用次數
陳氏大猷	陳大猷	22	夏侯氏	夏侯勝	1
孔氏	孔安國	10	程氏	程伯圭	1
仁山金氏	金履祥	9	陳經	陳經	1
呂氏	呂祖謙	7	三山陳氏	陳普	1

林氏	林之奇	5	葉氏	葉夢得	1
唐 孔 氏	孔穎達	4	孫氏	孫覺	1
新安陳氏	陳櫟	4	陳傅良	陳傅良	1
新安王氏	王炎	4	毅齋沈氏	沈貴寶	1
王氏	王安石	3	董鼎	董鼎	1
張氏	張氏	3	夏氏	夏僎	1
蘇氏	蘇軾	3	說文	說文	1
朱子	朱熹	1	未註明姓名		13

《書傳會選》係集合眾人之手纂輯而成者，故註明出處的體例並不完全統一，如「新安王氏」或題作「王炎」（卷 1，頁 31 下），「陳大猷」或題爲「陳氏」（卷 1，頁 38 下），「仁山金氏（履祥）」或題爲「金氏」（卷 3，頁 15 上；卷 5，頁 40 上），「新安陳氏」或題爲「陳櫟」（卷 5，頁 15 下、17 上），另外尚有 13 條更易蔡《傳》解說的註解未能注明出處，此種情形顯示該書因纂修者不同，體例亦有前後相異的狀況出現，與顧炎武所說「其傳中用古人姓字，古書名目，必具出處」的論斷⓰，實際上是並不完全符合。

上述所列書中實際出現者二十二人，徵引八十五條。引用書籍名稱者有《說文》一條，另外有徵引資料卻未註明出處來源者有十三條。合計全書總共引用刪改資料九十九條。

根據書前〈所引先儒姓氏〉所列引用儒者計有：〔漢〕孔安國氏、夏侯勝氏、〔晉〕王輔嗣氏（弼）、郭景純氏（璞）、〔唐〕孔穎達氏、〔宋〕張橫渠氏（載）、東坡蘇氏（軾）、東萊呂氏（祖謙）、新安王氏（炎）、伯圭程氏（琰）、五峰胡氏（宏）、月卿許氏、之奇林氏、大猷陳氏、應麟王氏、補之鄒氏、新安陳氏（櫟）、陳氏（經）、仁山金氏（履祥）、董氏（鼎）、胡氏（旦）等二十一人。分析其朝代，漢代二人，晉代二人，唐代一人，宋代十六人（編者將鄒補之、陳櫟、陳經、金履祥、董鼎、胡旦等生於宋末元初者亦視爲宋人）等二十

⓰ 同註❷，卷 20，頁 526，〈書傳會選〉條。

一人。分析其朝代，漢代二人，晉代二人，唐代一人，宋二十二人。

若將實際引用資料的儒者名單與書前名單相核對，會發現實際有資料被徵引，但未被列入引用名單的有：陳普、葉夢得、孫覺、陳傅良、沈貴寶、王安石、張氏、夏僎、朱子等九人，共引用十三條。而列名被引用的前代儒者有：王弼、郭璞、張載、胡宏、許月卿、陳大猷、王應麟、鄒補之、胡旦等九人，刪改資料部份實際被引用。其中王弼、郭璞、張載、胡宏、鄒補之等五人，甚至在增補資料部份亦未被引用，爲何會列入書前〈所引先儒姓氏〉名單之中，恐怕係編纂者疏忽所造成。

爲徹底釐清《書傳會選》刪訂更易蔡沈《書集傳》的註解的詳細情況，是否誠如卷首〈凡例〉及《四庫總目》所言僅僅糾正「六十六條」，筆者將《書傳會選》與《書集傳》兩書中的蔡沈註解逐一詳細核對，記錄其刪改移易數目。發現若不計算〈召誥篇〉的刪改他說情形，則統計全書更易他家解說的次數，總共有九十九條，與〈凡例〉所言並不相同。

根據筆者的核對，《書傳會選》所改正蔡氏註解，大概有：刪除蔡《傳》，易以他說；刪除蔡《傳》文字，不改易他說，亦不增補；刪除蔡《傳》文字，另引他說，但不注明出處者三種情形。以下試將刪改更易情形依上述情形分別舉例敘述如下：

㈠刪除蔡《傳》，易以他說

劉三吾等編者認爲蔡沈《書集傳》的解說有錯誤，將它刪除，而另外採錄前代先儒的註解來取代蔡氏的說法：

1.〈堯典〉：「厥民因，鳥獸希革」句下，蔡沈《書集傳》對該句的解說：「因，析而又析，以氣愈熱，而民愈散處也。希革，鳥獸毛希而革易也」一段文字，《書傳會選》編者在編錄時將其全部刪除，另外改用宋儒陳大猷的說法來替代，陳氏說：

> 因者，因春之事以致其力。希，毛羽少而疏。革，易也。（《書傳會選》卷1，頁4上）

蔡沈之前釋「厥民析」之「析」爲「分散也。先時冬寒，民聚於隩，至是則以民之散處，而驗其氣之溫也。」承前面解釋，遂將「因」字解爲「析而又析，以氣愈熱，而民愈散處也」，編者認爲「因」無「析」義，蔡氏的解說不適當，乃改採陳大猷「因春之事以致其力」的解說來取代。

2.〈大禹謨〉：「禹曰：於！帝念哉，德惟善政，政在養民，水火金木土穀，惟修。正德利用厚生，惟和」一段文字，其中「水火金木土穀，惟修」一句，蔡沈《書集傳》解爲：

> 水火金木土穀，惟修者，水克火，火克金，金克木，木克土，而生五穀。或相制以洩其過，或相助以補其不足，而六者無不修矣！（《書傳會選》，卷1，頁31下）

蔡氏採用五行相生相克的理論說解六府「水火金木土穀」，此說法《書傳會選》編纂者則將其予以刪除，另外改採宋儒王炎的說法來替代，王氏說：

> 溝澮之導，豬之蓄，井之汲，水之修也。鑽燧有變，焚萊有禁，火之修也。產於地，取之有時，鎔範而成，金之修也。植於山林，斬之有時，掄材而取之，木之修也。辨肥瘠，相高下，以植百物，土之修也。播種有宜，耨穫有節，穀之修也。水以制火，火以煉金，金以治木，木以墾土，土以生穀，此六府之序也。（《書傳會選》，卷1，頁31下）

王炎認爲「政之大要，莫切於養民。六府，養民之具也。」要想使百姓養生之具齊備，六府就需依序修整，能如此百姓就可以富足，而後才能教育百姓。[17]《書傳會選》編者認爲王氏之說較蔡《傳》說法平實可信，於是轉而採錄王氏之說來替代蔡《傳》的解說。

---

[17] 參見董鼎：《書蔡傳輯錄纂註》（臺北：大通書局，1972年9月，《通志堂經解》本），卷1，頁34下。

3.〈甘誓〉：「有扈氏威侮五行，怠棄三正，天用勦絕其命，今予惟恭行天之罰。」其中「怠棄三正」一句，蔡沈《書集傳》的解說為：

> 三正，子丑寅之正也。夏正建寅。怠棄者，不用其正也。……今按此章，則三正迭建，其來久矣。舜協時月正日，亦所以一正朔也。子丑之建，唐虞之前，當已有之。（《書傳會選》，卷2，頁42下）

蔡沈將「三正」解釋成「子丑寅」之正，係採用漢代馬融的說法，而劉三吾等編《書傳會選》時卻將蔡氏的說法予以刪除，另外改引孔安國及林之奇的說法來替代：

> 三正，孔氏曰。「天地人之正道，怠惰棄厭，言亂常也。」林氏曰：「舊以為子丑寅之正。然商方有改正朔之事，夏以前未聞也，此但言其廢三綱五常耳。」（《書傳會選》，卷2，頁42下）

孔氏認為有扈氏是擾亂天地人三正道，而林之奇以為改正朔之事乃商朝以後才有，不可能出現在夏代，舊說將此句經文釋為「夏正建寅」的說法，實不可採信。

4.〈西伯戡黎〉篇名之下，《書集傳》釋義時原有西伯「文王」與「武王」二說，而將文王說置於前，是蔡氏主張文王說，但仍兼存另一解。而《書傳會選》編者則將蔡《傳》前面的西伯是文王說的一段文字全部予以刪除：

> 西伯，文王也，名昌，姓姬氏。戡，勝也。黎，國名，在上黨壺關之地。按《史記》文王脫羑里之囚，獻洛西之地，紂賜弓矢鐵鉞，使得專征伐為西伯。文王既受命，黎為不道，於是舉兵伐而勝之。祖伊知周德日盛，既已戡黎，紂惡不悛，勢必及殷，故恐懼奔告於王，庶幾王之改之也。史錄其言以為此篇，誥體也。（《書傳會選》，卷3，頁49上－49下）

西伯，宋代以前舊說皆指係周文王，宋儒好倡行新義，始提出西伯為武王的新說。

蔡沈採信《史記》說法，主西伯爲文王，唯對宋儒的新說採保留兼存的作法。劉三吾等編纂《書傳會選》時採宋儒新說，而將蔡《傳》所主的舊說刪除，另外改易宋儒金履祥、王應麟之說：

> 仁山金氏（履祥）曰：「西伯，武王也。武王襲爵以後，未克商以前，商人稱之曰周西伯也。故胡五峰《大紀》、呂成公、陳少南、薛季龍皆謂武王，舊說文王失之矣。又曰受朝歌，今衛州黎，今潞洲黎城，然衛亦有黎陽，則戡黎之師於受都已迫。吳才老謂是武王伐紂時，蓋以祖伊辭氣爲甚迫也，然亦當在觀兵時。」浚儀王氏曰：「西伯既戡黎，祖伊恐。商都朝歌，黎在上黨壺關，乃河朔險要之地，朝歌之西境，密邇王畿，黎亡則商震矣。故武王渡孟津，莫之或禦。周以商墟封衛，狄人迫逐黎侯，衛爲方伯，連率不能救，而〈式微〉、〈旄丘〉之詩作，唇亡齒寒，衛終爲狄所滅。衛之亡猶商之亡也。秦拔上黨而韓趙危，唐平澤潞而三鎮服，形勢其可忽哉！」（《書傳會選》，卷3，頁49上－49下）

金履祥認爲武王在襲爵後、克商前，商人稱爲周西伯。吳才老（棫）則以祖伊奔告時辭氣甚爲急迫來看，應當是武王伐紂觀兵時。王應麟則以爲黎國在上黨壺關，位置在朝歌西境，接近商朝都城，爲扼守商都城的兵家險要地理所在，黎亡則商震，所以祖伊才會恐急奔告。《會選》編者選錄金氏之言說明宋力主西伯即周武王之故，而引王氏之言則在解釋何以西伯既戡黎，祖伊驚恐奔告的原因。

5.〈微子〉：「自靖，人自獻于先王，我不顧行遯。」句，蔡沈《書集傳》的註解在「如我則不復顧行遯也」之後，原來尙有兩段按語：

> 按此篇，微子謀于箕子、比干，箕子答如上文，而比干獨無所言者，得非比干安於義之當死而無復言歟？孔子曰：「殷有三仁焉。」三仁之行雖不同，而皆出乎天理之正，各得其心之所安，故孔子皆許之以仁，而所謂自靖者即此也。又按《左傳》：「楚克許，許男面縛、銜璧、衰絰、輿櫬以見楚子。楚子問諸逢伯，逢伯曰：『昔武王克商，微子啓如是，武王親釋

其縛，受其璧而祓之，焚其櫬，禮而命之。』」然則微子適周，乃在克商之後。而此所謂去者，特去其位而逃遯於外耳。論微子之去者，當詳於是。（《書傳會選》，卷3，頁53下）

蔡沈採用《左傳》的說法，以爲微子在周武王克商以後，才「去其位而逃遯於外」。《書傳會選》編者不同意蔡氏的說法，將此兩段按語全部刪除，另外改採朱熹及金履祥兩家的說法來取代：

唐孔氏（穎達）曰：「微子告二人而獨箕子答者，比干與箕子意同，經省文也。」《語錄》答嚴時亨曰：「所解三仁事，《史記》、《左傳》互有不同，但《論語》只言微子去之，初無面縛銜璧之說，今乃舍孔子而從左氏，史遷已難自信，又不得已而曲爲之說，以爲微子之去，乃去紂而適封國，則猶無所據矣。」仁山金氏（履祥）曰：「自靖，謂各行其分之所宜，而即其心之所安也。孔子所謂三仁是人各行其所安，有以告於先王而無愧於神明可矣。王子有可去之意，蓋不可使受有殺兄之名，而元子在外萬一有維持宗社之計，若我則無可去之義，故曰我不顧行遯是亦將以死救也。詳此辭意，則箕子、比干同以死諫，比干見殺，箕子偶不見殺而囚耳。說者遂以箕子有言，而比干獨無言者，去就之義難明，而死節之義易見，殊不知箕子豈有去意而比干之無答，亦以箕子意同，故不復有異辭耳。微子之去遯于荒野而已，舊說抱祭器以歸周者，殊失之。」（《書傳會選》，卷3，頁53下－54上）

微子去周之事，《論語》僅只提及「去之」，並無「面縛銜璧」的說法，朱子批評《左傳》、《史記》的記載，毫無根據，且令人難以相信。而蔡沈反倒採信《左傳》之說，可見明顯違背師說。

6.〈牧誓〉：「王曰：嗟！我友邦冢君，御事、司徒、司馬、司空、亞旅、師氏、千夫長、百夫長。」下，蔡沈《書集傳》對「司徒、司馬、司空」三卿的註解是：

司徒、司馬、司空，三卿也。武王是時尚爲諸侯，故未備六卿。

蔡氏以爲「司徒、司馬、司空」是武王的三卿，《書傳會選》編者不僅引宋儒陳大猷之說補充蔡《傳》未解釋的「友邦冢君」係「指所會之諸侯』外，刪除蔡氏對三卿之釋義，而改易以宋儒陳氏之說取代：

三山陳氏曰：「御事、司徒、司馬、司空，即諸侯之三卿也。」（《書傳會選》，卷 4，頁 11 上）

編者引陳普說法，認爲「御事、司徒、司馬、司空」是「諸侯之三卿」，而非周武王的三卿，且在蔡《傳》註解最後補上「傳以爲武王之三帥，非是」十個字，以批駁蔡沈此條解釋的錯誤。

7.〈洛誥篇〉篇末：「惟周公誕保文武受命惟七年」經文之下，蔡沈《書集傳》對此句經文的註解是：

吳氏曰：「周公自留洛之後，凡七年而薨也。」成王之留公也，言誕保文武受民。公之復成王也，亦言承保乃文祖受命民，越乃光烈考武王。故史臣於其終計其年日，惟周公誕保文武受命，惟七年，蓋始終公之辭云。（《書集傳》，卷 5，頁 155）

《書傳會選》編者將蔡《傳》的此段註解全部刪除，另外改易以張氏及陳櫟的解說：

張氏曰：「公輔成王，大保文武，所定天命，至此爲七年。」陳氏櫟曰：「此三節史臣記王在洛以留公在後治洛之事，祭告文武及命公也。戊辰，先儒謂七年十二月晦日。唐孔氏推之，謂此歲三月丙午朏，閏九月辛未朔小，則十二月三十日戊辰晦。周十二月，建亥之月也。其言良是，上言逸祝冊，告文武之冊也。下言作冊逸誥，告命周公之冊也。重其事，故既廟祭而冊祝先王，又因廟祭而冊命周公也。前言戊辰而結以在十有二月，明戊辰爲十二月之戊辰，言十二月而繼以『惟周公誕保文武受命，惟七年』，明十二月爲此七年之十二月也。此乃古史紀載倒文法也。惟七年有二說，今從張氏者，按《禮記》云：『七年致政於成王』，王肅於〈金縢〉篇末云武王年九十三，冬十一月崩，其明年稱元年。周公攝政遭流言，東征三年而歸，制禮作樂，出入四年，六年而成，七年營洛邑，歸政成王。武王崩時，成王年已十三矣，至是年二十，王肅此說與《記》合。七年始終，鑿鑿可考，葉、吳七年而後公薨之說，未見所據，何苦捨有據之舊說而從此乎？」（《書傳會選》，卷5，頁17上－17下）

蔡沈的註解採用宋代吳棫之說，認爲周公自留居洛邑之後，至此已七年而逝世。〈洛誥篇〉篇末所記的「惟七年」，實際上是指周公自始至終居住在洛邑的全部時間。而劉三吾等修纂者則並不同意蔡氏的意見，將蔡《傳》註解全部刪除，改採用《禮記》及張氏、陳櫟的解說，以爲係指周公從攝政到還政於成王，前後總共七年的時間。此種說法已廣爲學術界所採用，近代王國維撰〈洛誥解〉即採信是說。

8.〈呂刑〉：「鴟義姦宄，奪攘矯虔」一句，其中「矯虔」一詞，蔡沈《書集傳》釋爲「「矯虔者，矯詐虔劉也。」《書傳會選》編者認爲蔡氏所釋有誤，將它予以刪除，另外改引宋儒金履祥的說法：

矯，正也；虔，劉也。謂姦惡寇攘者，須制刑以矯正虔劉之也。（《書傳會選》，卷6，頁34下）

蔡沈的註解，實際是襲用韋昭：「凡稱詐爲矯」⓲的解說，編者認爲蔡氏釋義不確，故改採金氏的說法。

⓲ 參見《漢書·武帝紀》（臺北：鼎文書局，1981年2月），卷6，頁181，顏師古引韋昭註。

㈡刪除蔡《傳》文字，另引他說，但未注明出處者

劉三吾等人在纂輯《書傳會選》之時，除針對蔡沈解說「得者存之，失者正之」外，也有一些蔡《傳》的註解，劉三吾等編纂者認爲解釋有不甚妥當，而將它刪除，徵引他家說法取代，卻不注明出處者，全書計有十三條，茲舉例如下：

1.〈禹貢〉：「導渭自鳥鼠同穴，東會於灃，又東會于涇，又東過漆沮，入于河涇。」經文敘述疏導渭至漆沮間的第八條水系，蔡沈《書集傳》對於「鳥鼠同穴」的現象，以爲是「其說怪誕不經，不足信也。」《書傳會選》編者將十字刪除，而另外改訂爲：

> 蔡氏以爲其說怪誕不經，而鄉人乃謂誠有此事，蓋蔡氏之所未見也。（《書傳會選》，卷 2，頁 36 上）

劉三吾等以爲根據當地人所言，鳥鼠同穴，確實眞有其事，蔡氏對於平常罕見或未曾經見之事，即率爾批評爲「其說怪誕不經」，態度不甚謹嚴。此段文字，劉氏未注名來歷出處，使人較難論斷是編者的按語，抑或徵引他人之說。

2.〈洪範〉：「曰王省惟歲，卿士惟月，師尹惟日。」三句經文，蔡沈《書集傳》在註解後面原本尙有「蓋雨、暘、燠、寒、風，五者之休咎，有繫一歲之利害，有繫一月之利害，有繫一日之利害，各以其大小言也」等三十九字，《書傳會選》編者將它刪除，而另外改易以他說，然卻未具名指出該段文字係何人之言：

> 王與卿士、師尹，所職有繁簡，故所驗有遠近也。王者總其大綱，不親庶務，故其得失必周一歲而後可見；若卿士之職，百責所萃，其感應甚速，故其省驗在於一月；師尹職小事繁，去民爲近，其感應尤易，故其省驗在於一日。若一月一日之間，天氣不順，而歲事無傷，則卿士師尹近民者之責，而非王者之所憂矣。（《書傳會選》，卷 4，頁 31 下－32 上）

蔡《傳》解釋經文意義時，以爲「王者之失得，其徵以歲；卿士之失得，其徵以月；師尹之失得，其徵以日」，即馬上說明係因「雨暘燠寒風，五者之休咎」所繫

之利害導致，未能完全解釋經文所說何以需「王歲、卿士月、師尹日」的緣故，《書傳會選》編者增補之言，進一步補充說明王與卿士、師尹三者，因所執掌職有繁簡輕重的關係，所以徵驗時間就有長短遠近的分別。纂修者所增補疏釋文字，恰能補充說明蔡《傳》所不足之處。

3.〈旅獒〉：「允迪茲，生民保厥居，惟乃世王」三句經文之下，《書傳會選》編者在蔡沈《書集傳》的註解「即遺生民無窮之害」句下，先行刪除「而非創業垂統可繼之道矣。以武王之聖，召公所以警戒之者如此」等二十六字，而後在最後面徵引未注明來源出處：

> 按此蔡氏以謹德為一篇之綱領，而仁山金氏又推明慎德一章為貢物之制，昭德一章為受貢所以示諸侯。而其下文又推玩人以及玩物，因玩物以戒喪志，因喪志而言定志之道，因道寧而及知言之故，語雖偶而意相生也。既又因玩物而上推玩人之失，以防其原。因寶物而歸重寶賢之意，以易其好。而終之以不矜細行，終累大德，為山九仞，功虧一簣之戒。末又結之以「允迪茲，生民保厥居，惟乃世王」之辭，其發明太保訓成王之意，可謂曲盡其旨矣。（《書傳會選》，卷4，頁36上）

劉三吾等採信胡五峰《皇王大紀》之說，主〈旅獒篇〉係成王時所作，為保持全篇的主張說法一致，故刪除蔡氏註解中召公告誡武王的文字。後面補充申釋經文大義，抉發全篇的精義所在，使後人更容易經書文字的意蘊。

㈢刪除蔡《傳》文字，不改易他說，亦不增補

《書傳會選》的編纂者在修訂蔡《傳》解說時，並非只有刪除蔡《傳》註解而直接更易前代儒者的註解一種情況，另外還有一種只刪除蔡《傳》的解釋文字，卻不改易他家說法，亦不增補者，此種情形全書合計有三十六條之多，茲舉例說明如下：

1.〈禹貢〉：「浮於積石，至於龍門西河，會於渭汭」之下，蔡沈《書集傳》在解釋此三句話時，本來尚有一大段說明文字：

按邢恕奏乞下熙河路打造船五百隻，於黃河順流而放下，至會州西小河內藏放。熙河路漕使李復奏：「竊知邢恕欲用此船載兵，順流而下，去取興州契勘會州之西小河鹹水，其闊不及一丈，深止於一二尺，豈能藏船？黃河過會州入韋精山，石峽險窄，自上垂流直下，高數十丈，船豈可過？至西安州之東，大河分爲六七道，散流渭之南山，逆流數十里方再合。逆溜水淺，灘磧不勝舟載，此聲若出，必爲夏國侮笑。」事遂寢。邢恕之策，如李復之言，可謂謬矣。然此言貢賦之路，亦曰浮於積石，至於龍門西河，則古來此處河道，固通舟楫矣。而復之言乃如此，何也？姑錄之以備參考云。（《書傳會選》，卷2，頁26上）

蔡氏引邢恕、李復奏章的一段文字，旨在說明積石至龍門西河之間，河道自古以來通行船隻，然與〈禹貢〉此段經文的疏釋並無多大關係，故編者將它全部予以刪除。

2.〈高宗肜日〉篇首「祖己曰惟先格王，正厥事」經文之下，蔡《傳》註解，在「豐於昵，失禮之正」前面原有：

格，正也，猶格其非心之格，詳下文。高宗祀豐於昵，昵者，禰廟也。」（《書傳會選》，卷3，頁48上）

劉三吾等採金履祥之言，相信《史記》此篇係作於祖庚時，與蔡氏意見相左，遂將「格正也」以下二十四字全部刪除，以保持其解釋能夠前後一致，也不再另外補充其他說法。

3.〈金縢〉：「王執書以泣，曰其勿穆卜。昔公勤勞王家，惟予沖人弗及知。今天動威，以彰周公之德。惟朕小子其新迎，我國家禮亦宜之。」下，《書傳會選》編者刪除蔡沈《書集傳》的一段解說：

按鄭氏《詩傳》，成王既得金縢之書，親迎周公。鄭氏學出於伏生，而此篇則伏生所傳，當以親爲正。親誤作新，正猶〈大學〉新誤作親也。

蔡氏在本段經文註解之後，引鄭玄《詩傳》註解之文，證明鄭氏所見的〈金縢篇〉原文「逆」字當作「親」字，編者則將引文全部刪除，卻說明其原由爲何。（《書傳會選》，卷4，頁41上）

4.〈洛誥〉：「周公拜手稽手曰朕復子明辟」一句經文下，蔡沈《書集傳》在註解的最後面原本尙引用蘇軾釐訂〈洛誥〉篇首錯簡在〈康誥〉之首的主張：

> 蘇氏（軾）曰：「此上有脫簡在〈康誥〉。自『惟三月哉生魄』至『洪大誥治』四十八字。」

蔡氏引用蘇軾釐正〈洛誥〉字句有簡篇錯亂的說法，《書傳會選》的編纂者並不同意，所以在纂修時將蔡《傳》所徵引的蘇氏錯簡言論予以刪除，不予抄錄。（《書傳會選》，卷5，頁7下）

五、《書傳會選》對蔡沈《書集傳》的增補

《四庫全書總目》的編撰者，鑒於歷代經籍浩博，在撰寫提要時，無法對每一本書作詳細精審的考訂，往往只根據的序跋或凡例、目錄去做評論，以致在論斷時常會發生許多偏差與錯誤。評斷劉三吾等所編纂《書傳會選》的情形也相類似。從書前提要的敘述中，我們可以很輕易的看出對《書傳會選》的評價，其意見大都是從《書傳會選》的〈凡例〉勦襲而來，提要撰寫者實際上可能並未將《書傳會選》全書詳盡閱覽後才加以論斷。故在提要中斷然認爲劉三吾等人對《書集傳》的修訂工作，僅有「糾正凡六十六條」蔡《傳》而已。除此之外，則隻字未曾道及。

其實，劉三吾等在編纂修訂《書集傳》時，除對「失者正之」外，也曾「旁採諸家之說，足其所未備」，以增補《書集傳》解說方面的不足，筆者將兩書逐一核對後，將《書傳會選》所增補的資料，逐條統計，爲使下文的敘述說明更清晰明白，茲將編纂者所增補資料的姓氏名稱及其引用次數，製成表格如下：

引用稱號	姓名	引用次數	引用稱號	姓名	引用次數
陳氏大猷	陳大猷	76	無垢張氏	張九成	2
仁山金氏	金履祥	66	胡氏	胡旦	2
新安陳氏	陳櫟	64	蔡氏元度	蔡元度	2
呂氏	呂祖謙	32	薛氏	薛肇明	2
林氏	林之奇	16	劉氏安世	劉安世	1
新安王氏	王炎	12	胡氏一桂	胡一桂	1
唐孔氏	孔穎達	11	金氏燧	金燧	1
三山陳氏	陳普	8	陳氏祥道	陳祥道	1
眞氏	眞德秀	8	范氏	范氏	1
陳氏	陳經	8	曾氏	曾旼	1
王氏	王安石	7	馬氏	馬廷鸞	1
朱子	朱熹	6	賈逵	賈逵	1
夏氏	夏僎	6	程伯圭	程伯圭	1
董鼎	董鼎	5	許氏月卿	許月卿	1
復齋董氏	董琮	4	劉氏	劉卣	1
張氏	張拭	4	王氏日休	王日休	1
浚儀王氏	王應麟	3	葉氏	葉夢得	1
孫氏	孫覺	3	史氏漸	史漸	1
朱氏	朱氏	3	李氏謹思	李謹思	1
鄒氏	鄒補之	2	上官氏	上官公裕	1
鄒季友	鄒季友	2	未註明姓名出處者		34
蘇氏	蘇軾	2			

引用書名	引用次數
史記	2
唐志	1
朱子語錄	1

以上所徵引的先儒總共四十二人，增補引用的資料合計有三七二條。再者，還有被編者所徵引而未註明出處者有三十四條。另外，文中也出現引用《史記》、《唐志》、《朱子語錄》三部書籍名稱的資料四條。若將《書傳會選》編者所徵引的疏解資料合併計算，則全書總共引用四一〇條增補的資料。

在所增補的先儒資料當中，陳大猷七十六條最多，金履祥六十六條次之，陳櫟六十四條，呂祖謙三十二條，林之奇十六條、王炎十二條、孔穎達十一條等七人解說資料被徵引較多。歸納《書傳會選》對蔡沈《書集傳》註解的增補情形，大概可分爲：申釋字句之義、考訂篇章字句之誤、申釋篇章段落大義、增補他家說法，卻不注明出處者等四類，以下分別舉例敘述如下：

㈠申釋字句之義

蔡沈註解《尚書》，比較著重義理方面的闡釋，全書說解通暢簡明，故普受世人所接受，然因其注重義理疏解，文字方面的解釋，就難免會偶有遺漏，劉三吾編纂《書傳會選》時，對於較關鍵的字辭或生難單字，就會徵引諸儒解說加以申釋，茲舉例如下：

1.〈禹貢篇〉敘述疏導青州時，言及：「萊夷作牧」，蔡沈對該句僅籠統地說「作牧者，言可牧放，夷人以畜牧爲生也。」《書傳會選》編者則增引宋儒陳大猷之說來補充：

> 作謂耕作，牧謂芻牧。夷人以畜牧爲業，見禹之功及走獸也。（《書傳會選》，卷2，頁10下）

陳大猷「作牧」一詞逐字解釋，單字意義清楚明白，並進一步疏解經文此句文字，旨在表現大禹疏濬山川之功勞的偉大，且能遍及於飛禽走獸。

2.〈康誥篇〉篇末：「王曰嗚呼，肆予小子封」，句中「肆」字，蔡沈《書集傳》僅解釋爲：「肆，未詳。」顯示蔡沈尚有不知闕疑的精神，《書傳會選》則另外徵引董琮之言補充：

> 肆，語辭，如「肆徂」、「肆往」皆語辭也。（《書傳會選》，卷4，頁61下）

《書傳會選》編者徵引董琮的解釋，恰好可補充蔡氏的不足之處。

3.〈顧命篇〉篇首：「甲子，王乃洮頮水，相被冕服，憑玉几。」，蔡沈《書集傳》僅解釋成王病危將崩之際，齋戒沐浴，憑靠在玉几之上發號施令的全部大意，而未針對該句頗為關鍵之字作解釋，劉三吾等編者則補引宋儒之言以補充解釋：

> 新安王氏曰：「盥手曰洮，沃面曰頮。」三山陳氏（普）曰：「古人臨死之際，猶不忘敬如此。」（《書傳會選》，卷6，頁10下）

劉氏增引宋儒王炎、陳普的解說，使學者閱讀之際對文中生難字有一簡明的解釋，以幫助後人更容易了解《尚書》文中的大意。

4.〈顧命篇〉：「茲殷庶士，席寵惟舊。」蔡沈的《書集傳》對「席寵惟舊」一句未作單字解釋，劉三吾等則補引宋儒陳大猷之言以補充解釋其意義：

> 席猶藉也。席寵惟舊，言世祿之家也。（《書傳會選》，卷6，頁26下）

陳大猷釋席為藉，即憑藉之義，並進而解釋「席寵惟舊」一句，實際就是文中所指的那些憑藉光寵，驕奢淫逸，矜誇無禮的「世祿之家」。

㈡考訂篇章字句之誤

《尚書》本為上古時代政府的公文檔案資料，本來就佶屈聱牙，加上歷經戰亂兵燹，傳抄訛誤等因素，致使《尚書》篇章文字，難免有簡編錯誤更易情形發生，劉三吾等編纂《書傳會選》時，即根據前代儒者的意見來考訂篇章字句之誤，茲舉例如下：

1.〈西伯戡黎〉：「殷之即喪，指乃功，不無戮于爾邦」一段經文之下，《書傳會選》編者在蔡《傳》的最後面補充元儒鄒季友的考訂意見：

> 按此篇祖伊之言，危迫之極，必在周師既渡河之後。若文王時，必無「殷之既喪，不無戮于爾邦」之語，篇次不當在微子之前。（《書傳會選》，卷3，頁51上）

鄒季友從祖伊奔告勸諫商紂王時，語氣不勝驚恐急迫情狀，又有斷言殷商即將喪亡，能免於會遭到殺戮的災禍來看，〈微子篇〉所記載事情的時代在〈西伯戡黎〉之前，因而推論〈西伯戡黎〉的篇次實在不應當置於〈微子篇〉之前。

2.〈泰誓上〉：「同力度德，同德度義，受有臣億萬，惟億萬心；予有臣三千，惟一心。」一段經文之下，《書傳會選》編者在蔡《傳》註解的最後面補充一段考訂文字：

> 此章傳文俗本「有得於心」多作「有得於身」，「十萬曰億」多誤寫作「百萬曰億」，今正之。（《書傳會選》，卷4，頁4下－5上）

《會選》編者補入此段考訂俗本文字訛誤的話，卻未注明出處，使人不清楚此段文字究竟係引自他家之說，抑或爲編者自加的按語。

3.〈君奭〉：「公曰君奭，在昔上帝割申勸寧王之德，其集大命于厥躬。」一段經文之下，《書傳會選》編者在蔡《傳》註解的最後面補充金履祥考訂文字之說：

> 金氏曰：「『割申勸』，傳記引此作『周田觀』，按周字蒙文割似害，從害而多刀、聲亦近似，此當作害，而音曷。曷，何也。言上帝何爲而申勸武王之德集大命於其身哉！」（《書傳會選》，卷5，頁34下－35上）

金氏以爲《禮記‧緇衣篇》引「割申勸」作「周田觀」，「周」字是「害」字之誤，「割」當借爲「害」，「害」音讀爲「曷」，「曷」義即「何」，金氏從經文義誼難通，嘗試比勘上下文以考訂文字之訛誤。

4.〈大誥〉：「予不敢閉于天降威用，」一句經文之下，《書傳會選》編者在蔡《傳》註解的最後面補充蔡氏之師朱子對此句斷句的看法：

> 朱子曰：「『用』字當屬下句」今從之。（《書傳會選》，卷4，頁42下）

劉三吾補引朱子對此句經文的句讀，認爲「用」字應屬下讀，以糾正蔡沈經讀之缺失。

5.〈大誥〉：「寧王遺我大寶龜，紹天明」一句經文之下，《書傳會選》編者在蔡《傳》註解的最後面補充呂氏之說：

> 「寧王遺我大寶龜」，此一篇之綱領也，自始至終皆以卜爲言。按金氏以「用寧王遺我大寶龜紹天明」作一句讀，「即命曰」以下述命龜之辭。（《書傳會選》，卷 4，頁 43 上）

前代學者多將「用」字屬上讀，又將「寧王遺我大寶龜，紹天明」斷爲兩句，《書傳會選》編者徵引金履祥的意見，「用寧王遺我大寶龜紹天明」當作一句讀，不可分讀，係〈大誥篇〉的綱領主旨所在，「即命曰」以下皆是龜祝述卜之辭。

㈢申釋篇章段落大義

劉三吾在編修《書傳會選》時，若覺得蔡沈《書集傳》對各篇篇章或段落的解說尚有未盡之處，而諸儒解說有足供補充者，就會採錄先儒的釋義資料，補充增釋在該篇章段落之後，以使蔡《傳》的釋義更加完整，茲舉例如下：

1.〈舜典篇〉篇末：「舜生三十，徵用三十，在位五十載，陟方乃死」之下，《書傳會選》編者在蔡沈《書集傳》註解的最後面增補元儒董鼎的疏解：

> 自「愼徽五典」至「汝陟帝位」，是堯試舜三年內事，爲司徒百揆四岳，未爲君時也。自「受終」至「遏密」，是攝位二十八年內事，不過以百揆代堯行天子事，亦未爲君也。曰「格文祖」，然後即帝位，始稱帝，舜之君道，乃可見耳。方攝位時，巡四岳，朝諸侯，封山濬川，考禮正刑，汲汲不少暇。至即位後，惟責成於岳牧九官，舜不過執黜陟之權以激勵之，外此不復以身親焉。五十年間，有天下而若不與，非得爲君之道而然歟？攝政以前，可見君道之勞；即位之後，可見君道之逸；乾知大始，坤作成物，君臣之道，一乾坤也。夫子以君哉稱之，宜也。（《書傳會選》，卷 1，頁 28 上－28 下）

董鼎總論〈舜典〉大意，從舜被四岳推薦，堯測試其才能，使掌五常之較，使其擔任各種官職，迎接四方諸侯，歷試諸般艱難之事。舜皆能主事而事治，驗之於人事而人協，薦之於天而天受之，舜之承繼君位大統，是順天應人之事。及其即位之後，僅執掌考績黜陟之權力以督責激勵百官，不復親身操持庶事政務，五十年間，有天下而若無，天下反因而大治。董氏總括全篇意旨，闡釋舜為君之道及〈舜典篇〉所隱藏的政治至道義蘊，論述君臣職分之道當如《易經》的乾坤之道。

2.〈皋陶謨〉首段「曰若稽古皋陶」至「在茲，禹拜昌言曰俞」之下，《書傳會選》編者在蔡沈《書集傳》的解說後面補充宋儒王炎及眞德秀的解說：

> 王氏炎曰：「皋陶之謨有三：脩身也，知人也，安民也，而脩身為本。」眞氏曰：「皋陶陳謨，首以謹脩其身為言。蓋人君一身，天下國家之本，愼之一言，又脩身之本也。思永欲其悠久不息，常思所以致謹，然後謂之永。愼則敬而不忽。思永則久而不忘，脩身之道備矣。然後以親親、尊賢二者繼之，身為之本，而二者又各盡其道，則自家可推之國，自國可推之天下，其道在此而已。〈中庸〉九經之序蓋祖於此。」（《書傳會選》，卷1，頁40上）

王氏指出皋陶所陳之謨，人君首要在於脩身、知人、安民三者，而以脩身為最根本。眞氏則進一步闡釋三者義涵，他認為皋陶陳謨，首先標舉「謹脩其身為言」，就是因人君為天下國家之本，一言一行，動見觀瞻，均深深影響天下人民的言行風俗，故君王為人需修身謹愼，作為天下表率。繼而親親尊賢，如此則能潛移默化，達到教化天下百姓的功用。這也就是蔡《傳》所說的「身修則無言行之失，思永則非淺近之謀。惇敘九族，則親親恩篤而家齊矣；庶明勵翼，則群哲勉輔而國治矣」的道理。皋陶之謨，蘊涵齊家治國平天下的政治至高哲理，經王炎、眞德秀二人的申釋，使得《尙書》艱澀難懂的經義顯得簡明通暢。

3.〈禹貢〉：「淮沂其乂，蒙羽其藝」兩句經文，《書傳會選》編者在蔡沈《書集傳》的解說後面又增補宋儒王炎之言：

先淮後沂，先大而後小也；先蒙後藝，先高而後低也；淮沂乂而後蒙羽可藝，事之相因也。（《書傳會選》，卷2，頁11下）

此條是劉氏增引王炎之言，說明「淮沂其乂，蒙羽其藝」兩句經文敘述的先後相承的關係。

4.〈泰誓上〉篇名之下，《書傳會選》編修者未刪蔡《傳》的註解，並在蔡沈註解後面增補一段仁山金履祥的意見：

上篇誓諸侯，因及御事庶士；中篇誓諸侯之師；下篇自誓其師。（《書傳會選》，卷4，頁1下）

金氏說明〈泰誓篇〉區分為三篇之緣故，並論述上中下三篇所誓告的對象，幫助學者能提綱挈領的去了解〈泰誓〉各篇文章的大概要旨。

5.〈洪範〉：「三、八政：一曰食，二曰貨，三曰祀，四曰司空，五曰司徒，六曰司寇，七曰賓，八曰師。」下，蔡沈《書集傳》對該句的解說：

食者，民之所急；貨者，民之所資，故食爲首而貨次之。食貨，所以養生也。祭祀，所以報本也。司空，掌土，所以安其居也。司徒，掌教，所以成其性也。司寇，掌禁，所以治其姦也。賓者，禮諸侯遠人，所以往來交際也。師者，除殘去暴也，兵非聖人之得已，故居末也。（《書傳會選》，卷4，頁23下）

蔡氏僅擇要解說八政的功用，未深入詳細說明其緣由，劉三吾等編纂時，就在蔡沈《書集傳》的解說之後再補充朱氏的說法：

八政以急緩爲次序，食謂君授民以時，使民用天之道，因地之利，愼不失時，盡力畎畝，則食足矣，食足則民命立矣。貨，民用諸物，日用不可缺者，使之懋遷有無，農末相資，則貨財相通矣。祭祀所以報本也，國有大祀、中祀、群小祀，無不主于報本，故誠不可懈，禮不可紊，祀不可瀆，故先聖王所重爲此故也。能者養之以福，不能者敗以取禍，其敢少有毫髮慢易之心乎？邦有空土，司徒掌之，所以居四民時地利也。若後世徙狹鄉居空荒以實其地之類。司徒掌邦教，民生理散居君之五教，恐民有所忘失，故每歲孟春則木鐸以聲之，使人知及時趨事，掌其職曰司，爲其事而屬乎所掌者曰徒，此之爲司徒也。司徒掌邦禁，其諸上亂國政，下殃良民，諸姦邪不正，是爲寇賊，姦宄斯等之爲乘人之隙。（《書傳會選》，卷4，頁23下－24上）

朱氏進一步補充解釋八政排列先後之關係，係完全按照百姓民生需求的急緩程度爲序，食爲養生之所必需，貨爲日用所不缺，故居先。祭祀爲報本追遠，屬於國家大事之。司空、司徒、司寇三者，執掌居住、教育、法律。以上六項均爲內治之事。賓、師二者，掌管邦國往來交際及軍事整備，屬於治外之事。朱氏將八政的功能及性質解說得相當清晰明暢，實能彌補《書集傳》解釋稍嫌精簡的的缺點。

6.〈牧誓篇〉篇名之下，蔡沈《書集傳》已有簡明的註解，《書傳會選》的編者認爲不夠詳細，又在蔡《傳》的註解之後，另外補充宋儒金履祥的意見：

〈泰誓〉上以誓諸侯爲主，中誓諸侯之師，其辭止於「尚弼永清，定功永世。」下篇自誓其眾始，有「不迪顯戮」之戒。至於〈牧誓〉，則商郊之誓，臨戰之時，一人不戒，易以敗事，故均戒誓之，不免有戮，不可以貴賤異法也。（《書傳會選》，卷4，頁10下）

蔡沈《書集傳》僅解釋〈牧誓〉篇名所在地及該篇是「武王軍於牧野，臨戰誓眾，前既有〈泰誓〉三篇，因以地名別之。」並未詳細說明兩篇誓辭之間究竟有何區別，《書傳會選》的編者則在蔡《傳》的註解之後，補充宋儒金履祥的說法，進一步解釋〈泰誓篇〉因誓師對象不同，誓辭告誡意向亦隨之不同，而〈牧誓〉因係「臨戰之時」的誓辭，不詳細嚴厲告戒，軍士容易壞事，所以不分上下貴賤，一律戒誓之。如此，讀者對兩篇誓辭內容因性質、對象不同而有所差異，則比較容易有清楚的了解。

7.〈旅獒篇〉篇名之下，蔡沈《書集傳》對此篇名的解釋以爲：

> 西旅貢獒，召公以爲非所當受，作書以戒武王，亦訓體也，因以旅獒名篇。

蔡《傳》採用傳統說法，將此篇視爲召公告戒武王之書，《書傳會選》編者未刪蔡《傳》的註解，卻在其後面補充一段編者所加的按語意見：

> 按此篇舊以爲戒武王之書。《朱子語錄》云：「旅獒之作，武王已八十餘歲，而太保諄諄告之，與教小兒相似，若自後世言之，爲非所宜言，不尊君矣。」按五峰胡氏《皇王大紀》謂〈旅獒〉爲成王時書，後人見篇首有「惟克商通道」之語，遂以爲告武王，不思武王之克商僅六年而崩，如越裳肅愼之來貢，皆在成王時，則西旅之貢亦必在成王時無疑矣。（《書傳會選》，卷 4，頁 33 下）

朱熹認爲從〈旅獒〉寫作時間來看，當時周武王已年紀經八十餘歲，而文章中太保諄諄告誡語氣卻好像教導小孩子般，對君王如此不敬，不似大臣應該有的態度。胡宏則以爲武王伐紂，滅商六年後就崩逝，以越裳肅愼來進貢之事在周成王時觀之，則西旅貢獒之事，也應該在成王之時才對。〈旅獒篇〉屬於僞古文《尚書》二十五篇之一，爲魏晉間人所僞作，內容矛盾，事理溷亂，在宋儒普遍尚不知《古文尚書》二十五篇爲後人所僞作的年代，朱熹、胡宏兩家能從〈旅獒〉篇內容語氣及寫作年代，懷疑舊說之不合理，實有眞知灼見者，而《書傳會選》編者能不爲蔡《傳》所囿，詳實考訂典籍，而非肆意刪削，敷衍畢事者。

8.〈秦誓〉：「邦之杌隉，曰由一人；邦之榮懷，亦尚一人之慶。」，蔡沈《書集傳》對此段經文僅作簡單的解釋，且說「是申繳上二章意」。劉三吾等編者對蔡《傳》的註解未加任何刪改，反而在其後另外補充宋儒張氏、陳大猷等四人的解說：

> 張氏曰：「杌如木之動搖，隉如阜之圮壞。」陳氏大猷曰：「穆公深悔前日用人之失，故思得有容之士以輔相之也。」張氏九成曰：「孔子深意若曰平王錫文侯，而言不及復讎，王道不可望矣。天下之讎莫大於弒君父，天下之惡莫大乎安於爲弒逆者所立，事至於此，王道絕矣。夫子之意謂使平王用兵得如伯禽，申侯犬戎可誅乎？悔過得如秦穆，懲創用賢，周庶幾其中興乎。今皆無之，故痛憤而以伯禽、穆公繼其後也。」李氏謹思曰：「或謂周書終於〈文侯之命〉，而以〈秦誓〉附焉。蓋世變往來之會，王伯升降之機，《書》終〈文侯之命〉而王跡熄，《書》附〈秦誓〉而伯圖興。周遷洛邑而周日弱，秦得鎬京而秦日強。讀〈文侯之命〉，見平王忘君父、忘讎恥也如此；讀〈秦誓〉，見穆公之改過遷善、任賢去邪也如此。周欲不弱、秦欲不強得乎？平王之詩下儕列國，而秦〈車鄰〉附見焉；平王之書續以列國，而〈秦誓〉附見焉。進秦於《詩》、《書》之末，以儆周也；《春秋》之筆，於秦每人之，又且狄之，又以尊周也。天下之勢駸駸而趨於秦，夫子得不見其幾微於定《書》刪《詩》作《春秋》之際乎？」（《書傳會選》，卷 6，頁 51 上－51 下）

陳大猷論述秦穆公深自懺悔之用意，在以謙卑態度期待有容之士來相輔佐。張九成則申論孔子編輯《尚書》止於〈秦誓〉，深意在痛憤周平王面對弒君父之申侯、犬戎，非但隻字不提及復讎之事，且安於爲弒君父逆賊所立，王道滅絕，莫此爲甚。故夫子特著秦穆之眞切悔過，懲創用賢，乃能稱霸西戎。李謹思之言，在闡揚孔子編書之際，〈周書〉終於〈文侯之命〉及附載〈秦誓〉之微意，在彰顯「世變往來之會，王伯升降之機，《書》終〈文侯之命〉而王跡熄，《書》附〈秦誓〉而伯圖興」。孔子見平王忘君父之讎恥，見穆公之改過遷善，任賢去邪，憫周道日衰，秦勢日強，傷心悲憤，怨望理想之難成，遂於編纂《詩》、《書》之際，進退筆削，以暗寓儆周之微言大義。此篇蔡《傳》註解時，未能彰顯孔子定《書》之深心密旨，劉三吾透過增補方式，深層闡發孔子的幾微義蘊，使後人深刻體認《尚書》爲二帝三王之治道心法所在。

㈣增補他家說法，卻不注明出處者

《書傳會選》因出於眾人之手，難免有體例前後不完全統一的情況發生，上述刪改蔡《傳》註解部份有此種情形，增補諸家疏解部份，亦同樣有此情況產生，爲明所言眞實，茲舉要例如下：

1.〈盤庚〉下篇：「古我先王，將多于前功，適于山，用降我凶德，嘉績于朕邦」，蔡沈《書集傳》註解說：「成湯欲多於前人之功，故復往居亳。按〈立政〉三亳，鄭氏曰『東成皋，南轘轅，西降谷』。」《書傳會選》編者則在蔡《傳》註解後面另外作補充說明：

> 按成皋，《漢志》：河南郡成縣皋即虎牢也。轘轅，在河南緱氏縣東南阪十二曲道，將去復還，故曰轘轅。降谷，未詳，當亦在河南。（《書傳會選》，卷3，頁36下）

對於三亳，蔡《傳》雖引鄭玄注指出係「東成皋，南轘轅，西降谷」三地，但在今天何地？則未說明。劉三吾等編者則依據《漢志》記載，補充蔡《傳》地理資料的不足，確實指出「三亳」在後代詳細地點所在，使後人讀《尙書》時，能有清晰的古今地理位置觀念，唯此條補充資料未能註明來源出處，殊爲令人遺憾。

2.〈酒誥〉：「惟曰我民迪小子，惟土物愛，厥心臧。聰聽祖考之彝訓，越小大德，小子惟一。」下，《書傳會選》編者對於蔡沈《書集傳》的註解全部保留，未予刪除，且又在後面補充一段不知是何人的意見：

> 蓋縱酒者多不事稼穡，勤稼者必不暇縱酒，此文王訓迪小子，惟土物愛，則能全吾身之善，聽祖父之訓，庶幾知任稼穡。此心用臧，其於老成之彝訓，必不至於侮慢，而能用心聰聽，不以謹酒爲小德，而不致其謹也。德無巨細，惟一視之。（《書傳會選》，卷4，頁63下）

編者增引補充疏解蔡《傳》，以爲當聰聽祖父、老成人的彝訓，不可因謹酒爲小德而不守，縱性飲酒，因「縱酒者多不事稼穡，勤稼者必不暇縱酒」，最後必至侮慢荒淫，傷德敗性。德不可有小大之別，當一體視之。

六、〈召誥篇〉刪改情形

劉三吾等奉詔考正蔡沈《書集傳》書中註解的缺失，在纂修過程中，對於蔡沈《書集傳》的註解若覺得有不甚正確者，大都會具名徵引先儒之說予以更易，或旁採宋元諸儒說解以增補其不足，此點劉三吾在〈書傳會選序〉已有所說明，亦即《四庫全書總目》所指陳而世人所熟知的修正情形。然而實際情形是否僅止於此呢？經筆者逐一核對全書的註解發現，尚有〈召誥篇〉幾乎全篇被刪改的情況，劉三吾不論在序言或〈凡例〉中均未提及，是劉氏故意隱匿不講？抑或根本不知該篇情形？再者，〈召誥篇〉的蔡《傳》註解幾乎被編者刪除而另易他家的解說，但所更易的解說卻全部未注明來源出處，筆者遍檢現存宋、元諸儒有關《尚書》學著作，亦未見其更易資料的出處，使人無法清楚所引資料究竟係自前代儒者的說法？抑或纂修者的修訂意見，在在均頗令人疑惑不解，因學淺識寡，益以缺乏其他佐證資料，故不敢妄加臆測。

〈召誥篇〉除篇名下及篇首「惟二月既望」至「厥既得卜則經營」的註解未被刪除外，可說幾乎全被刪除更易殆盡。在此種情況下，實不知劉三吾計算註解更易數目的方式為何，究竟是以字或詞計數？還是以整句經文計數？因無法確知，亦無從計算，故不予計算更易註解的條數。〈召誥篇〉因〈書序〉、《尚書大傳》、《史記》諸書所記載事情的年代及內容，互有不同，歷代以來，學者即爭論不休，蔡沈所註解，《書傳會選》的編者並不滿意，故幾乎將全篇註解刪除更易，唯所更易者大都著重在解說經文大意，較未能申釋其義蘊，以下茲舉數例敘述如下：

1.〈召誥〉：「太保乃以庶邦冢君出取，幣乃復入錫周公」至「嗚呼！曷其奈何弗敬」一段經文，蔡沈《書集傳》本視為完整一大段。《書傳會選》編者將它分為兩段，自「太保乃以庶邦冢君出取，幣乃復入錫周公」二句為單獨的一段。「曰拜手稽首」至「嗚呼！曷其奈何弗敬」為另外一段。並且將兩斷經文下的蔡《傳》註解全部刪除，另易他說。在「太保乃以庶邦冢君出取，幣乃復入錫周公」一段下說：

> 已上自「惟二月既望」至此，乃史臣敘召公營洛邑會庶殷陳祀事之辭。初周公至洛，恆疑庶殷之反側，而懷貳于周。然庶殷之與侯甸男邦伯，盡心竭力，奔走服事乎周者，皆召公之所知而信之者也。故於此乃庶邦冢君出取其幣，乃復入錫周公，爲贄見之禮，所以陳庶殷之情，以釋周公之疑也。（《書傳會選》，卷5，頁2下）

蔡《傳》本引呂祖謙之言，將此段解釋爲「洛邑事畢，周公將歸宗周，召公因陳戒成王，乃取諸侯贄見幣物以與周公。」而《會選》則將篇首「惟二月既望」至此段，皆是「史臣敘召公營洛邑會庶殷陳祀事之辭」。周公一直認爲庶殷有反叛心理，故時常懷疑他們的忠誠度，召公長久與其相處，知道庶殷與侯甸男邦伯是盡心竭力服事周朝者，爲釋周公心中之疑慮，所以命庶邦冢君出取其幣入錫周公，作爲贄見之禮，以期能當面向周公表達庶殷的忠誠。另外「曰拜手稽首，旅王若曰」至「嗚呼！曷其奈何弗敬」一段下，更易他說：

> 拜手稽首者，召公敘摯見周公之禮，而將欲有言以動周公之聽也。旅王若公者，所以陳摯見之誠以見王與周公事同一體，言之於公，即所以言之於王也。今誥告庶殷及治事之臣，而上之命下，下之告上，相語如此，則庶殷豈不知所自哉？故歎息而言，曰皇天上帝既改其元子及此大國殷之命，庶殷復何所恃也。我周王既受天命固有無疆之美矣，亦有無疆之憂，故又歎息而言庶殷其曷敢弗敬而不臣服於我周焉，此召公所以釋周公之疑者如此也。（《書傳會選》，卷5，頁3下）

此段則是召公在旁邊幫忙庶殷講話，說明周對待庶殷之寬容，庶殷自然會明白，而且商朝天命已絕，庶殷已無所依恃，懼其反側叛變的疑慮，實無必要。

2.〈召誥篇〉篇末：「拜手稽首曰」至「能祈天永命」一段經文下，《書傳會選》編者將蔡《傳》的註解全部刪除，另外改易他說：

> 此召公聞周公之言，心亦有未然，而復以此答之，乃拜手稽首致意以言

曰：「我小臣敢以殷之頑民及庶士御事及我周友順之民作此新邑，以保受王威命明德，王當終有成命以顯于後世，我非敢以此爲勤，惟恭奉幣帛用供於王，以祈天永命而已。」（《書傳會選》，卷5，頁6下）

《書傳會選》此段註解僅敘述經文的大義，並未對經文詞句作詳細解釋。全段論述召公聽聞周公之言後，心中並不全然同意，因而回答周公，洛邑之建造，係「殷之頑民及庶士御事及我周友順之民」所作，謙稱自己無才無德，不敢擔任重大職事，只願意在祭祀恭敬捧著璧帛供給君王，以祈求國運能長遠。

〈召誥篇〉歷來爭論不休，較難有確切不移的定論，因此，《書傳會選》編者雖然刪除蔡《傳》泰半的解釋，但其對〈召誥篇〉的刪改補正，也僅旨在疏解經文的意義，使全篇的經文文義能通暢明白而已。

七、結論

劉三吾的《書傳會選》是在元明朱學開始興盛之際，由明太祖朱元璋親自下令編纂的作品，此書的出現，有其特殊的時代意義。

其一，就修纂動機而言，是因明太祖朱元璋與大臣討論日月五星運行時，發現蔡氏之說與其師朱子《詩傳》的說法不同，與其他儒者所論，亦間有未安者，有感於《蔡傳》仍有釋義不妥的地方，基於追求眞理之故，詔諸儒正定其缺失。

其二，就修纂人員而言，《太祖實錄》的修纂官員人數與《書傳會選》書前記載頗多相異。朱彝尊與《四庫全書總目》兩家皆認爲係《太祖實錄》經過兩次重修，塗改許多靖難相關資料，造成內容舛謬，資料頗多不足採信。修纂人數差異，究係因連類而被刪去抑或修纂草草而被刪，不論緣由爲何，仍當以現傳明代刻本所列較爲可據。

其三，就刪改資料而言，清代以來的學者，大都未能將《書集傳》與《書傳會選》的解說詳細核對，而只根據《書傳會選》書前〈凡例〉所說，以爲僅僅糾正六十六條。實際上，《書傳會選》扣除〈召誥篇〉不算外，全書共刪改資料九十九條。

其四，就增補資料而言，《書傳會選》全書徵引先儒凡四十二人，引用資料有三七二條，若連同未註明出處的三十四條，及書籍名稱被引用的四條合計，全書總共徵引的疏解資料四一〇條。增補先儒資料的方式，大別可分爲：申釋字句之義、考訂篇章字句之誤、申釋篇章段落大義、增補他家說法，卻不注明出處者等四類情況。

其五，就〈召誥〉刪改情形而言，《書傳會選》編者將〈召誥篇〉註解幾乎全篇刪改，，劉三吾在〈書傳會選序〉未提及，致使後人皆被〈凡例〉之「五十八篇之傳，有非蔡氏之舊者，別而出之，凡六十六條」所誤導，以爲刪改解說僅止於所言的六十六條。實際上，〈召誥篇〉因理解不同，歷來爭論不休，劉三吾等編者雖幾乎將蔡《傳》註解刪除殆盡，所改易的解說，大多著重在疏解經文大意，且全未註明來源出處，亦未列入更易數目之中。

經　學　研　究　論　叢
第　九　輯　　　頁95～120
臺灣學生書局　2001 年 1 月

戴溪《續呂氏家塾讀詩記》初探

陳明義*

壹、前言

就《詩經》的詮釋史而言，由漢以迄唐中葉，是屬於由《詩序》、《鄭箋》、《毛詩正義》所型塑的漢學傳統所主導，由唐中葉以迄宋末，一股質疑、批駁漢學舊傳統，並進而廢《序》言《詩》、以己意說《詩》的思潮次第形成，馴至使漢學傳統釋《詩》的典範瓦解，新的宋人的釋《詩》傳統於焉興起。兩股傳統前後接續，互爲抗衡，且又彼此血脈相滲，互爲交流，成爲吾人今日釋《詩》的兩大基石。特別是宋人，以理性的思考、獨特的心靈、思辨的精神，對過往的傳統逐一檢視、反省，並勇於抒發己見，探究眞理，終於開創詮釋經學、《詩經》的新局，影響至爲重大。其間如劉敞、歐陽脩、二程、張載、王安石、蘇轍、王質、鄭樵、朱熹等，對於宋代新的釋《詩》傳統的建立，皆有與焉。《詩經》的詮釋，在北宋由歐陽脩的議論毛、鄭，以迄蘇轍的刪汰續序，僅留《詩序》的首句，已經形成《詩序》初步瓦解之局，但南渡之後，《詩經》的詮釋反趨於混沌之勢，守舊與標新、折衷者各有其人，如李樗、黃櫄撰《毛詩李黃集解》，「博取諸家，訓釋名物文義，末用己意爲論以斷之。」（《直齋書錄解題》卷 2，頁 100）鄭樵撰《詩辨妄》主張全廢《詩序》，力詆《詩序》爲村野妄人所作，王質撰《詩總聞》，去《序》言詩，「毅然自用，別出新裁，堅銳之氣，乃視二家（按：鄭樵、朱熹）爲

*　陳明義，東吳大學中國文學系博士生。

加倍。」（《四庫全書總目・詩總聞提要》，卷 15，頁 338）范處義撰《詩補傳》，「以《詩序》爲據，兼取諸家之長，揆之情性，參之物理，以平易求古詩人之意。」（《詩補傳・序》）呂祖謙撰《呂氏家塾讀詩記》，大抵以《詩序》爲宗，「博採諸家，存其名氏，先列訓詁，後陳文義，翦截貫穿，如出一手。」（《直齋書錄解題》，卷 2，頁 100－101）與稍後嚴粲所撰的《詩緝》並稱宋代說詩家的善本（《四庫全書總目・詩緝提要》，卷 15，頁 344）付梓之後，大行於世，其後又有戴溪「以《呂氏家塾讀詩記》取《毛傳》爲宗，折衷眾說，於名物訓詁最爲詳悉，而篇內微旨，詞外寄託，或有未貫」（《四庫全書總目・續呂氏家塾讀詩記提要》，卷 15，頁 342）乃撰作《續呂氏家塾讀詩記》，以補《呂氏家塾讀詩記》的不足。與呂祖謙同時的朱熹撰作《詩集傳》，兩易其稿，初稿全宗《詩序》，後受鄭樵的影響，遂去《序》言詩，並撰《詩序辨說》一卷，力駁《詩序》之謬，由《詩序》所建構的釋詩傳統才受到根本的考驗與衝擊。元仁宗皇慶二年（西元 1312）詔令科舉考試，「《詩》以朱氏爲主」（《元史》卷 81，〈選舉志一〉，頁 2019），乃宣告了《詩經》漢學傳統的瓦解。然而即使在朱熹倡議廢《序》最力之際，崇揚《詩序》、力主舊說者亦不乏其人，除呂祖謙外，如陳傅良對於朱熹「以彤管爲淫奔之具，以城闕爲偷期之所」說，不能苟同❶，林岊撰《毛詩講義》十二卷，力闡古義，釋《詩》「大都簡括箋疏，依文訓釋，取裁毛鄭，而折衷其異同。」（《四庫全書總目・毛詩講義提要》，卷 15，頁 342）此外，薛季宣《詩說》，也不以棄《序》爲然。其後如段昌武撰《毛詩集解》，體例上大抵模倣《呂氏家塾讀詩記》，嚴粲撰《詩緝》，也「以《呂氏讀詩記》爲主，而雜採諸說以發明之。」（《四庫全書總目・詩緝提要》，卷 15，頁 344）說明了宋代釋《詩》面貌的繁複。就《詩經》學史而言，宋代說《詩》之家，守舊、折衷與新說並陳，爲了進一步了解宋代說《詩》的面貌，吾人必須就宋人現存重要的說《詩》著作，加以探究，以期更能整全而清晰地揭露宋代說《詩》的面貌，本文因擇定戴溪的《續呂氏家塾讀詩記》作爲探究之題。關於戴溪及其詮《詩》之作，迄無人專章探論，前人偶有述及此者，則又多有異同，如胡樸安《詩經學》將戴溪歸爲「存

❶ 參〔清〕皮錫瑞：《經學歷史》（臺北：漢京文化事業公司，1983 年 9 月），頁 244、248。

《序》派」，並謂《續呂氏家塾讀詩記》一書「以《毛傳》爲宗，折衷眾說，於名物訓詁，頗爲詳悉，不廢古訓，而亦時有新說。」（頁 99），林葉蓮撰《中國歷代詩經學》，亦說「此書以《毛傳》爲宗，折衷眾說，於名物訓詁尤爲詳悉。」（頁 255），李莉褒撰《嚴粲詩緝之研究》，述及戴溪，論點亦同胡樸安❷，此外，賴炎元撰《呂祖謙的詩經學》一文，謂戴溪撰作《續呂氏家塾讀詩記》「大都是根據《呂氏家塾讀詩記》寫成的」（《中國學術年刊》第 6 期，頁 23）、「大體仿照《呂氏家塾讀詩記》的體例寫成的」（同上，頁 39）。然而陳振孫謂《續呂氏家塾讀詩記》雖「以《續記》爲名，其實自述己意，亦多不用《小序》。」（《直齋書錄解題》卷 2，頁 101）《四庫全書總目．續呂氏家塾讀詩記提要》所持觀點亦同，諸說紛紜，頗有歧異，因此，本文擬略就戴溪的生平傳略，《續呂氏家塾讀詩記》的體例、撰作，《續呂氏家塾讀詩記》的詮釋特點，《續呂氏家塾讀詩記》與《呂氏家塾讀詩記》的異同諸端，稍作探究，以期呈顯戴溪釋詩的眞貌，並抉發其價値於一二。

貳、戴溪的生平傳略

戴溪字肖望，永嘉人。少有文名。孝宗淳熙五年（西元 1178），爲別頭省試第一，監潭州南嶽廟。光宗紹熙（西元 1190－1194）初，主管吏部架閣文字，除太學錄兼實錄院檢討官。正錄兼史職自溪始。升博士，奏兩淮當立農官，若漢稻田使者，括閑田，諭民主出財，客出力，主客均利，以爲救農之策。後任慶元府通判，未行，改宗正簿，累官兵部郎官。寧宗開禧年間（西元 1205－1207），宋師潰於符離，戴溪因奏沿邊忠義人、湖南北鹽商皆當區畫，以銷後患。會和議成，知樞密院事張巖督京口，除授參議軍事。數月，召爲資善堂說書。由禮部郎中凡六轉爲太子詹事兼秘書監，景獻太子命溪講《中庸》、《大學》，溪辭以講讀非詹事職，懼侵官，太子曰：「講退便服說書，非公禮，毋嫌也。」復命類《易》、《詩》、《春秋》、《書》、《論語》、《孟子》、《資治通鑑》，各爲說以進。

❷ 參李莉褒：《嚴粲詩緝之研究》（臺中：中興大學中國文學研究所碩士論文，1998 年 6 月），頁 8。

權工部尚書，除華文閣學士。寧宗嘉定八年（西元 1215）以宣奉大夫、龍圖閣學士致仕。卒，贈特進端明殿學士。理宗紹定（西元 1228－1233）年間，賜諡文端。

戴溪性行純明，身端行治，雅邃麟經，所撰《春秋講義》，發明大旨，凡經之所不書，說之所未及者，莫不昭然而義見，《溫州志》又謂其平實簡易，求聖賢用心，不爲新奇可喜之說，而識者服其理到。嘗監南嶽廟，領石鼓書院山長，因撰《論語答問》、《孟子答問》，乃所與諸生講說者也，詮釋義理，持論醇正，朱子嘗一見之，以爲近道。所撰有《易經總說》、《曲禮口義》、《學記口義》、《續呂氏家塾讀詩記》、《春秋說》、《通鑑筆議》、《石鼓論語答問》、《石鼓孟子答問》、《岷隱文集》等書。❸

參、《續呂氏家塾讀詩記》的撰作與體例

一、《續呂氏家塾讀詩記》的撰作

南宋的說《詩》大家，除朱熹外，即爲呂祖謙。呂祖謙說《詩》，大抵恪守《詩序》舊說及傳統溫柔敦厚的詩教，在有關《詩序》、「淫詩」等問題上，與朱熹頗多角力❹，所撰之《呂氏家塾讀記》三十卷，陳振孫謂其「博采諸家，存其名氏，先列訓詁，後陳文義，翦截貫穿，如出一手，有所發明，則別出之，《詩》學之詳正未有逾於此書。」（《直齋書錄解題》，卷 2，頁 100－101）推崇備至。事實上，此書博采漢宋學者說《詩》四十四家，在名物的訓詁上尤爲詳悉，與稍後晚出、嚴粲所撰的《詩緝》並稱宋代說《詩》之家的善本。此書付梓行世後，頗爲當

---

❸ 以上關於戴溪的生平傳略，略據《宋史》卷 434〈儒林四．戴溪〉（臺北：鼎文書局，1991 年 2 月），頁 12895、《嘉靖江陰縣志》卷 16〈名宦．戴溪〉（上海：上海古籍書店，1981 年）頁 183－184、《宋元學案》卷 53〈止齋學案〉（臺北：華世出版社，1987 年 9 月），頁 1723、《宋元學案補遺》卷 53（臺北：世界書局，1962 年 6 月），頁 32－33、頁 47－49、沈光：〈春秋講義序〉、牛大年：〈春秋講義序〉，以上並見《春秋講義》（影印文淵閣四庫全書本，臺北：臺灣商務印書館，1983 年）卷首等。

❹ 關於朱、呂《詩》說之異同，可參林惠勝：《朱呂詩序說比較研究》（臺北：臺灣大學中國文學研究所碩士論文，1983 年 6 月）、洪春音：《朱熹與呂祖謙詩說異同考》（臺中：東海大學中國文學研究所碩士論文，1995 年 5 月）。

世所重，影響頗大，如段昌武撰《毛詩集解》二十五卷，體例上「大致仿呂祖謙《讀詩記》」（《四庫全書總目・毛詩集解提要》，卷 15，頁 344），嚴粲撰《詩緝》三十六卷，也「以《呂氏讀詩記》爲主，而雜採諸說以發明之。」（《四庫全書總目・詩緝提要》，卷 15，頁 344）戴溪撰作《續呂氏家塾讀詩記》，就書名而言，自也是《呂氏家塾讀詩記》行世後的產物，唯二者的關係似也僅止於此。就《續呂氏家塾讀詩記》一書看來，此書顯係不滿意呂記而作，陳振孫謂「其書出於呂氏之後，謂呂氏於字訓章已悉，而篇意未貫。故以《續記》爲名。其實自述己意，亦多不用〈小序〉。」（《直齋書錄解題》，卷 2，頁 101）《四庫全書總目》亦指出：

> 溪以《呂氏家塾讀詩記》取《毛傳》爲宗，折衷眾說，於名物訓詁最爲詳悉，而篇內微旨，詞外寄託，或有未貫，乃作此書補之，故以《續記》爲名，實則自述己意，非盡墨守祖謙之說也。（卷 15，頁 342）

二說大抵說明了戴溪撰作的源由與特點。

二、《續呂氏家塾讀詩記》的體例

《續呂氏家塾讀詩記》全書三卷，卷一爲十五國風，卷二爲小雅，卷三爲大雅、三頌。全書釋《詩》，著重詩旨、章旨的詮釋與闡發，形式上，全書不錄《詩經》原文，亦不載錄《詩序》，而是依據三百篇的先後順序，逐條詮釋、說解，大抵首先揭示全詩的意旨，其次或依詩句，或依篇章，次第詮說，其間或駁或議，修正〈序〉說，自出己意者不少，如釋〈漢廣〉：

> 〈漢廣〉，採於江漢而得之也。此〈關雎〉之化也，故繫之〈周南〉，言周公之德，南及江漢，避文王而言周公也。此詩知其不可而不求，非求之而不可得也。漢有游女，望而不可求，猶喬木聳幹而不可休也，然而情不能自克也，猶致意焉。曰：翹翹錯薪，雜然而並有也，刈楚取其可用者，刈蔞取其可食者，拔其尤之謂也。之子于歸，指其尤者，願秣馬以致殷勤焉。已而知其卒不可得也，反而歸於正，然則非特游女閒靜，使人望而畏

之，男子能自克於禮，亦賢矣。(卷1，頁4)

「採於江漢而得之也。」指出〈漢廣〉一詩的來源，「此詩知其不可而不求，非求之而不可得也。」則是對〈詩序〉：「漢廣，德廣所及也。文王之道，被于南國，美化行乎江漢之域，無思犯禮，求而不可得也。」所作的駁正。又如釋〈雄雉〉：

〈雄雉〉，婦人能閔其君子，勉之而作也。感雄雉之飛鳴，而動君子之思。日月之長，道路之遠，未有歸期，於我心眞有不能忘者。雖然，人患不生存爾，生存則必有相見之理。夫人有忮害貪求之心，買禍實多，在軍旅尤甚。使爲君子者，能自貴重，去忮與求，雖兵間而無害。不但使之強食自愛而已。此所謂發乎情，止乎禮義也。(卷1，頁12－13)

「婦人能閔其君子，勉之而作也。」即是〈雄雉〉一詩的意旨，「感雄雉之飛鳴」以下云云，即是對於〈雄雉〉一詩的詮解。又如釋〈谷風〉：

〈谷風〉，國人棄其舊室大歸而作也。首章述昏姻之好，同心無怒，偕老之情，言猶在耳，其初昏之時如此也。二章述見棄而歸，猶不忍遠自悼其苦，而怨及新昏也。三章述新昏之人，見謂不潔清，其夫莫之能察，既而念及家事，欲留以遺後人，而自知其不能也。四章述昔日之勤勞，汎舟涉河，無不爲者，相其家之有無而勤於求，視其鄰之死喪而亟於救，其勞亦甚矣。五章述其夫忘室家之勤，以德爲怨，疑阻既生，如賈弗售，何今昔之不同也。六章述其夫始貧今富，忘糟糠而棄貧賤，習以強暴加之，恬不爲怪，今誠無可言者，獨不念昔來之時乎！意雖怨而辭猶婉，非枚數其夫之過者比也。(卷1，頁13－14)

「國人棄其舊室大歸而作也」是〈谷風〉，一詩的大旨，「首章述昏姻之好」以下云云，即就全詩各章旨意，依序詮說，全書體例類此。

《續呂氏家塾讀詩記》由於原書久佚，今日可見的傳本如文淵閣四庫全書本、墨海金壺本、經苑本等，皆是從《永樂大典》中所輯錄而出者，《四庫全書總目・續呂氏家塾讀詩記提要》謂：

> 原本三卷，久佚不傳，散見於《永樂大典》中者，尚得十之七八，謹綴緝成帙，仍釐爲三卷。《永樂大典》詩字一韻闕卷獨多，其〈原序〉、總綱無從補錄，則亦姑闕焉。(卷15，頁342)

除缺原序及總綱外，全書扣除〈南陔〉、〈白華〉、〈華黍〉、〈由庚〉、〈崇丘〉、〈由儀〉六篇有目無辭之詩及據《黃氏日抄》所補入的二篇：〈召南・摽有梅〉、〈唐風・無衣〉，計尚缺三十三篇，即〈周南・麟之趾〉、〈召南・采蘋〉、〈野有死麕〉、〈邶風・綠衣〉、〈簡兮〉、〈衛風・竹竿〉、〈伯兮〉、〈木瓜〉、〈王風・黍離〉、〈君子于役〉、〈鄭風・緇衣〉、〈蘀兮〉、〈秦風・無衣〉、〈權輿〉、〈小雅・鹿鳴之什・皇皇者華〉、〈棠棣〉、〈采薇〉、〈小雅・祈父之什・斯干〉、〈小雅・小旻之什・小旻〉、〈小雅・北山之什・裳裳者華〉、〈小雅・桑扈之什・菀柳〉、〈小雅・都人士之什・白華〉、〈苕之華〉、〈何草不黃〉、〈大雅・生民之什・生民〉、〈鳧鷖〉、〈公劉〉、〈大雅・蕩之什・烝民〉、〈召旻〉、〈周頌・我將〉、〈噫嘻〉、〈絲衣〉、〈商頌・烈祖〉。

肆、《續呂氏家塾讀詩記》的詮釋特點

戴溪詮釋《詩經》的特點，即大體是「自出己意」，以理性的思考，透過詩文的平情體察，去抉發詩篇的眞正意旨，在釋《詩》的傾向上，大體不甚黏滯《詩序》，其中有不少的詩篇，在詩旨的詮釋上與《詩序》、毛、鄭等傳統舊說不同，對於《詩序》之說，尤多所指摘。就《續呂氏家塾讀詩記》全書看來，其《詩》說顯與《詩序》立異，或指摘，或批駁，或修正者，計有：〈周南・螽斯〉、〈桃夭〉、〈兔罝〉、〈漢廣〉、〈召南・鵲巢〉、〈甘棠〉、〈行露〉、〈羔羊〉、〈殷其靁〉、〈摽有梅〉、〈小星〉、〈江有汜〉、〈邶風・擊鼓〉、〈凱風〉、〈雄雉〉、〈谷風〉、〈北門〉、〈靜女〉、〈相鼠〉、〈衛風・考槃〉、

〈氓〉、〈芄蘭〉、〈王風・揚之水〉、〈兔爰〉、〈大車〉、〈鄭風・女曰雞鳴〉、〈狡童〉、〈褰裳〉、〈丰〉、〈東門之墠〉、〈風雨〉、〈子衿〉、〈齊風・東方之日〉、〈盧令〉、〈敝笱〉、〈魏風・葛屨〉、〈碩鼠〉、〈唐風・葛生〉、〈秦風・晨風〉、〈陳風・衡門〉、〈墓門〉、〈月出〉、〈澤陂〉、〈曹風・蜉蝣〉、〈候人〉、〈小雅・鹿鳴〉、〈六月〉、〈庭燎〉、〈祈父〉、〈白駒〉、〈我行其野〉、〈節南山〉、〈正月〉、〈十月之交〉、〈雨無正〉、〈小宛〉、〈谷風〉、〈蓼莪〉、〈大東〉、〈四月〉、〈無將大車〉、〈楚茨〉、〈信南山〉、〈甫田〉、〈大田〉、〈瞻彼落矣〉、〈桑扈〉、〈青蠅〉、〈賓之初筵〉、〈魚藻〉、〈角弓〉、〈采綠〉、〈黍苗〉、〈緜蠻〉、〈瓠葉〉、〈大雅・文王有聲〉、〈行葦〉、〈既醉〉、〈卷阿〉、〈板〉、〈抑〉、〈周頌・天作〉、〈時邁〉、〈豐年〉、〈雝〉、〈敬之〉、〈般〉、〈魯頌・閟宮〉，共八十九篇。茲撮要述之如下：

1.〈召南・鵲巢〉

戴溪云：

> 〈鵲巢〉，爲諸侯夫人作也。不必有主名，當時諸侯昏姻以禮被文王之化者多矣。鵲營巢而鳩居之，取其享已成之業，非謂其德如鳩也。(卷1，頁5)

〈詩序〉謂〈鵲巢〉一詩的詩旨是：「夫人之德也。國君積行累功，以致爵位。夫人起家而居有之，德如鳲鳩，乃可以配焉。」鄭玄釋「維鵲有巢，維鳩居之。」二句，亦從〈序〉說，以爲「鳲鳩因鵲成巢而居有之，而有均壹之德，猶國君夫人來嫁，居君子之室，德亦然。」（《毛詩正義》卷1之3，頁13）戴溪則以爲夫人來嫁諸候，如鵲營巢而鳩居之，並無夫人需有德如鳲鳩，才可以相配諸侯之意。

2.〈召南・甘棠〉

鄭玄詮釋「蔽芾甘棠，勿翦勿伐，召伯所茇。」句，謂「召伯聽男女之訟，不重煩勞百姓，止舍小棠之下而聽斷焉。」（《毛詩正義》卷 1 之 4，頁 8）對此，戴溪有不同的看法，他認爲〈甘棠〉一詩，乃是：

召伯行省風俗，偶憩棠陰之下，非必受民訟，亦非有意於不擾也。（卷 1，頁 6）

與鄭說有別。

3.〈召南・摽有梅〉

〈摽有梅〉一詩，諸家的詮釋（如《詩序》、毛、鄭、朱熹等）皆以爲描寫女子感於青春易逝而急於求士的心理❺，戴溪的詮釋則與諸說異，他以爲是「擇婿之辭，父母之心」。（卷 1，頁 7）

4.〈邶風・雄雉〉

〈雄雉〉一詩，〈詩序〉謂「刺衛宣公也。淫亂不恤國事，軍旅數起，大夫久役，男女怨曠，國人患之而作是詩。」就詩的本文來看，「大夫久役，男女怨曠。」二句尚符合詩旨，至於涉及衛宣公淫亂不恤國事云云，則純屬〈詩序〉的附會衍說。戴溪詮釋此詩，謂：

〈雄雉〉，婦人能閔其君子，勉之而作也。感雄雉之飛鳴而動君子之思。日月之長，道路之遠，未有歸期，於我心眞有不能忘者。雖然，人患不生存爾，生存則必有相見之理。夫人有忮害貪求之心，賈禍實多，在軍旅尤甚，使爲君子者，能自貴重，去忮與求，雖兵間而無害，不但使之強食自愛而已，此所謂發乎情，止乎禮義也。（卷 1，頁 12－13）

純就詩文立說，擺脫〈詩序〉的穿鑿附會，更切合詩旨。朱熹詮釋此詩，亦與戴溪同。❻

---

❺ 〈摽有梅・序〉：「男女及時也。召南之國被文王之化，男女得以時也。」《毛傳》、《鄭箋》依〈序〉詮解，朱熹：《詩集傳》亦謂〈摽有梅〉：「南國被文王之化，女子知以貞信自守，懼其嫁不及時，而有強暴之辱也，故言梅落而在樹者少，以見時過而太晚矣，求我之眾士，其必有及此吉日而來者乎！」（臺北：臺灣中華書局，1996 年 8 月）卷 1，頁 11。

❻ 《詩集傳》釋〈邶風・雄雉〉首章云：「婦人以其君子從役于外，故言雄雉之飛舒緩自得如此，而我之所思者，乃從役于外，而自遺阻隔也。」（卷 2，頁 19－20）、釋二章云：「見

5.〈邶風‧凱風〉

〈凱風〉一詩，〈詩序〉謂「美孝子也。衛之淫風流行，雖有七子之母，猶不能安其室。故美七子能盡其孝道，以慰母心而成其志爾。」〈詩序〉之說，鑿空衍說，又囿於孟子「親之過小者」之說，戴溪詮釋此詩則云：

> 〈凱風〉，七子作也。凱風長養萬物，吹棘心而至於成薪，不以惡木而廢長養之功，雖倍費吹噓，不憚也。此七子自訟之辭，而懷其母之恩也。母有劬勞之思，又有聖善之德，生子至於七人，獨無一人，可當母意，若此，可以自咎矣。寒泉清洌，能以養人，爲子不能逸其母；黃鳥好音，能以悅人，爲子不能娛其母，曾泉水之不如，禽鳥之不若，可謂痛自剋責矣。（卷 1，頁 12）

指出〈凱風〉一詩的詩旨在於傳達七子感念母親劬勞恩重，無以報德而深自悼責之意，非如〈序〉說在於讚美孝子，朱熹詮釋此詩，亦指出是「七子自責之辭」❼。

6.〈衛風‧考槃〉

〈考槃〉一詩，〈詩序〉謂「刺莊公也。不能繼先公之業，使賢者退而窮處。」仍囿於美刺說，而悖離詩旨，戴溪詮釋此詩云：

> 〈考槃〉，國人美賢者而作也。說此詩者，以弗諼爲不忘其君，故下文多說不通，既不忘其君矣，又誓不過其君而告之，何其外也？其怨若此，既非忠臣，亦不可以爲碩人矣。碩大之人，其性寬閒，考槃於山澗之阿，何樂如之，乃至於自誓若此，此褊隘者之爲也。然而隱遁之士，獨處爲樂，不喜與人接，其曰弗諼者，誓不忘山中之樂，若蕙帳空而山人去者，皆忘

日月之往來，而思其君子從役之久也。」（頁 20）、釋三章云：「言凡爾君子，豈不知德行乎！若能不忮害又不貪求，則何所爲而不善哉！憂其遠行之犯患，冀其善處而得全也。」（同上），同註❺。

❼《詩序辨說‧凱風》：「以孟子之說證之，〈序〉說亦是，但此乃七子自責之辭，非美七子之作也。」（臺北：臺灣商務印書館影印文淵閣四庫全書本，1983 年）卷上，頁 17。

之也。弗過者，弗與人相過；弗告者，弗與人議論也，閉門絕交，口不言世事，此隱遁者之常也。（卷1，頁21－22）

以為〈考槃〉是讚美賢者隱居之樂的詩，鄭玄箋詩，釋「永矢弗諼」為「長自誓以不忘君之惡」（《毛詩正義》卷 3 之 2，頁 128）、釋「永矢弗過」為「不復入君之朝」（《毛詩正義》卷 3 之 2，頁 128）、釋「永矢弗告」為「不復告君以善道」（《毛詩正義》卷 3 之 2，頁 129），戴溪皆不取，以為「永矢弗諼」是不忘山中之樂；「永矢弗過」是弗與人相過往；「永矢弗告」是弗與人議論，衡文計義，戴溪之說較切合詩旨，朱熹、嚴粲詮釋此詩亦同。[8]

7.〈衛風．氓〉

〈詩序〉謂〈氓〉一詩是：「刺時也。宣公之時，禮義消亡，淫風大行，男女無別，遂相奔誘，華落色衰，復相棄背，或乃困而自悔，喪其妃耦，故序其事以風焉。美反正，刺淫泆也。」朱子涵泳詩文，以擺脫〈詩序〉美刺的窠臼，但又受《樂記》「鄭衛之音，亂世之音，比於慢矣」的影響，遂又指〈氓〉一詩為「此淫婦為人所棄，而自敘其事以道其悔恨之意也。」（《詩集傳》卷3，頁37）視之為「淫詩」，戴溪詮釋此詩則平情詮解，略無附會之嫌，他說：

〈氓〉，婦人見棄於夫，國人述其始末而為之辭也。始也未相聞名，有人焉，抱布貿絲，即我而謀為婚。我送子于道，意已相許矣。但未嘗有媒妁相期之言，難以即往，少須秋至可也。既約之後，我常乘垣以望復關。復關，夫所居也。未見則涕泣，既見則言笑。爾亦卜筮而來，云兆體無有責言，故以爾之車遷我之賄，與子同往。嗟乎！孰知女子之情，不當有所耽

[8] 《詩集傳》釋〈衛風．考槃〉云：「詩人美賢者隱處澗谷之間，而碩大寬廣，無戚戚之意，雖獨寐而寤言，猶自誓其不忘此樂也。」（卷 3，頁 35），同註[5]。《詩緝》釋〈衛風．考槃〉云：「窮處山澗之中而成其槃樂者，乃是碩大之賢人，其心甚寬裕，雖在寂寞之濱而無枯瘁之色、戚戚之意，《易》所謂肥遯也。深山窮苦，無有游從，獨自寐、獨自寤、獨自言，其離索寂寞如此，然賢者處之泰然，永誓不忘此樂，所以形容其遺佚不怨之意也。」（臺北：廣文書局，1989年8月）卷6，頁6。

> 者乎！桑葉正甚，鳩食桑葚，猶女子有所慕而與士耽也。士有所耽，猶未甚也，女有所耽，戀戀而不可解矣。及夫桑既落矣，向之盛者安在乎？自我歸爾家之後，今三載，食貧矣，淇水湯湯，漸車帷裳，言往來涉水之勞也，猶〈谷風〉言「就其深矣，方之舟之；就其淺矣，泳之游之」之意也。女子雖不貞潔，意有所戀，雖死而不顧。若男子則不然。故我雖窮勞而不爽前志，孰知爲士者之二三乎？三歲爲婦，奔走勤苦，非但居室之勞，夙興夜寐，未嘗有一朝之安，曾謂前約既遂，得其所欲，一旦以暴虐相加，使吾兄弟知其若此，豈不大鄙笑哉！靜而思之，我之罪也，始也欲與爾偕老，今老使我怨矣。淇猶有岸，隰猶有泮。孰謂子之流蕩若此乎？前日晏笑誓言猶在耳，獨不思其反乎？反謂回思前日之事也。不能回思，無可奈何，亦已焉而已矣。（卷1，頁22－23）

〈氓〉爲一首棄婦詩，目前學界大抵均無異義，詩中生動地敘述了棄婦和氓認識、相戀、結婚，以至被棄等種種情事，首尾完整，深刻感人，戴溪詮釋此詩，即順著「婦人見棄於夫，國人述其始末而爲之辭」的脈絡，分疏章句，切合詩文，平情合理，擺脫〈詩序〉美刺、朱熹「淫詩」說的窠臼。

8.〈鄭風・女曰雞鳴〉

〈詩序〉謂此詩是：「刺不說德也。陳古義以刺今不說德而好色也。」戴溪詮釋此詩，不採〈序〉說，云：

> 〈女曰雞鳴〉，述婦人相其夫之辭也。「女曰雞鳴，士曰昧旦。」夫婦相警，恐其晏也。「子興視夜，明星有爛。」則夜猶未央也。「將翱將翔，弋鳧與雁。」非晨興遽往弋射也。晨事既畢，翱翔而後去，得禽而歸，於是飲酒和樂，此亦是如　射雉之意也。不惟此也，又視其夫所厚善，相與往來者，雜佩以贈遺之，佩非佩玉之佩，帉帨之屬是也。古之賢婦，善取其夫者，多爲酒醴以待賓友延譽者多矣。當亂世而人才不用，若此類有之，非必陳古以刺今也。（卷1，頁30－31）

戴溪以爲〈女曰雞鳴〉是夫婦相警戒之辭，又釋詩中「知子之來之，雜佩以贈之。」句，是婦人願意贈送雜佩給丈夫的好友，朱熹詮解此詩，所見亦與戴溪同。❾

9.〈齊風・東方之日〉

〈東方之日〉一詩，〈詩序〉以爲「刺衰也。君臣失道，男女淫奔，不能以禮化也。」詮釋「東方之日兮，彼姝者子，在我室兮。」句，毛、鄭皆從以日擬喻國君的角度來詮說，戴溪則直就詩文詮解，謂：

> 〈東方之日〉，男約女奔也。男女相奔，不夙則莫，日出，早也；月出，莫也。朝莫之際，彼姝在室，相與爲隱，履我即發，少遲恐不及矣。（卷1，頁35）

視〈東方之日〉一詩，爲男女淫奔之辭，「東方之日」句，則純爲日出，朱熹詮解此詩，所見亦同。❿

10.〈唐風・葛生〉

〈詩序〉謂〈葛生〉一詩是「刺晉獻公也。好攻戰，則國人多喪矣。」戴溪則直就詩文，謂此詩是：

> 〈葛生〉，婦人思其君子也。葛生斂蔓，有依託庇覆之意焉。予所美者亡之，是無所依託庇覆也。雖有角枕之粲，錦衾之爛，猶無益爾。夏之日，何時而莫，冬之夜，何時而旦，晝夜相代，百歲同歸，思之切也。室家未

---

❾ 《詩集傳》釋〈鄭風・女曰雞鳴〉云：「此詩人述賢夫婦相警戒之詞。言女曰雞鳴，以警其夫，而士曰昧旦，則不止於雞鳴矣。婦人又語其夫曰：若是則子可以起而視夜之如何，意者明星已出而爛然，則當翱翔而往，弋取鳧鴈而歸矣。其相與警戒之言也如此，則不留於宴昵之私可知矣。」（卷 4，頁 51）、釋〈女曰雞鳴〉三章云：「婦又語其夫曰：我苟知子之所致而來及所親愛者，則將解此雜佩以送遺報答之。」（同上），同註❺。

❿ 《詩序辨說・東方之日》：「此男女淫奔者。所自作，非有刺也。其曰君臣失道者，尤無所謂。」（卷上，頁 36），同註❼。

> 至於困窮，夫婦驟至於離散，此新昏之別，古所以爲歎也。〈新昏別〉首章曰「兔絲附蓬麻，引蔓故不長」，說者曰「兔絲不附松柏，而附蓬麻」，言不得其所也。（卷1，頁44）

以爲〈葛生〉是一首描述婦人思念在外的丈夫的詩，類同杜甫的〈新昏別〉一詩，朱熹詮解此詩亦以爲是「婦人以其夫久從征役而不歸」而有所思念的詩。⓫

11.〈小雅·庭燎〉

〈詩序〉謂〈庭燎〉是「美宣王」之詩，對於詩中「夜如何其？夜未央。」句，鄭玄以爲是宣王問答之辭，戴溪則以爲是此詩的作者（詩人）的問答之辭，云：

> 〈庭燎〉「夜如何其？」非宣王之問也。詩人見庭燎之光，聞鸞和之聲，知天子之視朝，問夜何時乎？夜猶未央也。使宣王始也鄉晨而視朝，詩人何尤焉？自未央而至鄉晨，則爲可慮爾。（卷2，頁10－11）

關於「夜如何其？夜未央。」句，究竟是何人的問答之辭，鄭玄、孔《疏》皆以爲是宣王的問答之辭⓬，至宋則異說迭出，如王質以爲人君數問夜亦非體，應是宮中執事者的相爲問答之辭，董氏以爲是司烜之屬的問答⓭，嚴粲則以爲「宣王中夜而

⓫ 《詩集傳》釋〈唐風·葛生〉云：「婦人以其夫久從征役而不歸，故言葛生而蒙於楚，蘞生而蔓于野，各有所依託，而予之所美者獨不在是，則誰與而獨處於此乎！」（卷6，頁73），同註❺。

⓬ 《鄭箋》釋「夜如何其？夜未央。」云：「夜未央，猶言夜未渠央也。」（《毛詩正義》卷11之1，頁375）；釋〈庭燎·序〉云：「諸侯將朝，宣王以夜未央之時，問夜早晚。」（同上，頁374）、《毛詩正義》釋「夜如何其？夜未央。」云：「宣王以諸侯將朝，遂夜起問左右曰：夜如何其？其，語辭，言夜今早晚如何乎？王問之時，夜猶未渠央矣。」（同上，頁375）

⓭ 《詩總聞》云：「鄭氏宣王問早晚之辭，人君數問夜亦非體，此當是執事之人夜未央、未艾而聞車音，夜鄉晨而見旂色，嘆夜漏之未盡，而朝臣之已集也。所謂不圖今日復見漢官威儀，久不接耳目，驟以爲驚且爲喜也。恐是殿庭之間，宮掖之內，執行者相與問答之辭

起，失於太早」，認定是「詩人設爲問答之辭」（《詩緝》，卷 19，頁 4），皆與舊說立異，其中嚴粲之說亦與戴溪同。

12.〈小雅・白駒〉

〈詩序〉謂〈白駒〉一詩是「刺宣王也。」衡諸詩文，了不相涉，戴溪則直就詩文，指出：

> 〈白駒〉，詩人惜賢者之去而冀其復至也。上兩章深言賢者之難至，惟懼其不留也。幸哉白駒食我苗藿，得以縶維之，所謂伊人者，因白駒之縶維，于此焉逍遙而爲嘉客，蓋求之亦難矣。三章言白駒來思，言賢者至止也。賢之難至也如此。夫既已至矣，爲公卿者不以賢才爲念，逸豫無度，賢者不肯留，詩人亦知不可留也，故爲之言曰：謹爾優游，勉爾遁思，猶曰努力自愛之意，非贊助其去也。末章言白駒在谷，言賢者隱嚴穴之間，可敬而不可褻也。幸無金玉其音，心遠而與世絕，庶幾斯人之爲徒，求之而可以復至也。（卷 2，頁 12－13）

以爲此詩是詩人惋惜賢者離去，但又渴望賢者再來之作，朱熹詮解此詩，大旨亦同戴溪⓮。

13.〈小雅・蓼莪〉

〈詩序〉謂〈蓼莪〉是「刺幽王也。民人勞苦，孝子不得終養。」戴溪則直就詩文謂此詩是「孝子無以終養，父母既歿，追念而作是詩也。」（卷 2，頁 29）就詩言詩，了無《詩序》例以美刺說詩之嫌，朱熹詮解此詩亦謂「人民勞苦，孝子

也。」（卷 11，頁 3－4）（臺北：臺灣商務印書館影印文淵閣四庫全書本，1983 年）董氏之說見《呂氏家塾讀詩記》卷 19，頁 33 引（臺北：臺灣商務印書館，1983 年）。

⓮ 《詩集傳》釋〈小雅・白駒〉首章云：「爲此詩者以賢者之去而不可留也，故託以其所乘之駒食我場苗而縶維之，庶幾以永今朝。使其人得以於此逍遙而不去，若後人留客而投其轄於井中也。」（卷 11，頁 122）。釋三章云：「賢者必去而不可留矣，於是歎其乘白駒入空谷，束生芻以秣之。而其人之德美如玉也，蓋已邈乎其不可親矣。然猶冀其相聞而無絕也。故語之曰：毋貴重爾之音聲，而有遠我之心也。」（同上，頁 123），同註❺。

不得終養而作此詩。」（《詩集傳》，卷 12，頁 146）。

14.〈周頌·天作〉

〈周頌·天作〉一詩，〈詩序〉以為是「祀先王先公」，戴溪則以為「祀先公」云云是錯的，他說：

> 〈天作〉，祀太王而因言文王，〈序〉言「祀先公」，非也。周之王業，自遷岐始，其始之遷也甚艱，實維太王闢而大之，彼指岐言也，彼既作邑矣，文王實靖之，彼事既往，至今岐有平夷之行，子孫世守其業，此非太王之功，何以及此？故歌以告焉。（卷 3，頁 31）

他認為周朝王業的奠基，是從太王（古公亶父）自豳地遷到岐山開始的，而後文王加以承繼發揚，追源溯始，其功在於太王，故以為〈天作〉是祭祀太王的樂歌。據《史記·周本紀》，謂古公亶父：

> 去豳度漆沮，踰梁山，止於岐下。豳人舉國扶老攜弱，盡復歸古公於岐下。及他旁國，聞古公仁，亦多歸之。於是古公乃貶戎狄之俗，而營築城郭室屋，而邑別居之，作五官有司，民皆歌樂之，頌其德。（《史記會注考證》卷 4，頁 65－66）

可見古公亶父自豳地遷居岐山，開始營建宮室，奠下了周室日後發展的規模，朱熹詮解此詩，亦以為是「祭太王之詩」，謂：

> 言天作岐山，而大王始治之。大王既作，而文王又安之。於是彼險僻之岐山，人歸者眾，而有平易之道路，子孫當世世保守而不失也。（《詩集傳》卷 19，頁 215）

與戴溪所見同。

15.〈周頌·雝〉

《詩序》以爲〈雝〉是「禘太祖」，戴溪提出了異義：

> 〈雝〉，序詩者以爲禘太祖，然考其詩辭，始言皇考，繼言烈考，殊不及太祖，恐于義未然。《記》、《論語》皆言以雍徹，則雍者，徹祭之歌也。此與詩意始合。（卷3，頁34）

戴溪以爲詩文所寫不及太祖，又據《禮記》、《論語》所載，認定〈雝〉詩是所謂的「徹祭之歌」，朱熹所見亦同。⓯

綜上，戴溪釋《詩》，批駁、修正〈序〉說而獨出己意的不少，遍及國風、二雅與三頌，顯示出其透過平情體察，自出己意的釋《詩》傾向。除在釋《詩》的意旨與《詩序》歧異外，戴溪對《毛傳》、《鄭箋》之說，亦有駁議之處⓰，此外，在詩篇的分章定句上，戴溪亦有與舊說不合之處，如〈大雅·假樂〉，毛、鄭定爲四章、章六句，戴溪則依據詩文，定爲六章、章四句，謂：「此詩每章四句，序詩者分爲六句，故意不連屬，當從四句爲正。」（《續呂氏家塾讀詩記》卷 3，

⓯ 《詩集傳》釋〈周頌·雝〉云：「《周禮》『大師及徹，帥學士而歌徹』，說者以爲即此詩。《論語》亦曰『以雍徹』，然則此蓋徹祭所歌，而亦名爲徹也。」（卷 19，頁 230），同註❺。

⓰ 戴溪對《毛傳》、《鄭箋》駁議之處，如〈王風·丘中有麻〉：「以留爲氏，以子國爲子嗟之父，自毛氏有是說，後人因之。然觀詩人之意，稱彼則其辭不尊，稱留子嗟則其辭不婉。當是之時，留氏未有聞者，思賢而獨指留氏，所思狹矣。竊意子嗟、子國可以爲賢者之字，留未必其氏也。」（卷 1，頁 28）；〈檜風·蜉蝣〉：「蜉蝣生於地中，非朝生而夕死，蓋朝出而夕死也。」（卷 1，頁 55）。按：《毛傳》：「蜉蝣，渠略也。朝生夕死。」（《毛詩正義》，卷 7 之 3，頁 268）；〈周頌·時邁〉：「說者謂武王巡狩告祭之詩，成王亦嘗撫萬邦、巡侯甸，四征不庭矣。觀此詩，殊非告祭之辭，與〈般〉之詩不同。王者省方祭，于所過名山大川，不必皆祀天也。意者，〈時邁〉之詩，因巡狩而祀百神，作詩者歌頌其事爾。」（卷 3，頁 32）。按：《鄭箋》：「武王既定天下，時出行其邦國，謂巡守也。」（《毛詩正義》，卷 19 之 2，頁 719）；〈周頌·般〉：「〈般〉，祀四嶽河海之歌，非必天子巡守親祀也。」（卷 3，頁 39）按：《鄭箋》：「君是周邦而巡守，其所至則登其高山而祭之。」（《毛詩正義》，卷 19 之 4，頁 755）等。

頁 13）其後嚴粲《詩緝》所定此詩之章句，亦同戴溪⓱，又如〈商頌·那〉，毛、鄭定爲一章、二十二句，戴溪則以爲應分爲三章、一章章五句、二章章六句、三章章十一句，云：「〈那〉，似分爲三章，其末皆言湯孫。」（《續呂氏家塾讀詩記》卷 3，頁 42）整體而言，流露出理性的思考與批判的態度，就詩言詩，擺脫《詩序》例以美刺的附會，有著極濃厚的以己意說詩的傾向。

伍、《續呂氏家塾讀詩記》與《呂氏家塾讀詩記》的異同

關於戴溪的《續呂氏家塾讀詩記》一書，前人往往將其與呂祖謙的《呂氏家塾讀詩記》相混淆，致張冠李戴，如胡樸安的《詩經學》將戴溪視爲「存《序》派」，並謂《續呂氏家塾讀詩記》一書的重點是「以《毛傳》爲宗，折衷眾說，於名物訓詁，頗爲詳悉」（頁 99），林葉連撰《中國歷代詩經學》、李莉褒撰《嚴粲詩緝之研究》，所持觀點亦同胡氏⓲，事實上，「以《毛傳》爲宗，折衷眾說……」云云，乃是指《呂氏家塾讀詩記》，而非《續呂氏家塾讀詩記》。由於戴溪《續呂氏家塾讀詩記》，乃因《呂氏家塾讀書記》行世後而作，前人不加深察，遂逕指戴溪的《續呂氏家塾讀詩記》「大都是根據《呂氏家塾讀詩記》寫成的」（賴炎元撰〈呂祖謙的詩經學〉，頁 1，收錄於《中國學術年刊》第 6 期，1984 年 6 月）、「大體仿照《呂氏家塾讀詩記》的體例寫成的」（同上，頁 17）透過前文的探討可知，《續呂氏家塾讀詩記》的撰作，固因《呂氏家塾讀詩記》而發，但撰作的動機則明係爲補呂書的不足，且所側重的重點亦不同，特別是在詩旨的探求、詮釋與闡發上；在釋《詩》的整體傾向上，戴書對於詩三百各詩的詩旨，皆透過詩文的平情體察、銓衡而後標出，對於傳統〈序〉說更多所駁正，流露出以己意說《詩》的特質。此與《呂氏家塾讀詩記》顯有不同。進一步言之，就體例上，《呂

⓱ 見《詩緝》釋〈大雅·假樂〉（卷 27，頁 30），同註❽。

⓲ 《中國歷代詩經學》（臺北：臺灣學生書局，1993 年 3 月）頁 255 云：「此書（按：指《續呂氏家塾讀詩記》）以《毛傳》爲宗，折衷眾說，於名物訓詁尤爲詳悉。」李莉褒之說，參《嚴粲詩緝之研究》，頁 8。

氏家塾讀詩記》一書屬於集解性質，書中收錄從漢代毛萇、鄭玄以迄宋代朱熹等四十四家的《詩》說，間出己意，詳於名物訓詁，在釋《詩》的總體傾向上，是遵從〈序〉說，奉守傳統，而《續呂氏家塾讀詩記》則屬於一家之言，專就各詩詩旨的詮釋加以詮定，對於〈序〉說多所駁正，頗出己意，對於名訓詁則甚少著墨。除此之外，有關《詩經》〈鄭風〉、〈衛風〉有無「淫詩」的認定，尤能凸顯《續呂氏家塾讀詩記》與《呂氏家塾讀詩記》的異同。呂祖謙嘗據孔子所云「思無邪」之語、孔子曾正樂，認爲《詩》三百皆是雅樂，用於祭祀朝聘，《詩經》中的〈鄭風〉是雅樂，與「鄭聲」是俗樂不同，因而認定《詩經》中〈鄭風〉、〈衛風〉皆無淫詩，如〈鄘風．桑中〉、〈鄭風．溱洧〉諸詩皆是刺淫之作，而非「淫詩」，他說：

> 或曰：《樂記》所謂「桑間、濮上之音」，安知非即此篇乎？曰：詩，雅樂也，祭祀、朝聘之所用也。桑間、濮上之音，鄭衛之樂也，世俗所用也。雅、鄭不同部，其來尚矣。戰國之際，魏文侯與子夏言古樂、新樂，齊宣王與孟子言古樂、今樂，蓋皆別而言之。雖今之世，太常、教坊各有司局，初不相亂；況上而春秋之世，寧有編鄭、衛樂曲於雅音中之理乎？〈桑中〉、〈溱洧〉諸篇，作於周道之衰，其聲雖已降於煩促，而猶止於中聲，荀卿獨能知之。其辭雖近於諷一勸百，然猶止於禮義，〈大序〉獨能知之。仲尼錄之於經，所以謹世變之始也。借使仲尼之前，雅、鄭果然龐雜，自衛反魯正樂之時，所當正者，無大於此矣。唐明皇令胡部與鄭衛之聲合奏，俗樂者尚非之，曾謂：「仲尼反使雅、鄭合奏乎？」《論語》答顏子之問，迺孔子治天下之大綱也。於鄭聲亟欲放之，豈有刪詩示萬世，反收鄭聲以備六藝乎？（《呂氏家塾讀詩記》，卷5，頁8–9）

《詩經》變風中有無淫詩？《論語》中載孔子所云「鄭聲淫」、「惡鄭聲之亂雅樂」；《樂記》中所謂「鄭衛之音，亂世之音也，比於慢矣；桑間濮上之音，亡國之音也。」其中「鄭聲」是否等同《詩經》中的〈鄭風〉？「鄭衛之音」是否即是《詩經》中的〈鄭風〉、〈衛風〉？〈鄭風〉、〈衛風〉是雅樂，抑或是俗樂？曾是呂祖謙與朱熹斷斷爭論的焦點。關於詩經變風（〈鄭風〉、〈衛風〉）中有無淫詩？戴溪的看法與呂祖謙不同，他說：

> 大抵變風之詩，惟鄭與衛多淫風，〈桑中〉、〈溱洧〉是也。古人所惡鄭衛之聲，有以也。（卷1，頁18）
>
> 〈溱洧〉，志鄭聲之淫以示後世，此王者所宜放也。（卷1，頁34）
>
> 〈月出〉，閔其情之不能克也。夫禮義消亡，淫風盛行，固有快意肆欲，以從其心者，若〈桑中〉、〈溱洧〉之類是也。（卷1，頁52）

可見戴溪認爲〈鄭風〉、〈衛風〉由於淫風盛行，故有淫詩，如〈桑中〉、〈溱洧〉即是。又可見戴溪視「鄭聲淫」等同於〈鄭風〉淫，《論語》中所載之鄭衛之聲，即是《詩經》中的〈鄭風〉、〈衛風〉，如此，戴溪不以《詩經》中皆是雅樂亦可知。除此之外，戴溪亦視〈齊風．東方之日〉爲淫奔之詩，他說：

> 〈東方之日〉，男約女奔也。男女相奔，不夙則莫。日出，早也；月出，莫也。朝莫之際，彼姝在室，相與爲隱，履我即發，少遲恐不及矣。（卷1，頁35）

綜上，凡戴溪以爲是淫詩之作，如〈桑中〉、〈溱洧〉、〈東方之日〉，呂祖謙皆遵《序》說，視爲刺淫之作，二書觀點不同，由此可見。程元敏先生嘗謂戴溪作《續呂氏家塾讀詩記》一書，是「託《續記》之名，行師心之實」（〈兩宋之反對詩序運動及其影響〉，頁6，收錄於《中山學術文化集刊二集》，1968年11月）也很敏銳地看出了二者的不同。

陸、結語

宋人治經，勇於疑經、改經、議經，廣泛地對於漢唐人所傳承的經說作反省與檢驗，馴至開一治經的新貌，並有以建立宋人治經的新傳統。就《詩經》而言，對於由《詩序》、《毛傳》、《鄭箋》、《毛詩正義》所構建的說詩傳統，或質疑，或修正，或批判，或立異，新說紛然，即已告示了一個新的釋詩傳統的即將到來。從歐陽脩《詩本義》的議論《毛傳》、《鄭箋》之失，間揭《詩序》之非；蘇轍《詩集傳》的辨析《詩序》是「毛氏之學而衛宏之所集錄」，刪汰《詩序》首句以下的餘文，並多所駁議，迄鄭樵《詩辨妄》的力斥《詩序》、王質《詩總聞》的去《序》言《詩》，最後由朱熹承繼此一說詩新傳統，撰作《詩集傳》、《詩序辨說》，奠立宋人釋詩的新傳統，其間發展的脈絡，不難看見。就南宋而言，呂祖謙與朱熹俱爲詮釋《詩經》的代表人物，其間對於《詩序》、鄭聲是否等同〈鄭風〉、三百篇是否皆爲雅樂、與國風有無淫詩等問題，二人皆有很大的歧異與爭論，形成令人注目的焦點。其中，呂祖謙撰作《呂氏家塾讀詩記》，博採諸家，翦截貫穿，詳於名物訓詁，號稱「《詩》學之詳正，未有逾於此書者。」（《四庫全書總目・呂氏家塾讀詩記提要》，卷 15，頁 341），行世後，影響頗大，其後如段昌武作《毛詩集解》，體例大抵模倣《呂氏家塾讀詩記》；嚴粲作《詩緝》，也大體以《呂氏家塾讀詩記》爲主，並雜採諸說以發明之，戴溪也因呂《記》而撰《續呂氏家塾讀詩記》一書，儼然形成一個與朱熹相抗衡的派別。唯其中戴溪所作《續呂氏家塾讀詩記》與呂祖謙《呂氏家塾讀詩記》的關係，前人的敘述，多有歧異混淆之處，透過本文的初步研討，吾人可知《續呂氏家塾讀詩記》的撰作，固因《呂氏家塾讀詩記》而發，但撰作的動機則明係爲補呂書的不足，特別是在詩旨的探求、詮釋與闡發上，就釋《詩》的整體傾向上，戴書對於《詩》三百各詩的詩旨，皆透過詩文的平情體察、銓衡而後標出，對於傳統〈序〉說，更多所駁正，流露出以己意說詩的特質。其中認定國風中的〈鄭風〉、〈衛風〉有淫詩，鄭衛之聲即是《詩經》中的〈鄭風〉、〈衛風〉，也與呂祖謙標舉《詩經》中皆是雅樂、《詩經》中並無淫詩的論調相齟齬。據此，胡樸安視戴溪爲「存《序》派」，又謂戴書「以《毛傳》爲宗，折衷眾說，於名物訓詁，頗爲詳悉」、賴炎元謂戴書「大體仿照《呂氏家塾讀詩記》的體例寫成的」、「大都是根據《呂氏家塾讀詩記》寫成的」云云，皆未諦，其中胡氏謂戴書「以《毛傳》爲宗，折衷眾說，於名物訓詁，頗爲詳悉」，則明係是張冠李戴，將描述《呂氏家塾讀詩記》的特點，錯移至《續呂氏家塾讀詩記》上，林葉連、李莉褒採胡氏觀點，其誤亦同。陳振孫及《四書全書總目・續呂氏家塾讀詩記提要》嘗謂戴溪撰作《續呂氏家塾讀詩記》的動機，在於戴氏以爲呂書「篇內之微旨，詞外之寄託，或有未貫，乃作此書以補之。」可見，定名爲《續呂氏家塾讀詩記》，其意僅在表明其書續作於《呂氏家塾讀詩記》之後而已，在詩旨的詮釋與傾向上，是「其實自述己意，亦多不用〈小序〉」。此外，蔣善國謂戴溪說《詩》，「各自名家」（《三百篇演論》，頁 71），程元敏先生亦指出戴溪作《續呂氏家塾讀詩記》，是「託《續記》之名，行師心之實」（〈兩宋之反對《詩序》運動及其影響〉，《中山學術文化集刊》二集，頁 624，1968 年 11 月）諸說雖片羽靈光，但皆顯露了獨特的眼光。關於戴溪的《續呂氏家塾讀詩記》，《四庫全書總目・續呂氏家塾讀詩記提要》謂其釋《詩》「平正通達，卓然有見」、「得風人之旨者亦多，實說《詩》家之善本。」（影印文淵閣四庫全書本第 72 冊，頁 799）評價頗高，陸侃如更謂「在宋代說《詩》家中，朱熹外唯戴溪最高明」（〈詩經參考書提要〉，收錄於《陸侃如古典文學論文集（上）》（上海：上海古籍出版社，1987 年 1 月），頁 224）事實上，南宋末年的學者黃震撰《黃氏日抄》，其中〈讀毛詩〉一卷，對於戴溪的釋詩，即多所崇揚、取資[19]，說明了戴溪《續呂氏家塾讀詩記》一書的價值。戴溪釋《詩》，不甚主

---

[19] 黃震在《黃氏日抄・讀毛詩》（臺北：臺灣商務印書館影印文淵閣四庫全書本，1983 年）中，對於戴溪說《詩》崇揚、取資之處頗多，茲臚列如下：1.「〈螽斯〉 戴岷隱云：螽斯喻子孫，非喻后妃。愚按：螽斯羽，振振兮，是詠子孫，宜爾字方是指后妃。」（卷 4，頁 4）2.「〈芣苢〉 戴氏謂此詩見一時同輩相與之樂，此語蓋得其氣象。」（卷 4，頁 4）3.「〈有齊季女〉 諸家以季女爲指大夫妻，蓋已嫁者也。古註以爲古者先嫁三月，教于公宮，教成祭之，戴岷隱取其說云：與昏義合。」（卷 4，頁 5—6）4.「〈甘棠〉 古說謂召伯聽訟，不欲勞民而就之也。岷隱謂召伯行省風俗，偶憩棠下，非必受民訟，亦非有意於不擾，晦庵、雪山、華谷並合。」（卷 4，頁 5—6）5.「〈行露〉 岷隱謂男有強委聘者，女不從而訟，引《列女傳》爲證，雪山曰：暴男侵貞女，女固可，尚男爲何人？豈文王之化獨及女而不及男邪？合此二說，則〈詩序〉侵陵之說殆非也，特不成婚而訟耳。」（卷 4，頁 6）6.「〈摽有梅〉 諸家皆以爲女子之情岷隱云：求我庶士，擇婚之辭，父母之心也，合從之。」（卷 4，頁 6—7）7.「『不我以，其後也悔』 岷隱云：不我以，正是置之於無所與事之地，非遇勤勞也。已乃寬釋曰：久當自悔，且有以處，我嘯歌以俟時，不必過爲戚戚也。無所怨尤，此爲媵之美。愚按：此說得之，諸家皆泥〈序〉文。」（卷 4，頁 6—7）8.「『于嗟洵兮，不我信兮。』 古說多宋明，惟岷隱云：自憐其誠切而意不得伸也。愚按：《詩》云：洵美且異，則洵爲誠信之意，岷隱近之。」（卷 4，頁 9）9.「〈桑中〉 自〈詩

《詩序》，而是由詩文的平情體察，以銓定詩旨，時有己見，在釋詩的傾向與說解上，與朱熹頗多相合，一方面，承續、反映了宋人獨立治經、以己意說詩的特點，另一方面也參與了宋代釋詩新傳統的建立，而其詮詩的態度、方法，至今仍有値得吾人借鏡之處。透過本文的初步研討，一方面得以略加釐清前人混淆歧異之處，另一方面，對於《續呂氏家塾讀詩記》一書的意義與價值，或可進一步窺知。

引用及主要參考書目

詩經注疏 〔漢〕毛公傳 鄭玄箋 〔唐〕孔穎達等疏 臺北 藝文印書館影印南昌府學刊本 1989 年

詩總聞 〔宋〕王質撰 臺北 臺灣商務印書館影印文淵閣四庫全書本 1983 年

詩補傳 〔宋〕范處義撰 臺北 臺灣商務印書館影印文淵閣四庫全書本 1983 年

序〉至毛、鄭至《禮記》，以桑間濮上爲亡國之音，皆以此詩爲淫奔者之詩，故近世晦庵《詩傳》、岷隱《續詩記》、華谷《詩緝》言人人同，獨東萊呂氏力辨此爲雅音，……此詩明爲衛之詩，詩之名明以爲〈桑中〉，詩之辭明言淫奔，後世安得反爲之諱而指以爲雅音也。」（卷 4，頁 14）10.「『永矢弗諼』 程以爲弗忘君，但後章弗過、弗告處難通，今《詩傳》、《詩緝》與岷隱皆謂不與世接，弗諼者，不忘此樂也。」（卷 4，頁 15－16）11.「〈有狐〉 『綏綏』，毛以爲匹行貌，朱反之，以爲獨行求匹貌，李迂仲祖毛說，云：狐尚匹行而女乃無夫家，戴岷隱以綏綏爲安閑不迫，似皆得詩意。諸家祖朱說而反古說者，特以狐非美物，不欲以綏綏爲安閑，言其善狀耳，然恐詩人托物起興，不以此拘也。」（卷 4，頁 17）12.「〈東方之日〉 諸家皆以日爲喻君，然詩中似無此意，惟戴岷隱云：男女相奔，不夙則莫，日出，早也；月出，莫也，此爲近事情。」（卷 4，頁 22）13.「〈蜉蝣〉蜉蝣朝生而暮死，岷隱謂非朝生暮死，乃生於土中，朝出而暮死，喻微有浮驕，鮮不速亡者。」（卷 4，頁 32）14.「『周道倭遲，不遑將父。』 『不遑將父』諸家皆以將爲養，戴氏曰：將非養也，扶持奉侍之謂。」（卷 4，頁 39）15.「『靡盬』 戴云苦而易敗謂之盬，苟成必易敗，故出使之不可亟歸者，謂王事之不可使易敗也。」（卷 4，頁 39）16.「〈庭燎〉 『夜如何其？』古說皆謂宣王夜興而早晚，……戴岷隱曰：夜如何其？非宣王之問也，詩人見庭燎之光，聞鸞和之聲，知天子之視朝，問夜何時乎？夜猶未央也。」（卷 4，頁 46）17.「『陶復陶穴』 王雪山曰：陶，今之土墼也，以陶爲蓋於其上，謂之復，以陶爲基於其下謂之穴，此言以土墼爲居也。戴岷隱曰：先陶於復穴，將以營室家，此言以未有室家而陶瓦也。二者視古說不同而稍近人情，覺岷隱之說爲尤近。」（卷 4，頁 60）18.「〈假樂〉 諸家以六句爲章，岷隱、華谷四句爲章，文義甚順。」（卷 4，頁 63）

呂氏家塾讀詩記 〔宋〕呂祖謙撰 臺北 臺灣商務印書館影印文淵閣四庫全書本 1983年

續呂氏家塾讀詩記 〔宋〕戴溪撰 臺北 臺灣商務印書館影印文淵閣四庫全書本 1983年

詩集傳 〔宋〕朱熹撰 臺北 臺灣中華書局 1996年8月

詩序辨說 〔宋〕朱熹撰 臺北 臺灣商務印書館影印文淵閣四庫全書本 1983年

毛詩李黃集解 〔宋〕李樗、黃櫄撰 臺北 臺灣商務印書館影印文淵閣四庫全書本 1983年

詩緝 〔宋〕嚴粲撰 臺北 廣文書局 1989年8月

黃氏日抄(一) 〔宋〕黃震撰 臺北 臺灣商務印書館影印文淵閣四庫全書本 1983年

三百篇演論 蔣善國撰 臺北 臺灣商務印書館 1980年6月

詩經學 胡樸安撰 臺北 臺灣商務印書館 1988年5月

詩經篇旨通考 張學波撰 臺北 廣東出版社 1976年5月

詩經通釋 王靜芝撰 新莊 輔仁大學文學院 1985年8月

詩經詮釋 屈萬里撰 臺北 聯經出版事業公司 1989年10月

詩經注析 程俊英、蔣見元撰 北京 中華書局 1991年10月

詩經直解 陳子展撰 臺北 書林出版公司 1992年8月

詩經正詁（上冊） 余培林撰 臺北 三民書局 1993年10月

詩經正詁（下冊） 余培林撰 臺北 三民書局 1995年10月

詩經通詁 雒江生編撰 西安 三秦出版社 1998年7月

詩經研究論集(一)、(二) 林師慶彰編 臺北 臺灣學生書局 1983年11月、1987年9月

詩經研究論集 熊公哲等撰 臺北 黎明文化事業公司 1986年4月

詩經學論叢 江磯編 臺北 嵩高書社 1985年6月

詩經國際學術研討會論文集 中國詩經學會編 保定 河北大學出版社 1994年6月

第二屆詩經國際學術研討會論文集 中國詩經學會編 北京 語文出版社 1996

年 8 月
第三屆詩經國際學術研討會論文集　中國詩經學會編　香港　天馬圖書公司　1998 年 6 月
詩經研究史概要　夏傳才撰　鄭州　中州書畫社　1982 年 9 月
中國歷代詩經學　林葉連撰　臺北　臺灣學生書局　1993 年 3 月
詩經要籍解題　蔣見元、朱杰人撰　上海　上海古籍出版社　1996 年 9 月
朱呂詩序說比較研究　林惠勝撰　臺北　臺灣大學中國文學研究所碩士論文　1983 年 6 月
宋代之詩經學　黃忠愼撰　臺北　政治大學中國文學研究所博士論文　1984 年 6 月
兩宋詩經著述考　陳文采撰　臺北　東吳大學中國文學研究所碩士論文　1988 年 4 月
呂祖謙詩經學研究　郭麗娟撰　臺北　東吳大學中國文學研究所碩士論文　1994 年 10 月
嚴粲詩緝之研究　李莉褒撰　臺中　中興大學中國文學研究所碩士論文　1998 年 6 月
朱熹與呂祖謙詩說異同考　洪春音撰　臺中　東海大學中國文學研究所碩士論文 1995 年 5 月
春秋講義　〔宋〕戴溪撰　臺北　臺灣商務印書館影印文淵閣四庫全書本　1983 年
經學歷史　〔清〕皮錫瑞撰　周予同注　臺北　漢京文化公司　1983 年 9 月
宋人疑經改經考　葉國良撰　臺北　臺灣大學中國文學研究所碩士論文　1978 年 6 月
史記會注考證　（日）瀧川龜太郎撰　臺北　洪氏出版社　1986 年 9 月
宋史　〔元〕脫脫撰　臺北　鼎文書局　1983 年 11 月
直齋書錄解題　〔宋〕陳振孫撰　臺北　廣文書局影印書目續編本　1968 年 3 月
嘉靖江陰懸志　〔明〕趙錦修、張袞纂　上海　上海古籍書店　1981 年
宋元學案　〔清〕黃宗羲撰、全祖望補修　臺北　華世出版社　1987 年 9 月
宋元學案補遺　〔清〕王梓材、馮雲濠撰　臺北　世界書局　1962 年 6 月
四庫全書總目（一）　〔清〕紀昀等撰　臺北　藝文印書館　1989 年 1 月

陸侃如古典文學論文集（上） 陸侃如撰 上海 上海古籍出版社 1987年1月
兩宋之反對詩序運動及其影響 程元敏 中山學術文化集刊二集 1968年11月
呂祖謙的詩經學 賴炎元 中國學術年刊六期 1984年6月

經學研究論叢
第九輯　頁121～144
臺灣學生書局　2001年1月

黃節及其對《三百篇》詩旨的闡述

陳文采*

壹、前言

黃節（1873－1935）對《詩經》的論說整理，據《續修四庫全書總目提要》載有《詩序非衛宏所作說》一卷、《詩旨纂辭》三卷。❶皆其任北京大學教職時所編撰，屬講義性質。其中《詩序非衛宏所作說》有一九三〇年北京跋民書局線裝本及一九三一年清華大學排印本。❷《詩旨纂辭》有一九三〇年活字印本，及一九三六年北京大學鉛印本。觀其內容大要，誠如《續修四庫全書總目提要》所說：「（《詩旨纂辭》）所據大率姚際恒、胡承珙、魏源、馬瑞辰、陳奐數家之說。間附韓詩說以備參，不據以駁毛也。」另又輯各家論說以證「《詩序》非衛宏所作」。可見黃節對《詩經》的基本態度是宗古文毛詩說，這和民初反傳統的《詩經》研究主流是相牴觸的。更由於他濃厚的文化保守主義色彩，使這兩冊書在民初有關《詩經》的討論中遭受冷落。然而就《詩旨纂辭》一書的篇幅及內容的豐富性

---

* 陳文采，臺南女子技術學院講師。

❶ 見中國科學院圖書館整理《續修四庫全書總目提要》（北京：中華書局，1993 年 7 月）經部，詩類，頁 432。另據吳宓〈詩學宗師黃節先生學述〉，收在黃節：《詩學》（臺北：學海出版社，1974 年 1 月），頁 45－54。云：「此外又有《詩旨變雅》一卷，亦民國十九年（1930 年）刊行。屈向邦《粵東詩話》云『晦聞為北京大學說詩十餘年，其要旨盡在所著《詩旨變雅》、《詩學》、《詩律》及各家詩注中』」。惜今未見，不知其詳。

❷ 該文原載《清華中國文學月刊》1 卷 2 期（1931 年 5 月）。

及舉證的多面性，與其說是對詩旨闡述淺薄落伍❸，毋寧說是古樸純正的經說立場與形式，在「古學復興」的框架中，正如大多數國粹派著作一樣，陷入僅僅滿足於「研術古學，刷垢磨光，勾玄提要」❹的狹小範圍內，而歸於平庸，失卻了國故整理的現代性意義。

在民初，對於傳統學術的思考，以新文化運動為主流，而所謂新文化運動的意涵，大抵可從兩方面理解：一是政治文化上的，尤其在經過二次革命到張勳復辟期間（1913－1917）的醞釀，使曾投身國粹運動的周作人、魯迅、錢玄同等開始明確宣稱摧毀儒家思想的必要性❺，陳獨秀更嚴厲批評康有為散佈尊孔論以為復辟奠定思想基礎❻，如此則反帝制與反儒學傳統相結合，非儒學化的傾向終於發展成為主流的選擇。一是倫理學術上的，自一九一七年以後，《新青年》成為北京大學革新力量的言論陣地。主要撰稿人幾盡是北大的教員與學生，包括：陳獨秀、胡適、李大釗、錢玄同、魯迅、俞平伯、傅斯年……等。❼尤其從第二卷起至一九二〇年間，出現了反儒學傳統和文學革命兩大具體內容，部分地反映了新文化運動學者，

---

❸ 據孟子微：〈蒹葭樓與顧炎武詩〉，《藝林叢錄》第三編（臺北：谷風出版社，1986 年 9 月），頁 203。說：「其每開一門功課，都是他用力甚勤，鑽研極精的。……譬如他們《詩經》一課程，他所搜索得與《詩經》有關書籍便達數百種之多，他自己也正在撰述《詩旨纂辭》，惜未能終卷。」

❹ 見鄧實：〈古學復興〉，《國粹學報》第 9 期（1905 年 10 月）。有關國粹的「古學復興」論，及其文化觀如何在辛亥以後，從推動傳統學術向近代化轉換的實踐，逐漸淡化而為崇古的消極態度。參見鄭師渠《國粹、國學、國魂——晚清國粹派文化思想研究》（臺北：文津出版社，1992 年 8 月）第 4 章國粹派的文化觀，頁 140－148。

❺ 見錢理群：《周作人傳》（北京：北京十月文藝出版社），頁 193。

❻ 見陳獨秀：〈復辟與尊孔〉，《新青年》3 卷 6 期（1917 年 8 月），頁 1－4。另有關新文化運動與民初政治文化的相關論證，參見歐陽哲生：〈在傳統與現代性之間——以「五四」新文化運動與儒學關係為中心〉，《五四新論：既非文藝復興，亦非啓蒙運動》（臺北：聯經出版事業公司，1999 年 5 月），頁 145－182。（美）魏定熙著，金安平、張毅譯《北京大學與中國政治文化》（北京：北京大學出版社，1998 年 5 月）第 4 章舊文化與新文化，頁 138－172。

❼ 有關《新青年》的出版狀況及作者，參見陳萬雄：《五四新文化的源流》（香港：三聯書店，1992 年 5 月）第一章《新青年》及其作者，頁 1－20。

對儒學的議題在學術層面的思考。以胡適爲例，據一九一七年七月六日《胡適留學日記》載：

> 舟中讀《新青年》三卷第三號，有日人桑原騭藏博士之〈中國學研究者之任務〉一文，其大旨以爲，治中國學宜用科學的方法，其言極是……末段言，中國籍未經「整理」不適於用。「整理」即英文之 Systematize 也。其所舉例如《說文解字》之不便檢查，如《圖書集成》之不合用，皆極當。❽

可知此時在其心中，至少有兩個具雛型的念頭，一是整理中國籍之必要，一是宜用科學的方法整理國故。至一九一九年十一月在《新思潮的意義》一文中，則明確標舉「研究問題、輸入學理、整理國故、再造文明」作爲新文化運動的共同精神。並將其根本意義歸結爲是一種「批判的態度」。❾綜上所述，則知所謂新文化運動，面對舊傳統時，其立場是對立，其態度是要「重新估定一切價值」，讓儒學回到它原有的位置上。這樣的思考路向表現在對《詩經》的研究上，便是要剝去《詩經》的神聖性，誠如胡適在〈談談詩經〉中說：

> 從前的人把這部《詩經》都看得非常神聖，說牠是一部經典，我們現在要打破這個觀念，假如這個觀念不能打破，《詩經》簡直可以不研究了。❿

在這個理念的引導下，從一九二二年起有一系列批判《詩序》的文章。這個在民國初年出現的反《詩序》運動，是新文化運動在國故整理上的具體成績。⓫內容包括兩大命題：一是對《詩序》作者的論辯，這個工作基本上是宋代反《序》派，與晚

---

❽ 見胡適：《留學日記》（海口市：海南出版社，1994年8月），頁393。

❾ 見胡適：〈新思潮的意義〉，《新青年》第7卷第1號（1919年12月），頁5－12。

❿ 見胡適：〈談談詩經〉，《古史辨》（臺北：明倫出版社，1970年3月）第3冊，頁577。

⓫ 有關民初反《詩序》運動的形成和內容，詳見林慶彰：〈民國初年的反《詩序》運動〉，《第三屆《詩經》國際學術研討會論文集》（香港：天馬圖書有限公司，1998年6月），頁260－282。

清今文家考辨的延續。一是對《詩》旨的再詮釋，這是民初「回歸原典」的思考及「博採參考比較材料」的新方法，也就是胡適說的：

> 你要懂得《三百篇》中每一首的詩旨，必需撇開一切《毛傳》、《鄭箋》、《朱注》等等，自己去細細涵泳原文，但你必須多備一些參考比較的材料，你必須多研究民俗學、社會學、文學、史學，你的比較料越多，你就會覺得《詩經》越有趣味。⓬

因此將詩篇從經學的框架中脫離，只視為民謠或詩歌文學，是民初反《序》學者共同努力的方向。

與《新青年》大約同時，也以北大為據點的有一九一九年初劉師培、黃侃、馬敘倫、黃節分任總編輯和特別編輯的《國故》月刊。該刊以「昌明中國固有學術」為宗旨，著意與《新青年》、《新潮》分庭抗禮，面對新文化運動則多抱牴觸和反對的意見。雖然如此，但從近代對傳統思考的進程著眼，《國故》月刊無疑是晚清國粹派的延續，而國粹派通俗化、歷史化孔子和六經的主張，具有摧毀儒學權威的作用，亦即錢玄同所謂「國故研究之新運動」的「黎明運動」。⓭為新文化運動提供不可少的思想基礎。二者在面對文化傳統時，至少有兩處精神上的共同點：

㈠對儒學的批判：國粹派對儒學的批判有兩個層面，一是以鄧實、黃節為代表，重在批判歷代君主借孔子行思想專制。一是以章太炎、劉師培為代表，進而批評作為先秦學派的儒家學說自身的弊端。為此黃節著有〈孔學君學辯〉，通過秦代前後儒家學說的對比，力證君學「非孔學之眞」，強調漢代獨尊儒術，使原本裁抑君權的孔子學說，「一變其面目，務張君權為主」。⓮這一點與新文化運動學者，從政治文化上著眼的反孔思潮，極為相似。

⓬ 見同註⓾。

⓭ 見錢玄同：〈劉申叔遺書序〉，《劉申叔遺書》（上海：江蘇古籍出版社，1997 年 3 月）上冊，頁 28。

⓮ 見《政藝通報》1907 年第 3 號。

㈡傳統學術的近代化：因爲相信文化危機是更本質、更深刻的民族危機，所以國粹派在追求中國社會民主化的同時，更關切傳統文化的命運。於此黃節從思辯的意義上定義「國粹」說：「發現於國體，輸入於國界，蘊藏於國民之原質，具一種獨立之思想者國粹也。」⓯所以國粹並不等於「本我國之所有」。對此〈國粹學報略例〉亦明白標舉：「本報於泰西學術，其有新理精識足以證明中國學者，皆從闡發，閱者因此可通西國各種科學」⓰至於「保存國粹」的路徑，黃節在〈國粹學報敘〉中說：

> 夫國學者，明吾國界以定吾學界者也。痛吾國之不國，痛吾學之不學，凡欲舉東西諸國之學以爲客觀，而吾爲主觀以研究之，期光復乎吾巴克之族，黃帝、堯、舜、禹、湯、文武、周公、孔子之學而已。然又慕乎科學之用宏，意將以研究爲實施之因，而以保存爲將來之果、懸界說、以定公例。⓱

這樣的內容，可解釋爲：所謂「保存國粹」，其實是科學研究的過程與結果。與胡適〈新思潮的意義〉中「輸入學理」一項，在精神上是相通的。既然思考的精髓一致，卻產生對立的結果，問題便出在實踐的方法。在儒學的批判上，一九〇六－一九〇七年間《國粹學報》以今古文之爭的模式，展開反孔學的批判，雖然這個今古文之爭激發出的疑古辨僞精神，在五四以後得到進一步的發展，但國粹派學者卻堅守古文經學陣地，六經對於他們依舊是經學。相較於一九一二年蔡元培和嚴復決定取消京師大學堂所設之經學科，並將儒家經典的學習分攤到各系，如《詩經》轉到文科，《春秋》轉到史學系。⓲辛亥以後，國粹派學者考據文章日多，日漸驅使自

⓯ 黃節：〈國粹保存主義〉，《壬寅政藝叢書》「政學文學篇」，卷 5。轉引自《國粹、國學、國魂——晚清國粹派文化思想研究》，頁 116。

⓰ 見《國粹學報》第 1 期，1905 年 2 月，頁 10。

⓱ 同前註，頁 16。

⓲ 以上變革見 1912 年 10 月頒佈的《大學令》，時蔡元培已辭去教育總長的職務，嚴復則於該年 2 月任京師大學堂總監督。參見《北京大學與中國政治文化》，同註❻，頁 60－61。

己轉向古籍，顯得消極保守，在學理上則奉白璧德新人文主義爲宗師，向古奧艱深的路上發展。

經上述的參照排比，再將主題拉回黃節的《詩經》學著作，不可諱言的，它依舊是經學的《詩經》研究。⑲這個視角是黃節對於《三百篇》自覺的選擇，一如他所說的：「夫作詩者必盡求之三百，則經學所說詩亦已足矣。」⑳這個妨礙進步的視角，決定了它非主流的命運。今日既然要重新檢閱其內容，論斷其得失，即就時代性和《詩經》研究的內涵而言，希望藉由提出以下三點先予以釐清，以期能有較好的「同情的理解」。

㈠黃節這兩冊書對《詩序》作者的討論，和《詩》旨的詮釋，基本上是回應那個時代的學者所關心的議題，亦即民初反《詩序》運動的核心，僅管意見相左，卻不可視爲是與時代脫節的著述，而一意抹殺，理當回歸作品本身評判其內容與方法。

㈡黃節以治詩講學自負，論其用心，則一如他的〈丙寅歲暮吟〉：

> 人心風俗何以亂？不在政治與軍旅；始於邪說終暴行，世乃一亂亂無度。由癸溯今星四周，走鄉山川更修阻。坐視群兒戲北郭，一若雄雞戴金距，日以同類傷爪嘴，不如獵狗逐郊兔，我獨治詩遠思古，陳王隱公謝鮑句，上及樂府詩三百，發爲文章用箋注。㉑

句中明標以詩爲教的用意。詩教原是孔門之學，漢儒擴大以爲諫書，成爲書中不可取的糟粕。黃節雖標舉詩教，卻不等同於欲以舊倫理框限近代獨立思考的自我意識，而是察覺到「道德失範」這個令近代中國人，無論激進或溫和，均感困擾的大問題，並積極思索解決之道，這是黃節詩學的精神骨幹。

---

⑲ 李旭昇：〈近代《詩經》研究觀點的剖析〉，《第三屆《詩經》國際學術研討會論文集》（香港：天馬圖書有限公司，1998 年 6 月），頁 469。將近代《詩經》研究分爲經學的、文學的、歷史語言學的三種觀點。其中經學的觀點太陳腐，最不可信，也最不受歡迎。

⑳ 見黃節：《詩學》（臺北：學海出版社，1974 年 1 月），頁 1－2。

㉑ 轉引自梁冠國：〈嶺南詩人黃晦聞傳〉，《東方雜誌》第 43 卷第 2 號，1947 年，頁 55。

㈢「國故整理」原是國粹派提出的時代命題，新文化運動者，如胡適，重新提出，並賦予批判的精神，其中許多的議題是具進步意義的，但有些論點的提出，並非是對問題深入研究而得的結果，造成學術思想與意識形態顯然的分離。㉒如今反傳統的階段性任務已完成，在肯定新文化運動的貢獻之餘，似乎有必要回歸經典的眞象，平心論斷是非，如《詩經》爲衛宏所作是否那麼不容懷疑？《詩序》是否全不可信？「涵泳本文」是否爲推求《詩》旨唯一可信可行的辦法？

貳、生平暨學術淵源

黃節字晦聞，廣東順德人。生於〔清〕同治十二年（1873），民國二十四年（1935）病逝北平，享年六十二歲。平生於學無所不窺，尤邃於詩，被譽爲民國以來詩學宗師。㉓光緒二十一年（1895）受業於簡朝亮（1851－1933），在簡岸草堂問道二年，歸獨居佛寺，讀書十年。年二十九，赴京應北闈試，被黜落，而主考官袁季九奇之，時與論文，以國士待之。爾後外患瀕仍，國勢日蹙，遂於光緒二十九年（1902）赴上海與鄧實（1877--？）、馬敘倫（1884－1970）等創辦《政藝通報》，組織國學保存會，設國學藏書樓，刊行《國粹學報》，以「復興古學、保存國粹」、「辨別種族、發揚民義」爲宗旨，並與南社諸君子遊，南社詩風受龔自珍影響，風雲兒女，劍氣簫心。唯黃節獨宗陳后山，陳三立評其詩作「格澹而奇，趣新而妙」，與梁鼎芬（1859－1919）、曾習經並稱「嶺南後三子」。

黃節雖主張排滿革命，然孫中山在東京成立同盟會，「聞晦聞賢以書招之」，未就。兩江總督端方欲賄之，亦不爲所動。民國成立，危言之士多致通顯，

㉒ 余英時：〈意識形態與學術思想〉，《中國思想傳統的現代詮釋》（臺北：聯經出版事業公司，1987年3月），頁53－73。曾對中國近代思想史的狀況加以分析說：「中國近代思想史基本上只是一部意識形態史。」並且說：「在一個社會從傳統轉向現代化的過程中，意識形態尤其具有指示方向，和激起社會行動的重要功能，但意識形態不應與學術研究完全脫節。」另許志剛：《詩經論略》（瀋陽：遼寧大學出版社，2000年1月）對近、現代許多範疇的《詩經》研究亦提出同樣的批判，以爲「如果把爲了推動當時的運動，而概括出某些提法，誤認爲是對文學史的科學種總結，和正確論斷，則未免過當。」

㉓ 此說源於吳宓：〈師學宗師黃節先生學述〉，同註❶。吳宓在《國粹學報》時代即推崇黃節的詩，後爲其入室弟子，後編《學衡》雜誌刊黃節詩作最多。

黃節獨寂然無所附。㉔自民國八年（1919）起，任北京大學文學史及詩學教授，先後十五年。其間，民國十五年因東北軍入關，北大改組，辭職隱居。民國十七年春，應邀任廣東省教育廳長，旋即辭職。同年秋，復返北大，兼清華、師範諸大學講席，以迄於終。生平著作以詩學為主，有：《詩旨纂辭》三卷、《漢魏樂府風箋》十五卷、《鮑參軍詩注》四卷、《謝康樂詩注》四卷、《阮步兵詠懷詩注》一卷、《曹氏父子詩注》二卷、《顧亭林詩注》一卷、《詩律》六卷、《蒹葭樓詩》二卷㉕、《詩學》一卷，另有《黃史》一書以鼓吹民族主義。㉖

黃節早年師事簡朝亮，是為嶺學一脈。及壯，倡國粹以存古學，又為國粹一派。二者有共通的學術淵源，也有激於世變，所產生的學術思維的質變。欲明瞭黃節的學術思想與著述宗旨，不可不於此有所釐清，茲就二者分述如下：

一、嶺學的宗旨與流變

黃節在〈嶺學源流〉一文中，對乾嘉以後廣東一地的學術發展敘述說：

> 嘉道之際，儀徵阮元雲臺督粵，創學海堂，導學者以漢學。一時侯康林柏桐、陳澧皆以著書考據顯，嶺外遂無有言三家之學者（按：三家指陳白沙、王陽明、湛甘泉）。南海朱九江先生於舉國爭言著書之日，乃獨棄官講學，舉修身、讀書之要以告學者。其言修身之要曰：敦行、孝弟、崇尚名節、變

㉔ 有關辛亥以後，黃節漸歸寧靜、消極。章太炎：〈黃晦聞先生墓誌銘〉以為「其介特蓋天性也」。周作人：《周作人回憶錄》（北京：北京大學中國民俗學會，1970 年 3 月）民俗叢書第 23 輯。則云：「北伐成功以來，所謂吃五四飯的都飛黃騰達起來，做上了新官僚，黃君是老輩，卻那樣的退隱下來，豈不正是落伍之尤。但他自有他的見地，他平常憤世嫉俗，覺得現時很像明季，為人寫字常鈐一印章，文曰『如此江山』」。

㉕ 據章太炎：〈黃晦聞先生墓誌銘〉有「先生卒，時人為刻其《蒹葭樓詩》二卷，然諸涉風刺者亦略刪之。」知非全帙。

㉖ 以上黃節生平大要主要參見吳宓：〈詩學宗師黃節先生學述〉，同註❶；章太炎：〈黃晦聞先生墓誌銘〉，《制言》1935 年 2 期；梁國冠：〈嶺南詩人黃晦聞評傳〉，同註㉑；〈民國人物小傳 31：黃節（1873－1935）〉，《傳記文學》28 卷 1 期，1976 年，頁 99；陳敬之：〈詩學大師黃晦聞〉，《首創民族文藝的南社》（臺北：成文出版社，1980 年 6 月），頁 95－110。

> 化氣質、檢攝威儀。其言讀書之要曰：經學、史學、掌故之學、性理之學、詞章之學。其爲學不分漢宋，而於白沙、陽明之教，皆有所不取，斯則國朝嶺學之崛起者。㉗

大抵學術之興，有倡導者，必有左右翼贊者，乃能師師相傳。阮元（1764－1849）以位極人臣的顯達，積極提倡學術研究，在浙江立詁經精舍，在廣東立學海堂，對當時的學術發展影響深遠。而廣東漢學實即對阮元學術的繼承，立學的精神主要有兩點：一是不以惠棟一派墨守漢儒爲然，漸成漢宋兼採的一派；一是承戴震之學，以實事求是爲宗旨。㉘

清季粵中傳阮元之學者，有陳澧（1810－1882）、朱次琦（1807－1881），其中朱次琦一脈，對中國近代學術的影響尤鉅。㉙其學固兼採漢宋，而根柢於宋儒，以經世致用爲歸，窮理治事，刮去漢宋紛紜之見。㉚以爲「二三子當志於古之實學，學孔子之學，無所謂漢學與宋學，修身讀書斯其實也。」「讀書所以明理，通經所以致用，經學即理學也，故治經學不可執一，不可嗜瑣。」㉛其弟子有康有爲（1858－1972）、簡朝亮。關於兩人的學術，吳宓以爲：

> 以事功論南海爲然，以學德言則簡先生爲尚。

㉗ 黃節：〈嶺學源流〉，《國粹學報》第4年3期（總40期），1908年，頁285。

㉘ 參見張舜徽：《清儒學記》（濟南：齊魯書社，1991年11月）揚州學記（戊）阮元，頁443－458。

㉙ 見桑兵：〈近代中國學術的地緣與流派〉，《歷史研究》1999年3期。頁24－41。文中指出：「《清史稿》的編撰取捨不當，疏失較多，就實際情形而言，晚清嶺南影響較大的學者有二，一爲陳澧、一爲朱次琦。」「張之洞私淑陳東塾，他的鼓吹加上梁鼎芬的作用，可謂大張學海堂影響的後天因素。」「日本學者今關天彭于所提關于學術界狀況的書中，認爲北方舊學勢力最大的還是張之洞餘風的陳澧一派。」「至于朱九江一脈，雖沒有官威作後臺的顯赫，對于中國近代思想學術界的影響，卻比東塾門下有過之無不及。」

㉚ 見張舜徽：《清人文集別錄》（臺北：明文書局，1982年2月）卷21，頁584。

㉛ 見〈朱九江先生講學記〉，轉引自吳宓：〈悼簡竹居先生〉，《大公報》文學副刊，304期，1933年10月30日，第11期。

> 今細按朱先生講學大旨，及簡先生所常勤孜稱述其師之說，則知簡先生實得朱先生之眞傳，而南海較多違異焉。㉜

以上清季嶺學大要，黃節秉簡朝亮之傳，尤得力於詩學，即簡朝亮所主張的「以辭章與經史性理一貫」，也就是以詩爲表達其所講學問中之意理情志之具。

二、國粹派的學術思想

具體的說，國粹派是集揚州學派（劉師培）、浙江學派（章太炎）和嶺南學派（鄧實、黃節）於一體，而以皖派樸學爲基礎的古文經學派。雖然較之傳統的經學家，國粹派學者更強烈的感受及參與了時代的變革，並且不同程度的吸納近代西方自然科學和社會科學，形成新的知識系統。㉝但他們的學問根柢和治學興趣，仍舊在研究傳統學術，這就是〈章太炎致劉申叔書〉中所說的：「學術萬端，不如說經之樂，心所繫者，已成渠相。」㉞只是在雜揉西學和因應世論的交叉變異中，各別學者間差異逐漸擴大，整體精神亦非皖學舊貌，其中的幾個思考轉折，是國粹派學術中的新原素，是學派爲古文經學賦予的近代性意涵。雖然個別學者的學說特質，有程度上的不同，卻都無所逃於其中，故亦可視爲學派共相。

1.國粹派的興起，與晚清今古文之爭有密切的關係，然而這場爭論，卻有著與漢代今古文之爭完全不同的內容和意義。誠如周予同所說：

> 所以當時的青年界，在學術上，是經古文學與經今文學之爭；在政治上，是革命黨與保皇黨之爭，然其出發於中國舊有的文化，與僅僅注意政治組織之上層改革，則初無二致。㉟

㉜ 同前註。

㉝ 有關國粹派的新學知識系統，鄭師渠在《國粹、國學、國魂——晚清國粹派文化思想研究》有詳細的臚列分析，同註❹，頁59－106。

㉞ 見《國粹學報》第1年第1期。

㉟ 見〈康有爲與章太炎〉，《周予同經學史論著選集》（上海：上海人民出版社，1996年7月），頁110。

這樣的時代特質，使雙方在晚清爲摧毀儒學的神聖性，均做出不可抹殺的貢獻。但也同時的，各自又退回學術保守的陣地。《國粹學報》因此成爲專主古文的刊物，原本可能具進步意義的儒學批判工作，也框限在今古文之爭的模式中，用艱深古奧的文言文呈現，學者也因難以脫去經生色彩，而逐漸與時代脫節。

其實國粹派從「儒學批判」到「古學復興」的這條思路上，也有其學術上內在思維的因素。那是將孔學與君學對立，並視君主專制和儒學獨尊互爲表裏，在這樣的學術邏輯中，所謂「古學」是指儒學獨尊前的中國學術，包括先秦儒學和諸子學。提高諸子學的地位，視六經爲史料，這原本有可能達到「以復古爲革命」的進步形式，卻在過份誇大古學價值和作用的心理因素下，等同於倡導文化退化論。

2.「通經致用」原是皖派樸學的精神，曾爲國粹派學者，如劉師培、鄧實、黃節等所奉行，在排滿運動中發揮了積極的作用。但章太炎卻力排其非，以爲「通經致用」最初是漢儒干祿的藉口，不僅造成思想僵化，也造成經學自身的扭曲。章太炎的主張在辛亥以後，國事紛擾的環境裏，對國粹派學者產生了消極的影響，使許多人又躲回乾嘉考據的路上。

黃節的學術思想，基本上涵蓋在上述的嶺學和國粹派學說中。其中有一項明顯的特質，是濃厚的實學色彩，儘管有感當時學界紛亂，慨嘆說：「嗜新之士復大倡功利之說，以爲用即在是，循是而叫囂不已。」[36]然平生以詩救世之志，仍一本通經致用的書生本色，至於對詩學闡發、立說的根據，吳宓說：

> 黃先生之說詩，乃本於精確之研究，豐備之學識，而來爲正當之說，並發揮高深之義理，注重精神而事實無缺，廣搜材料而論斷極慎。故即不贊成黃先生之志者，亦莫不敬佩其學力。[37]

知又較辭章家有所不同，而是對阮元爲學的方法有較多的實踐。

---

[36] 同註[27]。

[37] 見吳宓：〈詩學宗師黃晦聞先生學術〉，同註[1]，頁 49。

參、《詩旨纂辭》解詩的方法與內容

檢閱黃節的著作，自《詩經》、漢魏樂府而下至顧炎武詩，取各家詩作，皆爲箋注，作爲詩學教授之本。其間隱然有一條以時代爲序，採總集、別集以爲解說的思路。《詩旨纂辭》述《三百篇》詩旨，居這一系列著作之首，似爲民初歌謠文學角度的《詩經》研究。其實不然，在這冊書中吸納了豐富的歷代《詩經》學專著，尤以清人著作爲多，內容涉及博物學、史地學、小學、辭章學……等。誠如胡樸安《詩經學・緒論》說：

> 《詩經》一書，溯其原始，只是文章。但經歷代學者之研究，《詩經》範圍日愈擴大。如陸璣之《毛詩草木鳥獸蟲魚疏》等，則爲《詩經》博物學……《詩經》既包有各類之學術，已非詩之一字所能該。[38]

黃節亦自云：「夫作詩者必盡求之三百，則經學所說詩亦已足矣。雖然詩之義存乎三百，而辭則與世而移。」[39]則是經學的《詩經》研究意旨明確，另又兼及辭章之美，示人以作詩之法。

一、詩學角度的結構

關於《詩旨纂辭》一書的內容架構，《續修四庫提要》說：

> 意主《毛傳》，《毛傳》缺者以《鄭箋》補之，低一格次經文下。案語低兩格次《傳》、《箋》下。……又次引詩，蓋采經子史中引經語文；次詩辭，蓋采漢魏六朝詩賦中用經字；末附重言、雙聲、疊韻等。……然引詩一類，無所考證，詩辭一類，徒獵華藻，俱於說經無與，不作可也。

對於全書的結構安排可謂釐然明確，只是從經說的角度批判，以爲「引詩」、「詩

[38] 見胡樸安：《詩經學》（臺北：臺灣商務印書館，1978 年 12 月），頁 1。

[39] 見黃節：《詩學》（臺北：學海出版社，1974 年 1 月），頁 1。

辭」兩項不作可也，卻是對黃節的用心未見其全。黃節《詩旨纂辭》書前雖無序例，但在《詩學》一書說：「夫詩三百篇，學者童而習之，然聞其義而忽其辭，則不能引諸吾身，以稱情而出，其失在不學作詩」，可見「義辭並重」才是得《三百篇》詩學之全。有關「義」、「辭」的定義有明確的說明：

> 《詩序》自〈鹿鳴〉以至〈菁菁者莪〉，述文武成康之治，治之以生人之道，所謂義者而已。《記》曰：詩以理性情，人之情時藉詩以伸其義，義寄於詩，而俗行之國，故義廢則國微。㊵

又：

> 天下方毀經，又強告而難入。故余於《三百篇》既纂其辭旨，以文章之美曲道學者，蘄其進闚大義，不如是，不足以存詩也。㊶

黃節以說詩爲職責，「義」是目的，「辭」爲手段，其中「引詩」一項，因「降及春秋諸侯卿大夫，交接鄰國，當揖讓之時，必稱詩以論其志，故孔子曰：不學詩無以言也。」㊷「詩言志」原爲孔門詩教綱領，勞孝輿（1697－1746）《春秋詩話》以爲：

> 若夫《詩》，則橫口之所出，觸目之所見，沛然決江河而出之者，皆其肺腑中物，夢寐間所呻吟也。豈非《詩》之爲教，所以浸淫人之心志而厭飫之者，至深遠而無涯哉！㊸

㊵ 同前註。

㊶ 見〈阮步兵詠懷詩注序〉，《學衡》第 57 期（1926 年 7 月），頁 4。

㊷ 同註㊴，頁 2。

㊸ 見勞孝輿：《春秋詩話》（廣州：廣東高等教育出版社，1997 年 4 月），頁 66。

所以列「引詩」以存詩教，是爲「義」的部分。至於舉《楚辭》以下至漢魏樂府援用《詩三百》者，則可見後世詩體的變化，及詩歌源於《三百篇》的脈絡。所謂「其流雖分，而其源則合，學詩者可以深觀矣」，是爲「辭」的部分。二者都是《詩旨纂辭》不可分割的部分。

二、列「引詩」以見詩教之旨，又助蒐羅存佚之功

朱自清從詩、樂關係，和教化觀點看詮釋《詩經》的歷史，以爲春秋時，《詩》被記載下來，是因爲音樂的因素。方其時，詩和樂合一、樂和禮合一。音樂的作用往往不脫政治教化，所以詩句的諷諫意義，是「用詩人之意」而非「作詩人之意」。故雖取斷章而無損於《詩》之本義。詩、樂分離之後，原屬「用詩」的教化綱領，遂一變而爲解詩的系統，說《詩》變成了「證史」，詩意的附會扭曲才開始。[44]《詩旨纂辭》另立「引詩」一項與解詩分別，是將「用詩人之意」與「作詩人之意」明白區隔，以表明並非欲以「用詩人」之意解詩，卻又「欲使學者繇詩以明志，而理其性情，於人之爲人庶有裨也。」[45]根據所錄引詩，考察當時的詩學活動，多屬君臣、同僚間的對答，內容則在議論政事、闡述德義、發揮爲國治事的理念，歸納其類又有：「引詩以言人倫綱紀」、「引詩以品評人物風範得失」、「引詩以見治亂之道」、「引詩以說地理風俗」……等。

又總計全書，引群經諸子者九十一條，以《左傳》四十七條、《禮記》十六條爲多；引兩漢子史雜著者二一五條，以《韓詩外傳》六十五條、《列女傳》四十八條、《漢書》十八條爲多。如此龐大的文獻資料，除見編輯纂述用功之勤外，對先秦兩漢詩說更有存佚的功用。尤其在瞭解三家詩義，和苴補佚文上，都可見黃節細密的功夫。如卷 5 頁 43《新序・節士篇》引〈碩鼠〉，黃節案曰：

石經《魯詩》殘石，樂郊下仍接樂郊，《呂氏春秋・舉難篇》高誘注引樂

[44] 見朱自清：〈詩言志辨〉，《朱自清古典文學專集》（臺北：宏業書局，1983 年 2 月）上冊，頁 193－234。相關論述亦可見顧頡剛：〈《詩經》在春秋戰國間的地位〉，《古史辨》（臺北：明倫出版社，1970 年）第 3 冊，頁 309－366。

[45] 同註[41]。

> 土樂土、樂郊樂郊俱重句，與《毛》同。劉氏治《魯詩》，而《新序》兩引適彼樂園、適彼樂郊重句，又與石經異。自當據石經，魯毛文同，《新序》兩引詩文，蓋傳寫誤也。

再引石經以證引詩之誤，知非《續修四庫提要》所言「無所考證」、「不作可也」。同爲嶺南學者的勞孝輿，從《左傳》中將有關詩和韻語的故事匯編成《春秋詩話》五卷，《四庫提要》評定：「編葺雖勤，殊無所取也」。這類著作在熟讀經書的年代裏，似乎都難得積學之士的肯定，但近代以來，儒家經典已非必讀書籍。這類著作則日益顯其價值和學術意義。[46]

三、解詩推本《毛傳》兼及補正

《詩旨纂辭》於解詩的部分採《毛詩》說，故於經文下列《毛傳》，《毛傳》缺者以《鄭箋》補，如此的安排，可解釋爲具有兩層含義：一是《詩》古文經說的立場，這與黃節的學術淵源，及撰述的時代背景有關，已見於本文第二章。一是從訓詁入手的解詩方法。雖然近代以來，學者對漢儒說經存在著一定的不信任。但不可否認的，嚴謹的訓詁方法，在解釋詩旨上具有一定的可信度。有關《三百篇》的解釋，在春秋中期以前是附帶在引詩、賦詩中進行，具有零散性和隨意性。到了戰國末期，才有專門的訓解。由於漢四家詩只有毛詩完整流傳，《毛傳》遂成爲離詩歌創作時代最近的一部全面性訓詁著作。[47]雖然宋代及民初反《序》的《詩經》研究，因有感於漢儒加在《詩經》上的神聖外衣，造成詩篇解讀的僵化和不合理，而主張以「涵泳本文」的方法，重新解詩。但畢竟《三百篇》創作的時代遙遠，難以今日之事揣度，所以周作人就曾提出警告說：「守舊的固然是武斷，過於求新的也容易流爲別的武斷。」[48]而嚴謹的學者，仍多借重前代訓詁，逐一比較釐

[46] 同註[43]。毛慶耆前言。此處引其言借以說明《詩旨纂辭》引詩部分的時代價值。正因二者有相同的著述宗旨，及遭否定的命運。

[47] 有關《毛詩詁訓傳》的訓詁方法，及在訓釋上的全面性、系統性、正確性、簡要性，詳見馮浩菲：〈論《毛傳》的貢獻和影響〉，《詩經國際學術研討會論文集》（保定：河北大學出版社，1994 年 6 月），頁 417－430。

[48] 見周作人：〈談〈談談詩經〉〉，《古史辨》第 3 冊，頁 589。

清，才下斷語，如俞平伯。[49]反觀黃節選擇以《毛傳》作爲解詩的基礎，實在不可僅視爲不加考辨的家法傳承。這一點從大部分的《毛傳》解釋下均有作者案語，可見一斑。

在黃節的案語中，臚列了大量的前人著作，其中尤以清人的考據成果爲多。其目的主要是對《毛傳》進行補正的工作，除了求更貼近詩的本意外，也是文獻整理的工夫。茲分述其成果如下：

㈠引諸家注疏以爲補正：黃節引諸家說詩，原是備參，非據以駁毛，然有《毛傳》缺文，及訓詁上明顯的錯誤，亦不左袒《毛傳》，據以補正之。如卷 2 頁 8《毛傳》「飛而上曰頡，飛而下曰頏」，案曰：

> 陳奐曰：《傳》文當是頡頏二字之互僞。凡鳥飛必仰上而盡往下，故《傳》先釋頏之，飛而上曰頏；再釋頡之，飛而下曰頡。

陳奐《詩毛氏傳疏》爲皖派毛詩校勘的代表作，黃節對其校勘成果多有所取。又如卷 4 頁 47「維子之故」句下，案曰：

> 故字《傳》、《箋》無釋，馬瑞辰曰：故當讀如〈式微〉詩「維君之故」，故猶難也。昭公屢遭放逐之難，故言維子之故。此可補《傳》、《箋》矣！

又卷 5 頁 5，《著》詩下，案曰：

> 陳喬樅曰：《正義》謂毛以首章言士親迎，二章言卿大夫親迎，卒章言人君親迎。鄭以爲三章共述人臣親迎之禮。偃師武億據《公羊》隱二年注，禮所以親迎者，所以示男先女也。夏后氏逆於庭，殷人逆於堂，周人逆於户，以釋此詩……較毛鄭說爲允。

---

[49] 同註[11]。

㈡引諸家注疏以存異義：黃節主《毛詩》說，於三家詩有異義者，往往附見並存。如卷1頁34，〈小星〉詩下，案曰：

> 魏源曰：〈小星〉之詩，王質謂婦人逆君子以夜行，章俊卿、程大昌皆謂爲使臣勤勞之詩，此《韓詩》說也。……蓋唐宋《韓詩》尚存是爲諸家說之所本。……《文選》魏文帝雜詩注曰：嘒彼小星，喻小人在朝也，亦用《韓詩》說，以易《毛詩》眾妾之喻……魏源從《韓詩》說附於此。

㈢引諸家注疏以校《傳》文：此針對《毛傳》傳本作文獻上的考訂。如卷 4 頁30，〈清人〉詩下，案曰：

> 何楷曰：〈清人〉作於鄭文公時，《傳》有明證，毛編在〈有女同車〉、〈扶蘇〉、〈蘀兮〉諸篇之前，皆序所指爲刺忽者。按昭公忽、厲公突，皆莊公子，而文公即厲公之子也，詩猶之史，必以世代爲次，豈宜越次如此，知《毛詩》之錯簡多矣。

又卷2頁26，《毛傳》：「慉，養也。」下，案曰：

> 馬瑞辰曰：《釋文》：慉，毛興也。王肅：養也。據此知注疏本作養者，從王肅本，非毛傳之舊也。

綜合以上材料，可知黃節在解釋《三百篇》之餘，也對《毛傳》作了整理研究的工作。保存了大量歷代《毛傳》學的成績。

四、善得典章制度、博物史地之學以闡發《詩》旨

在《詩旨纂辭》的內容中，採用典章制度、博物史地的角度以解釋詩旨的比例，占全書內容的相對多數。可見黃節對這部分材料的珍視，也展現了阮元在揚州學派中發展而成的實學精神。[50]對典章制度嫻熟的運用，原是訓詁家們在中國古代史上的卓越貢獻，在《詩經》學中亦是一門大學問，瞭解《詩經》中典章制度之文，固然有助中國上古社會狀況的研究，對釐清《詩》旨又往往有關鍵性的作用。如卷3頁10，《毛傳》：「定，營室也。」下，案曰：

> 定星名，《爾雅・釋天》營室謂之定。定星昏見，正居四方之中，《毛》以視定星而正南北，遂以營宮室。《鄭》以定星昏中，小雪之時，可以營宮室。胡承珙曰……辨方記時，義未始不可相通。惟營建宮室而定四方，既有揆之以日矣，故以此詩首句爲記時，於義更順，於文亦不複。

至於博物之學，因《詩經》中草木鳥獸蟲魚，皆由觀察實驗所得，故可視爲博物之祖。而「因物求義」，正是探求詩句中比興之旨的重要方法。如卷 2 頁 17，《毛傳》「棘心難長養者。」下，案曰：

> 《埤雅》云：棘性堅彊賫風之長養者，其心之生更難於幹，凡木心堅者最難長，自萌芽而至於盛大，其久可知，故以爲母氏劬勞之興矣。

因《毛傳》釋棘只有二處，一作棗木、一作赤心，皆因文見義。至於其他詩之棘心均無《傳》。黃節爲使此詩（〈凱風〉）的興義更明，乃引《埤雅》說明之，甚契詩意。至若因疏於名物考辨，而致惡例，書中亦列舉以爲提醒。如「流離」是鳥名，少好長醜。原作「留離」，今本作「流離」，乃後人所改，卻造成宋人自王安石以後，以「漂散」解「流離」，正是失之毫厘，謬以千里。儘管如此，但如解〈羔羊〉一詩，因感學者如陳奐、胡承珙等糾纏於裘制之用絲多寡、皮革表裏，而說「說詩當釋名物，然亦不可因名物而失詩旨，此類是也。」[51]可見善用而不偏執

[50] 有關阮元實學研究的成果與方法，參見楊向奎：〈阮元《儀徵學案》〉，《清儒學案新編》（濟南：齊魯書社，1994 年 3 月）第 5 卷，頁 378－406。

[51] 見《詩旨纂辭》（1936 年北京大學鉛印本）卷 1，頁 30。

的態度。

肆、對《詩序》的態度

如果黃節解《詩》的態度，是民初經學的《詩經》研究，《詩序》便是他要保守的重要依據。所以他集眾家說以闡明《詩序》非衛宏所作，是對民初反《序》學者普遍認同「《詩序》為衛宏所作」的防禦工作。[52]衛宏作《毛詩序》的記載，最早見三國吳陸璣《毛詩草木鳥獸蟲魚疏》，後為南朝宋范曄《後漢書》移錄至〈衛宏傳〉中，但直到南宋鄭樵才被據以為懷疑《詩序》的思考，清代今文家進一步引作辨偽角度取證，民初學者基於「若《詩序》為衛宏所作，便非聖人本意」的思維，更積極的想證成此說。可能因秉受嶺學在文字訓詁上的訓練，黃節於列舉歷代學者論證，仍無以解《後漢書・衛宏傳》所言：「宏從曼卿受學，因作《毛詩序》」的說法之餘，特別著意於胡元玉說：「宏傳言善得風雅之旨，善字乃義字之偽」。並進一步考得「《說文》善字下云，此與義、美同意，又《大雅・文王》昭宣義問，《毛傳》曰：義，善也。《禮記・緇衣》章義癉惡，《釋文》云：義《尚書》作善，是證此二字古來互訓互用」。《續修四庫全書總目提要》以為「千古疑團，一朝冰釋，誠快事也。」[53]這樣的說法，其實並不具絕對的說服力，至少不足以撼動民初的反《序》思潮，反而凸顯為舊學所囿的困境。僅管後來學者，提出更多的論證，使《詩序》非衛宏所作的可能，得到更合理的說明，並無助於挽救民初舊材料、舊方法在學術研究上所呈現的疲弱現象。

黃節在《詩序》的議題上，較令人可喜的論點，反而是《詩旨纂辭》中漢宋兼採、調合今古的多重視角。《詩旨纂辭》前三卷沒有明標《序》說，唯有第四卷於各詩篇前列《小序》，《序》下雙行列《鄭箋》，不加案語。眞正解詩的內容都在《毛傳》後的案語。其中博採歷代《詩經》學著作，內容涵蓋：文字訓詁、名物

---

[52] 有關民初反《詩序》學者，對《詩序》作者的考辨，林慶彰在〈民國初年的反《詩序》運動〉一文有詳細的論說。同註[11]。他說：「從民國十二年（1923）鄭振鐸的〈讀毛詩序〉起，連續有二十多篇論辨《詩序》的文字，幾乎都以為《詩序》是東漢衛宏所作。」

[53] 同註[1]。

考據、版本校勘……等。不一定與《詩序》有關，較明顯的意圖是：凸顯經辯證精確的訓詁，是正確了解詩意的方法。至於是否要鞏固《詩序》不可懷疑的神聖性卻顯得模糊。如大量採用姚濟（按當爲「際」的誤字）恒的說法，姚際恒去《序》言詩的主張是民初反《序》運動的思想根源之一。[54]黃節不但採用他的考證文字，且部分地贊成他對《序》說的懷疑。如卷 2 頁 14，〈擊鼓〉一詩，《小序》謂：怨州吁。姚際恒列舉六點以證明隱四年州吁伐鄭之事與本詩經文不合。黃節照錄全文，且案曰：

> 此詩乃衛穆公背清丘之盟救陳，爲宋所伐。平陳、宋之難，數興軍旅，其下怨之，而作此詩也。

另於其他著作中，對《序》說的質疑，亦頗有所取。如卷 2 頁 21〈匏有苦葉〉一詩魏源博採群籍，以證「衛宣公與夫人初無烝淫之說，何容誣以刺詩。」黃節案曰：

> 此辨《序》說刺衛宣公與夫人爲淫亂，而申明詩義，至爲可從。

至於《傳》因《序》生義的現象，是《傳》對《序》說的過分引申，也是造成古文經說扭曲的原因之一。黃節對此也能有所說明，如卷 1 頁 9〈樛木〉詩，案曰：

> 宋劉克曰：樛木之義，他不見於傳記，其岐雍之所產歟？毛氏之訓其以《詩序》而生此義耳。竊詳詩辭……劉氏此說與諸家從《序》「后妃逮下說」異，然其說始安、中大、終成，則自來諸家說此詩所未及者，蓋可採也。

劉克所說是否較《序》說爲佳，姑且不論，然而歷來說詩者不敢稍違序說所造成的

[54] 見林慶彰：〈姚際恒與顧頡剛〉，《中國文哲研究集刊》15 期（1999 年 9 月），頁 454。

扭曲，卻是黃節所確知的。

至於宋代廢《序》派學者，如朱熹、王質、劉克等的說法，亦頗有採取，甚至有將《朱傳》與《毛傳》同列者。唯一較明顯的反駁《朱傳》，都集中在卷四的《鄭風》。如卷四頁 23〈將仲子〉詩，案曰：

> 至朱子據鄭樵之說，以此爲淫奔者之辭，嚴虞惇駁之謂：〈將仲子〉、〈野有蔓草〉、〈褰裳〉、〈風雨〉、〈有女同車〉、〈蘀兮〉此六詩，朱子皆以爲淫奔之詩。而見於《左傳》列國大夫所賦詩，當時皆見美於叔向、趙孟、韓宣子，而伯有賦〈鶉之奔奔〉，則趙孟譏之，以爲床笫之言不踰閾，則知淫詩固不可賦於宴饗之時，而此六詩非淫奔之詩也，然則《小序》之言信矣。

又頁 53〈風雨〉詩，案曰：

> 朱子以此詩爲淫奔之女，言當此之時，見所期之人而心悅之，則大謬不客可從，楊大可、魏源、胡承珙諸人，嘗舉史傳中引用此詩有合《序》義者，痛駁之。

又頁 55〈子衿〉詩，案曰：

> 朱子以爲淫奔之詩，王柏《詩疑》至欲以此詩附於重刪之列，不知朱子後日作〈白鹿洞賦〉云：廣青衿之遺問，樂菁莪之長育，蓋仍從《序》說也。

可見對朱子淫詩說，及王柏刪淫詩說，直欲痛駁之的情感，只是反駁的思路仍繞回《序》說的框架。綜上所述則黃節基本上是守《序》的主張，只是對《序》說抱有可質疑的彈性，非僵化固守。可惜的是仍在前代經說中打轉，未能提出較明確的新主張。

伍、結語

結合以上各節所述，我們仍可相信黃節在傳統學術的思考上，有其深刻性和時代性；對於《詩旨纂辭》一書，亦可見其用功之深、學問之博。然而卻很難說黃節的《詩經》研究是進步的、具新義的。這其中有兩個最基本，且可避免的限制：

一、未能有效的使用新材料和新方法

大體而言，在傳統學術研究的範疇裏，民初大部分具進步意義的研究成果，均不得不對新材料、新方法有所倚重。對此黃節充分認知到新學的知識系統，在解決近代中國的諸多問題，有其迫切性，且深愧自己不能通曉西學。因爲這樣的自覺，所以在許多文章中，均可見他對新學的敏銳度及努力的成果，卻獨不見運用在《詩經》的研究上。如文字語言之事，是講習《詩經》最宜致力的事。[55]也是清代樸學家極爲突出成就，誠如楊向奎所說：

> 漢學家的哲學思維是通過語義分析，以求文字本義，而推闡其理論。戴震長于此道，段（段玉裁）、王（王念孫、王引之）兩大家由此而發展了我國文法學科。阮元繼承了戴氏，于此有比較突出的成就。[56]

其中歷史分析和統計歸納兩項，是阮元重要的治學方法。黃節的舊學根柢源自阮元，於此當別有心得，但未見發揮。如《詩旨纂辭》卷 1 頁 6，《毛傳》「言，我也」下，案曰：

> 陳奐曰：全詩言字，有在句首者，爲發聲，若〈漢廣〉言刈其楚之類是也。有在句中者，爲語助，若〈柏舟〉靜言思之之類是也。言皆不作我解。唯此詩之「言告」、〈泉水〉之「言邁」、〈彤弓〉之「受言」、〈文王〉之「永言」訓爲我者。當是相傳詁訓如此。

---

[55] 傅斯年對《詩經》研究即執此看法。見傅斯年：〈詩經講義稿・敘語〉，《傅斯年全集》（臺北：聯經出版事業公司，1980 年 8 月），第 2 冊。

[56] 同註[50]，頁 397－898。

以「當是相傳詁訓如此」作為問題的結論，顯然是難以讓人信服的。反觀胡適於一九一二年寫成的〈詩三百篇言字解〉便是樸學中統計歸納方法的延伸，其論證雖存在著瑕疵，卻是個方法上的示範。而在民初許多擁有豐富舊學識的人，正是苦於找不到一個系統，可以將這些知識貫穿起來，以表現其現代意義，胡適的新觀點和新方法，便恰好發揮了決定性的轉化作用。[57]此亦正是黃節所欠缺的。

二、固守傳統的寫作形式

雖然不少文化保守主義學者，已看到中國文字自身的弱點。如劉師培便主張漢文的改革要從「俗語」和白話文入手，使文體平易近人，智愚悉解。[58]但大多數的國粹派學者仍堅持用艱深古奧的文言文寫作。再則由於民族主義情緒，而過度誇大古學的歷史地位，且因此自足於埋首古籍之中，使他們大多數的研究成果，難以被大眾明白接受。黃節用《毛傳》的原始格式，作為《詩旨纂辭》的基本架構，又以集解的模式臚列引據的歷代《詩經》學著作，使全書包裝在傳統注疏的格式中。這不僅使思考受到束縛，難以容納新元素。再則未加標點的內容中又有因疏於校對產生的錯誤，使讀者望而卻步。這是使作品在時代中失卻光彩的重要因素。

---

[57] 關於胡適在近代學術上的這一層意義，詳見余英時：〈中國近代思想史上的胡適〉，《中國思想傳統的現代詮釋》（臺北：聯經出版事業公司，1995年12月），頁519－574。

[58] 見劉師培：〈中國文字流弊論〉，《劉申叔遺書．左盦外集》（南京：江蘇古籍出版社，1997年3月）下冊，頁1440－1441。

經　學　研　究　論　叢
第 九 輯　　頁145～162
臺灣學生書局　2001 年 1 月

左還右還後說圖錄

陳秀琳*

左和右是一對相對的概念。按照我們現代的語言習慣，順時針方向的轉動叫作右轉，反時針方向的轉動叫做左轉。但在中國古代，事情並不是這樣。王文錦老師曾經搜羅先秦文獻，就此問題逐一進行檢討，證明在那些文獻裡，「左還」（還，音旋）是指順時針方向的轉向或轉行，「右還」是指反時針方向的轉向或轉行。可惜該稿因故已經散逸，今不得其詳。

做爲一種先秦文獻，《儀禮》也出現左還、右還等詞語，而且完全可以適用王老師的結論。但是，清代以來這一問題紛糾極甚，影響所及，現在也有些學者還表現在解釋上的混亂。出現這樣混亂局面的原因，可以舉出幾方面的因素：一是語言習慣的變化。古代的左還是現在的右還，這自然會影響後世的解釋；二是這問題本身很瑣碎，無關大義。在進行某種典禮時，人要從 A 點到 B 點轉行，或者在 A 點轉身。這時候不管往哪個方向，結果都一樣，一般來說是比較無所謂的。這從一方面講是無關重要，從另一個角度來看也意味著缺少論定方向的明確根據；三是我們的語言是非常有限的一種思想工具，往往寫的人自己很清楚，讀者瞢然不知其意，甚至產生誤會。比如清末學者曹元弼說：「左還，則由東面還而北面，由北面還而西面。」但他同時也有「左還者，由北面而東面而南面」的說法。這不是完全相反的方向？反復揣摩他的意思，我們纔能知道他自己並沒有矛盾。但是這一例子也可以說明，單單靠語言討論問題是相當困難的。實際上，我們分析清代學者對左

*　陳秀琳，東京大學東洋文化研究所助教授。

還右還問題的各種解釋，就會看到其間充滿著對過去學說的不理解和誤解。

《儀禮》中的左還和右還，王老師已經給我們提示正確的解釋了。因此可以說，左還右還的公案，在經學上或者在《儀禮》學上是已經得到解決，沒有必要再作討論。我現在作這〈圖錄〉，爲的是利用圖像的方式，將歷代學者心中所想像的各種不同的解釋，明確地揭示出來，並且錄存這一原來很簡單的問題，卻讓他們弄得越來越複雜的歷史。

一、注疏說

鄭玄及賈公彥的解釋同王老師的論定相符合。在他們心目中，左還是順時針方向的轉向或轉行。除了轉動的方向同現代的左轉相反外，我們還要注意他們所說的左還可以分析爲兩種不同的情況。即一、在同一地點轉身子，轉變面朝的方向。二、行跡成弧形的行走。爲了行文方便，本文將前者稱小還，後者稱大還。（圖一）

大概對鄭玄來說，左還右還是屬於不假說解而自明的事情，所以他沒有留下直接說明左還、右還的注文。賈公彥也沒有特別論證左還右還的定義，不過還是出現了「以左（右）手向外」的說法。

> ⑴〈聘禮〉：「賓致命，公左還北鄉。」注：「當拜。」疏：「公升受賓致命時西鄉，以左手鄉外迴身北面乃拜，故注云當拜。」

在這裡「公」由面朝西轉身面朝北，按情況，這無疑是不帶移動的小還，而且完全沒有理由讓「公」作反時針方向 270 度的轉向。所以僅從經文的情節考慮，這裡的「左還」是順時針方向的小還無疑。賈公彥對此作了「以左手鄉外迴身」的說明。

> ⑵〈鄉射〉：「上射揖進坐，橫弓，卻手自弓下取一个，兼諸弣，順羽且興，執弦而左還，退反位，東面揖。」

上射東面取矢，左還而往西方原來的位置回去。對此賈公彥也說：「言左還者，以

左手向外而西回。」（圖二）

(3)〈燕禮〉：「司正升酌散，降，南面坐奠觶。右還，北面少立；坐取觶，興；坐不祭卒觶，奠之，興；再拜稽首。左還，南面，坐取觶。」注：「右還，將適觶南，先西面也。必從觶西，爲君之在東也。」疏：「右還，謂奠時南面，乃以右手向外而西面，乃從觶西南行，而右還北面。若從觶東而左還北面，則背君，以其君在阼故也。」

(4)〈大射〉（經文與(3)同，惟「右還」上有「興」字爲異。）注：「將於觶南北面則右還，於觶北南面則左還，如是得從觶西往來也。」

(3)、(4)二例儀節全同。因爲是以觶爲中間，在其南北走來走去，位置關係較容易清楚，所以也做爲後來議論左還右還的焦點。按注疏的解釋，這裡的左還右還是大還。司正先在觶北面朝南，「右還」經過觶西轉行到觶南；由觶南面朝北的位置再「左還」，也經過觶西轉行回到觶北。注說「先面西」，並不是經文「右還」本身的解釋，而是說右還（大還）時先要轉向西，然後轉行。換言之，要作右大還時先須作左小還，否則祇能像螃蟹一般橫行了。（圖三）

賈公彥解釋左還右還用「以左（右）手向外」的說法，可能在當時是比較通行的。時間比賈公彥稍晚的義淨在其〈南海寄歸內法傳〉中介紹曾有一位中國學士說：「右手向內圓之名爲右繞，左手向內圓之名爲左繞。」這位學士的觀點雖然跟賈公彥對左還右還的理解相反，但其用左右手之內外來說明問題是共同的。

南宋朱熹著《儀禮經傳通解》，對〈儀禮〉的解釋基本都沿用了鄭玄、賈公彥的觀點。然而他對賈公彥「以左（右）手向外」的說法有很好的補充說明。他說：

(5)〈燕禮〉云「司正右還」，疏云「以右手向外」者，以奠觶處爲內而言也。〈鄉射〉云「三耦左還」，疏云「以左手向外」者，以所立處爲內而言。

在這裡朱熹給我們闡明賈公彥同樣用「以左（右）手向外」說解的左右還，其實也應該分別大還和小還兩種不同情況來看待。他舉的第一種情況是我們在上面看過的例(3)，是大還；後一種情況是上面例(2)，是小還。(2)的左小還，賈公彥說「以左手向外」，朱熹說「以所立處爲內」，我們不妨想像以右腳著地爲中心軸，按著順時針方向轉向的狀態。

二、敖繼公說

〔元〕敖繼公著《儀禮集說》，在《儀禮》學史上具有特別重要而且非常特殊的意義。《三禮》之學，以鄭玄爲不祧之祖，唐初賈公彥、孔穎達等疏以及朱熹《經傳通解》等皆以鄭玄注爲本，至於乾嘉以後學者尤其對他推崇備至。在這二千年的《儀禮》學史上，祇有敖繼公能夠和鄭玄分庭抗禮，獨自對經文進行深刻的探討，樹立一套全新的解釋體系，而且用十分簡括的體裁表達出來了。因爲《集說》深入淺出，語言往往過於簡單，如果想要眞正了解其中每一句注解的理論根據，必須在其全書範圍內進行全面徹底的鉤稽探索工作。不幸的是，不像鄭玄注有賈公彥疏已經相當成功地做到這一點，敖氏的《集說》，後世沒有一部給它作疏釋的著作，也沒有人做他的知音，十分精確地理解它。祇要看到唯一通行的通志堂刻本有很多嚴重的錯字，而清代學者引用時幾乎都沒有能校正這些錯誤，是對這種情況的最好的說明。雖然如此，也就是因爲它語言淺顯，而且體系性比較顯著，明代及清代初期敖繼公的說法特別受歡迎，一時影響之大並不下於鄭玄注。一直到了乾隆中期以後，學者纔開始對《集說》進行批判的檢討，隨後在學術上推崇鄭玄的風氣下，敖繼公越來越被漠視，甚至到清末，曹元弼竟稱敖繼公爲禮教罪人。

現在平心而論，正如褚寅亮等清代學者所批評，敖繼公確實有故意跟鄭玄說作對的地方。但是這些地方大部分又都是鄭玄說並沒有經文上的確鑿根據，敖繼公提出新的解釋雖然可以說大可不必，卻也得承認他自己也能夠自圓其說。

關於左還右還的問題，敖繼公提出了明確的定義。

(6)〈鄉射〉「當楅南皆左還」，敖說：「左還者，以左體向右而還也。於楅前必左還者，以楅東肆，宜順之。」

敖說「以左體向右而還」，與上引(5)朱熹說「以左手向外者，以所立處爲內而言」相符合。敖氏後一句是據此經具體情況而說：這時人在楅南面朝北，而楅的設置方向是「東肆」——以西爲上，以東爲下——，所以人也應該順著楅的上下方向而左還。這自然是順時針方向的小還，敖說與注疏一致。（圖四）

再看一個例子：

> (7)〈鄉射〉司射誘射節：「及物揖，左足履物，不方足，還，視侯中。」
>
> 敖說：「還，謂右還而南面也。右還者，爲下射宜向上射也。」

這時司射從南方走到「物」（表示射箭位置的標識），自然是面朝北。到了「物」就要「還」，準備射箭。因爲靶子在南方，「還」了以後要面朝南。由面朝北轉向面朝南的 180 度的「還」應該是右還。爲什麼？敖氏說是因爲下射應該面朝著上射。司射誘射本來是爲了給後來三耦射箭示範的。三耦都是上射與下射一對一對，而這時司射雖然是一個人，是站在下射的位置。上射在西，下射在東，將來下射作同樣動作時，如果左還那就要背朝著上射了，是爲非禮，所以應該右還。因而現在司射也應該要右還。（圖五）這樣看來，敖氏所說的右還也是反時針方向的小還，他所理解的左還右還的方向同注疏說一致，毫無疑問了。（圖六）

敖繼公對左還右還的理解同注疏一致，但他在解釋〈燕禮〉時卻出現了同鄭玄注完全相反的觀點。

> (8)（經文與(3)同）敖說：「將於觶南北面則右還，於觶北南面則左還，皆欲從觶東往來也。」

細心的讀者會注意到，敖氏說的前兩句是直接借用鄭玄注〈大射〉的語言（見(4)）。問題就出在第三句——鄭玄說「如是得從觶西往來也」，敖繼公說「皆欲從觶東往來也」。這樣兩說完全相反的情況，我們不妨參考古人所畫的兩種圖。（圖七）一種是採自宋代楊復的〈儀禮圖〉。楊氏是朱熹弟子，這幅圖也是按著鄭玄說的。另一種採自清朝《欽定儀禮義疏》的〈禮節圖〉。該圖以楊〈圖〉爲藍本，然而因爲在這問題上採用敖繼公說，所以將楊〈圖〉的東西倒過來了。

敖氏爲什麼要將鄭玄說之西改爲東？敖氏在上舉引文下繼續說：「必從觶東者，變於在堂者升席降席之儀而由上也。司正之位東上。」原來敖氏認爲堂上升席降席的儀法，皆以由下爲正。這一觀點就和鄭玄不同，而且也許比鄭說更好，不過現在不必去多管它。敖氏在這裡根據堂上升席降席皆由下的自說，而認爲司正在堂下應該跟在堂上相反，去位就位都由上。司正之位以東爲上，所以要離開觶北南面之位時要由東方，要就觶南北面之位時也要由東方。同樣，要離開觶南北面之位而就觶北南面之位，也都要由東方。因此司正往來觶之南北都應該由觶的東邊。敖氏的說明對我們沒有很大的說服力。因爲對堂下沒有筵席的離位就位，一般不考慮上方下方的問題，而且敖氏說司正以東爲上，也並沒有確鑿的根據。所以後人認爲敖氏故意要跟鄭玄作對也是很自然的。但是反過來看鄭玄的說法，鄭玄說要從觶西往來是因爲君在東方。他這樣根據所謂的「禮意」來推論的說法也不免帶有較大的主觀性，雖然說得通，也不能證明非如此不可。敖氏大概是看到了這一點，所以纔敢提出與其相反的觀點。

剩下有一個問題必須說明清楚。既然敖氏對左還右還的理解同注疏說一致，而且在這裡經文明說「右還」、「左還」，他們說司正的行跡怎麼會一個在西一個在東呢？這是因爲鄭玄用大還來解釋經文「右還」、「左還」，而敖繼公卻用小還來解釋「右還」、「左還」。我在介紹注疏時已經說過，按著注疏說，這裡經文的「右還」意味著右大還，而且在作右大還之前還必須作左小還。因爲是以觶爲中心的轉行，從大體上說應該認爲是右還。但就具體動作再作分析，這一右大還也包括先左小還，再轉行，到了觶南又一次右小還而北面的過程。敖繼公是著眼於細處的。他將經文的「右還」理解爲右小還。觶北南面，右小還則面朝東了。於是再由觶東轉行到觶南，而北面。（圖八）

我們認爲經文的原意大概就像鄭玄所說，這裡的「左還」、「右還」是大還。因爲據王老師的考證，先秦文獻當中的左還右還都包括大還和小還，而在這裡司正是繞著觶走來走去，經文說「左還」、「右還」則解釋爲大還更自然。但是如果不考慮這種我們推測的「原意」，衹從經文文字上討論問題，敖繼公的解釋果然也沒有違背經文。再從邏輯上考慮，敖繼公說還有可以取消大還，所有左還、右還都可以做爲小還解釋的好處。

三、附說

敖繼公對經文的分析、對具體儀節的考察是十分精細的。左還右還的問題祇是其中一個例子。在這裡我不能專門討論敖繼公的學術，不過還想強調，敖繼公《集說》的存在，在經學史上或者在經學史研究上所具有的重要價值。敖繼公能夠提出那麼多跟鄭玄不同甚至相反的解釋，而且基本上沒有違背經文，也保持邏輯上的完整性。這意味著過去有些人想過的「以經釋經」的解釋方法祇能說是一種美好的理想，實際上是不可能完全做到的。我想南北朝唐初的學者全面信從鄭玄注，將鄭玄注與經文一視同仁，經學的實際內容都變成鄭學研究，是對的。不然的話，異說蜂起，沒有可能折衷一是，學術會變成沒有規則的遊戲。曹元弼疾呼敖繼公是禮教罪人，也是對的。因爲如果不盲目推崇鄭玄，而容許像敖繼公那樣的自由解釋，其結果祇會顯示聖人制作經文的不完整性。

現在已經不再有人理睬聖人制作那一套，沒有必要維護經書的權威性，曹元弼地下有知，也可以感到放鬆了。但是我們也不能將兩千年來祖先研究經學的歷史一筆勾銷。《易》有哲學，《詩》屬於文學，《書》、《春秋》是歷史，如今都有新的歸宿，過去的經學現在都成功的翻身。在踐踏舊時學術的基礎上，有關古代的新學問呈現了繁榮的景象。恭喜，恭喜！不過，祇有《禮》就是不一樣，沒有什麼可以「批判地繼承」的。就是因爲如此，《儀禮》學的歷史，我想我們可以從純粹經學史的角度去研究，可以不考慮誰是誰非，不考慮他們研究得出來的結果，而專門探討他們的學術本身。這時候，我們將要必須重點討論敖繼公。

四、清《義疏》說

乾隆十三年撰定的清朝《欽定義疏》，承受明代以來主要根據敖繼公的風氣，在很多問題上都認同敖氏的觀點。例如上文提到過的堂上升席降席的由下由上問題，《義疏》也支持敖說，並且具體指出鄭說所存在的問題。在〈燕禮〉司正右還左還的問題上，《義疏》也認同敖說，如上文所說。它說：「左還、右還，敖氏之說析矣。」我說過敖氏的分析是精細的，《義疏》說的也不錯。接著《義疏》又說：「如注疏則左右相反也。」這就不好了。《義疏》正確地理解敖氏說，知道敖氏將「右還」、「左還」理解爲小還，卻不理解注疏說，仍用小還去讀注疏，竟稱「左右相反」。可以說是知其一而不知其二者。

在《義疏》以前，就這問題而言，明代郝敬《儀禮節解》專述敖說，清初蔡德晉《禮經本義》轉據郝說，乾隆元年刊姜兆錫《儀禮經傳參義》則專據注疏，至於張爾岐《鄭注句讀》乃全書都述注疏而已。要之，都沒有並提注疏說和敖說，討論兩說的得失。所以《義疏》的這種說法或許可以視爲以後左還右還問題混亂的開端。

五、褚寅亮說

乾隆四十九年王鳴盛爲褚寅亮《儀禮管見》作序說：

> 學問之道，史學不必有所專法，而字學、經學則必定其所宗。文字宜宗許叔重，經義宜宗鄭康成，此金科玉條斷然不可改移者也。褚先生於敖氏洞見其癥結，驅谿其霁霧。嘻，先生豈好辨哉！辨敖氏之失而鄭氏之精乃明，鄭注明而經義乃明也。

褚氏自序則曰：

> 敖氏之意似不專主解經，而維在與康成立異。特含而不露，使讀之者但喜其議論之創獲而不覺其有排擊之跡。由是後之言《禮》家主鄭者十之一二，主敖者乃十居八九矣。究之以敖氏之説深按經文，穿鑿支離，破碎滅裂，實彌近似而大亂矣。

其實《管見》一書中，也有捨鄭從敖的，也有暗述敖說的，這並不是專門攻擊敖氏的書。但也可以肯定褚氏的精力主要放在辨定敖說的得失，權衡鄭、敖兩說上。《欽定義疏》的態度是鄭、敖並重，擇善而從，而且實際上多傾向於敖。幾十年之後風氣就大不一樣，王氏都敢說「經義宜宗鄭康成，此金科玉條斷然不可改移者」，也許是屬於極端的，但是褚氏之意固然也在於闡明鄭說。所以凡是鄭說可通而敖說不同的地方，褚氏就要述鄭駁敖，衹有鄭說不甚通而敖說可通的情況下纔引述敖說。他對敖氏的態度是批判的，認眞的，但卻缺少要眞正瞭解敖氏意圖的熱情。因而他沒有全面而系統地分析敖說，《管見》往往出現不理解或者誤解敖說的情況。

褚氏研究《儀禮》時經常參考《欽定義疏》，這是有據可言的。衹是因爲是「欽定」的，而其內容多根據敖說，如果提到它也不便批評，所以《管見》沒有明說到《義疏》的地方而已。上文介紹了《義疏》就〈燕禮〉司正右還左還的問題說：「如注疏則左右相反也。」現在褚氏說「敖氏謂由觶東，則與經文左右適相反矣」，將《義疏》的話又倒過來了。褚氏還說：「日月五星右還，亦自北向西，自西向南也。天左還，亦自南向西，自西向北也。敖氏如何以右還爲自北而東，左還爲自南向東耶！」這很明顯是根據鄭玄用大還的解釋來批評敖說是「適相反」。

其實，褚氏固然也知道小還的存在。如對(7)〈鄉射〉誘射節，褚氏說：「左足履物，勢必右還其身而後向南。」這當然是小還。大概褚氏雖然對小還、大還兩種情況都有瞭解，卻沒有分別兩種的概念，所以對司正繞著觶的轉行衹能想像大還，因而也不能瞭解敖氏的意思了。

六、朱大韶說

朱大韶《實事求是齋經說》收錄在南菁書院《續經解》中，大概可以認爲是道光時期的著作。未見有單刊本，而胡培翬《儀禮正義》所引與《續經解》本之間有較大的出入，可以推測是胡培翬和王先謙分別根據不同的抄本。考慮到這種情況，現在我們看到的《經說》並不一定全部都是由朱氏最後定稿，有些內容也許不過是朱氏的草稿，並不準備發表的。另外，大概也由於同樣的原因，這本書中存在較多的錯字。在討論朱氏說之前，我先說明這兩點。

《經說》中有一篇《駁敖氏左還右還說》，顧名思義是專門批評敖氏左還右還說的一篇文章。他說：

(9)〈燕禮〉之左右還，經本易曉，無庸辭費。「司正南面坐奠觶，右還，

> 北面少立」。南面以西爲右，從觶西則以右手鄉外而東面，乃北面，故曰右還。云「左還，南面坐取觶」者，北面以西爲左，從觶西則以左手鄉外而東面，乃南面，故曰左還。若從觶東而行，是以右還爲左，以左還爲右矣，未審其意。

最後一句和褚寅亮的說法一樣，以爲若如敖說左右相反，「未審其意」。朱氏的觀點基本上是根據注疏說的，不過按照這裡所寫的說法，也有些不一樣。他說司正右還時原來南面，「而東面，乃北面」；左還時原來北面，「而東面，乃南面」（圖九）。這樣的話，應該像螃蟹的斜行，如上文說過，而且跟〈燕禮〉鄭注說「右還將適觶南，先西面也」顯爲矛盾。

另外，朱氏也批評我在上文(6)所舉的敖說。朱氏說：

> 敖云：「於楅南左還，以楅東肆，宜順之。」案：東西有定位，左右無定名。人北鄉則以東爲右，西爲左。敖既云北面坐而取矢，當改左爲右乃合。安得云從楅東而還？還，轉也。所謂左還、右還者，皆謂以左手、右手鄉外而轉也。北鄉從楅東而還，是右還。

敖說我在上文已經解釋過。（圖四）敖氏本來是說「以楅東肆，宜順之」，朱氏居然解釋爲「從楅東而還」，並且認爲這樣的話應該說右還纔對。（圖十）兩幅圖相比較，我們可以看到朱氏誤解敖說誤解得太遠了。這也是我懷疑這篇文章也許不一定是朱氏定稿的原因。

七、盛世佐說

盛氏《儀禮集編》有其師桑調元在乾隆十二年所作序，盧文弨《儀禮注疏詳校自序》也說乾隆十三年索觀其書，「已裒然成書」。那麼此書的撰成時間比《欽定義疏》稍早，或者說大約同時。盛氏搜羅先儒釋《儀禮》各說特別完備，可以認爲是清初以前《儀禮》學之集大成。他自己的看法與《義疏》相比，更傾向於注疏，但不像褚寅亮那樣墨守，對敖繼公等說也沒有故意排斥。另外往往也有他自己直接根據經文演繹出來的觀點。可惜流傳不廣，雖然被《五禮通考》引用其說，《四庫全書》也著錄過，直到嘉慶九年纔有了刊本，所以在當時的影響就不能很大。後來胡培翬撰《儀禮正義》時也將它做為重要的參考資料，特別是和左還右還問題有關的〈鄉射〉、〈燕禮〉、〈大射〉等篇胡培翬沒能自己撰成，而由楊大堉補撰，《正義》的內容幾乎完全與盛氏《集編》相同。然而在其後的黃以周、曹元弼等研究《儀禮》，又將《正義》做為主要的參考書，所以盛氏說對他們的影響就很大了。

盛氏對左還右還的理解，在我看來是很獨特的。他在〈鄉射〉（經文見(2)）對左還右還下了明確的定義。

> (10)左還，向左而還也。敖云以左體向右而還，非。反位，反其楅西東面之位也。蓋東面者以北爲左，左還則面北矣。於是遂西轉，南向，至其故處，而仍東面焉。（圖十一）

上射東面，以北爲左，左還則面北矣。這種動作按照我們的說法是右小還。盛氏的左還首先是反時針方向的小還，自然與敖說相反。

> (11)〈大射〉「兼挾乘矢，皆內還，南面揖」。鄭注：「內還者，上射左，下射右。不皆右還，亦以君在阼，嫌下射故左還而背之也。上以陽爲內，下以陰爲內，因其宜可也。」敖氏說：「上射左還，下射右還，皆鄉內，故總以內言之。皆內還者，由便也。」盛氏說：「內還者，先以身鄉堂而還也。上射東面，左還則鄉堂；下射西面，右還則鄉堂。凡敖氏所解左還右還皆與注說相反，今不從。」（圖十二）

堂在北方，盛氏說上射東面，左還則鄉堂。這種動作按我們的說法是右小還。在(10)、(11)二例，盛氏既然認爲敖氏與鄭注說左還右還相反，同時也說自己不從敖說。這就是說，盛氏自己認爲他的說法就是鄭玄的說法，而且與敖氏說正相反。現在按照我們的理解來評論，可以說盛氏對敖說的理解不錯，而對鄭說誤解了。

我認爲盛氏這樣誤解鄭說的原因，就在於對〈燕禮〉的解釋。〈燕禮〉經文及注疏說見⑶、⑷，敖說見⑻。盛氏在這關鍵地方並沒有多講話，而衹說：「右還說見〈鄉射禮〉。敖云從觶東，非。」他說「說見〈鄉射禮〉」，指的是上引⑽的說法。他否定敖繼公從觶東的說法，則是認爲當從彈西，如鄭玄所說。上文我們看到過盛氏以爲左還則向左而還，先作反時針方向的小還，而且這纔符合鄭玄的意思。這樣來看，我們可以推想盛氏應該是注意到〈燕禮〉注「右還將適觶南，先西面也」的說法。右還而先西面，那麼右還應該意味著順時針方向的小還。（圖十三）實際上，整部《儀禮》當中，就是〈燕禮〉的司正繞著觶右還左還（〈大射〉同）是個關鍵，這一地方解釋過了，其他地方怎麼也可以說得過去。就像⑽、⑾的例子，我們理解的鄭說與盛氏說轉向的方向完全相反，但這並不構成解釋上的矛盾。至若像⑴那樣按照盛氏的理解本來不能解釋好的地方，就是以絕口不談爲妙了。

〈燕禮〉的解釋，注疏說如圖三。敖繼公對左還右還本身的理解與注疏說不異，但將注疏說用大還解釋的經文「右還」、「左還」改用小還去解釋。於是出現經由觶東的新說（圖八）。現在盛世佐在表面上完全依據鄭玄說，卻將經文「右還」、「左還」主要做爲小還解釋，同時將其方向倒過來了。盛氏對鄭說的改造，將兩個因素同時都反過來，就是負乘負爲正的道理，司正仍然可以在觶西往來。這可以認爲是第三種新的解釋方案。我們也可以注意到以左還爲反時針方向、以右還爲順時針方向的方向觀念，與現在我們的語言習慣相合，在禮學史上這種觀點正從盛氏開始使用，而且爲後來黃以周、曹元弼等所因襲。

盛氏「左還，向左而還」的定義，雖然有些含混，綜合⑽、⑾的說法考慮，應該理解爲包括反時針方向 90 度的小還（向左）和其後的轉行（而還）。不過因爲小還以後的轉行容有不同的方向，不能說得很明確。依據圖十一、圖十二、圖十三等情況，製爲盛說左還概念圖（圖十四）。

八、黃以周說

黃以周《禮書通故》成書於光緒四年。此書自是清代禮學的最高成就，可與孫氏《周禮正義》媲美。胡玉縉評論說：「發撝禮學，上自漢唐，下逮當世，經注史說，諸子雜家，義有旁涉，牽皆甄錄，去非求是，務折其中，是當『體大思精』四字。」大概沒有人會不同意這種評價。不過，他對左還右還的解釋卻弄得很複雜。

〈射禮通故二〉第三十四條，介紹上舉⑾〈大射〉鄭、敖兩說以後，黃氏自下案語說：

> 此當以敖說爲長。內還者，向堂而還，即所謂以君在阼是也。既拾取矢捆之，兼挾，必皆北面向堂而還。

黃氏比較二說而認爲敖說較長。其實鄭、敖都認爲上射左還，下射右還。所不同的不過是對這種動作的含意的理解，我們現在可以不管它。黃氏說「內還者向堂而還」，跟⑾盛氏說同，是認爲上射左還是由東面而北面，下射右還是由西面而北面。（參圖十二）可見黃氏的左還是反時針方向，右還是順時針方向，同我們的理解左右正反。但是，〈射禮通故二〉第三十三條，黃氏也有這樣的說法：

> ⑿右還者自西而南而東，左還者自南而西而北。敖氏說左右還與鄭相反，未是。

這樣說，又好像跟我們對注疏說（大還）的理解相合。黃氏的意思到底如何？在這裡，關鍵還是對〈燕禮〉的解釋。〈燕禮通故〉第二十九條，介紹⑶的經文和鄭說、⑻的敖說以及我們在第五節檢討過的褚說以後，自下案語說：

> 從鄭注，「右還」句絕，謂向右手而還也。南面右還，北面左還，皆由觶西。敖讀「右還北面」爲句，則往來由觶東，而左右適相反矣。褚說左右還亦似是而非。

黃氏說，鄭敖二說的不同在於經文的句讀——鄭玄讀：「右還。北面。」敖氏讀：「右還北面。」黃氏在說的無疑是小還、大還的不同。讀爲「右還。北面。」則右還和南面是兩件事情，先右還，後南面。換言之，「右還」專指右小還，而「北面」意味著到觶南北面位的大還轉行。讀「右還北面」，則是一件事件，「北面」不過是「右還」的結果。這「右還」自然意味著大還。那麼，按黃氏的說法，則經文「右還」鄭氏理解爲小還，敖氏理解爲大還。這跟我們的理解完全相反。但是也不要緊，我們上面也看到過黃氏的右還是我們的左還，黃氏的左還是我們的右還。這樣來的話，也是按照負乘負爲正的道理，鄭說的司正仍然可以走觶的西邊，敖說的司正也仍然可以走觶的東邊。（圖十五）

黃氏對鄭說的理解，實際上可以說沿襲盛氏而已。至於對敖說，盛氏的理解同我們一樣，雖然他以爲敖氏將反時針方向的小還叫做右還是不對。黃氏則以爲敖氏理解的「右還」是順時針方向的大還。黃氏理解的敖氏說，我們可以認爲是繼盛氏之後對〈燕禮〉司正右還左還的第四種新的解釋，雖然他自己也不同意這種觀點。

現在瞭解到黃氏的觀點以後，再回頭看⑿的黃氏的說法，就可以知道，黃氏的意思並不是說右還是自西而南而東的轉行，而是說作過右還（即順時針方向的小還）的人接著要作自西而南而東的轉行（即反時針方向的大還）。

最後還要指出，左還右還的問題也要關係到對「相左」、「相右」的解釋問題。鄭玄以後，歷代學者對《儀禮》中所說「相左」、「相右」的認識基本一致。然而黃氏就提出了與眾相反的解釋。在左還右還的方向以及相左相右的方位的認識上，黃氏對鄭說的理解都和我們相反，這在黃氏的理論體系中構成相輔相成的關係。

九、邏輯圖

上文說過，就〈燕禮〉司正右還左還的問題而言，注疏說是第一種說法，敖氏提出了新解釋爲第二種，盛世佐說（就是盛氏所理解的鄭玄說，也爲黃以周所認同）是第三種新解釋，最後黃氏對敖說的理解是第四種解釋。我想在此用圖表的形式整理這四種說法。（圖十六）各家說的分歧點祇有三個：一是對左還方向的理解。在圖表上，以右還理解爲反時針方向，以左還理解爲順時針方向則標＋號，相反則標－號。二是司正要經由觶西還是要經由觶東。在圖表上，認爲司正要經由觶西的標＋號，相反則標－號。三是將經文的「右還」、「左還」理解爲大還還是理解爲小還。在圖表上，當大還理解的標＋號，當小還理解的標－號。我們這樣定義＋－號，是爲了以注疏說作爲標準的方便。在圖表上注疏說三項都＋，其他三種解釋與注疏說不同，自然不可能三項都＋。而且由於邏輯上的要求，要對注疏說在一個分歧點上持不同見解，必然在另一個分歧點上也要跟注疏說不同，也不能三個分歧點都和注疏說相反，否則陷入矛盾。這就是我在上文中提到過的負乘負爲正的道理。在這圖表上每一種解釋的三項＋－符號相乘的結果必須是＋。

我們通過這一圖表可以清楚地看到，在考慮這三項分歧點的條件下，這四種就是所有可能的解釋，不可能再有第五種。換句話說，在注疏說之後，從敖繼公到黃以周，這些學者們將所有可能的異說都提出來了。

十、曹元弼說

黃以周的弟子曹元弼，在其《禮經校釋》卷六，專門討論左還右還的問題。他「將經注反覆推求」的結果，又推出了新的觀點。像我在上第九節總結的那樣，到了黃以周，變動三種因素可能想像的所有解釋已經出齊了，所以曹氏的新說是比較特殊的。雖然在邏輯上說得通，但是按照常情也很難接受。所以在這裡對他的觀點衹作簡單的介紹，供讀者參考。

他對左還右還的定義是：「左還者，向左而還也。」這是借用盛世佐定義的語言，但其內容其實並不同盛氏說一樣。盛氏的定義主要著眼於小還，而曹氏的定義則就大還而言的。盛氏的「向左而還」，可以理解爲轉向左方，然後還行；曹氏的「向左而還」，乃是向左方轉行的意思。還有一個重要的特點是，按曹氏說，轉行的人要向斜前方或斜後方旁行。這一點也像朱大韶說（圖九）。現在將曹氏所論各種情況綜合起來，作一概念圖應當如圖十七。

我對曹氏說衹是覺得過於穿鑿。首先這種動作，特別像斜後方的旁行，太不自然。其次，按曹說，他在這裡舉例的〈鄉射〉、〈燕禮〉等很多情況就算都可以說得通，但是其他地方比如〈大射〉第三番射節注「樂正西面受命，左還東西命大師」，還有如(1)的〈聘禮〉經文等都不好解釋，而且對這些地方曹氏都沒有任何交代。

十一、後語

注疏說很容易明白，敖氏說原來也很清楚，但是清人或誤解或不理解，而且他們自己的說法卻不容易明白。我對每一家的說法一個一個地進行分析，作成這篇〈圖錄〉，現在就覺得清代學者特別可惡。因為我對「經」沒有什麼感情，而他們衹知道要闡明他們的「經義」。因為我對過去學者的每一部著作，凡是態度認眞的，都覺得很可愛惜，想要眞正瞭解那些作者的意思，而他們卻沒有那種興趣，衹想將那些著作當作自己研究的工具。他們既然沒有對賈公彥、敖繼公進行認眞的研究，而且還引用他們不理解甚至誤解的說法。但是，我們對他們也不宜要求太高，因為他們畢竟不是經學史家，而不過是經學家。

我們現代的學術是繼承清代學術的，這一點是無可否認的。如果現在有人敢說他的學問是獨立於清代以來的傳統，那他衹是在暴露自己的無知無學。但是，一味推崇清代學者，也是不對的。據說陳垣先生最稱讚汪輝祖，認為汪氏《元史本證》以紀、傳、表、志互相考證，不出本書之外，找出其本身自相矛盾之處，作者當無辭以自解。在史學領域裡，近代學者的成就已經超越了清代學者。既有《二十四史》、《通鑑》等的校勘工作，也有像《胡注表微》的讀書成果。近代的史學研究，可以說在繼承清代學術的基礎上，更進一步有所發展，所以某人作陳先生挽詞，有「不為乾嘉作殿軍」一句。相比之下，經學文獻的研究仍然處於十分落後的狀態。這裡面，客觀條件的變化使得經學文獻的研究一直被冷漠，自然是一個很大的原因，但是我也不免懷疑，這也是由於近代以來學者過於尊重清代經學，結果一直沒能擺脫他們的窠臼，沒有想到從純粹文獻學的角度去對待問題。《元史本證》的考證方法是文獻學或者說凡是要讀書的人都應該想到、作到的最基本、最平實的方法，而從未有人用這種方法去研讀歷代經學文獻。我們現在按這種方法去讀書，則清代至現代的學者不理解或誤解賈疏、敖說的例子可以隨手舉出百十條。也可以知道，到目前為止，連《十三經注疏》都沒有像樣的校本。經學本來是清代學術的主要方向，成果也是最豐碩的。然而經學文獻研究落後的慘狀，實際上足以使每一個外行人都會驚嘆不已。現在應該認為，經學文獻的整理研究是我們必須要認眞進行的，而且不幸地具有開拓性的重大課題。

附圖

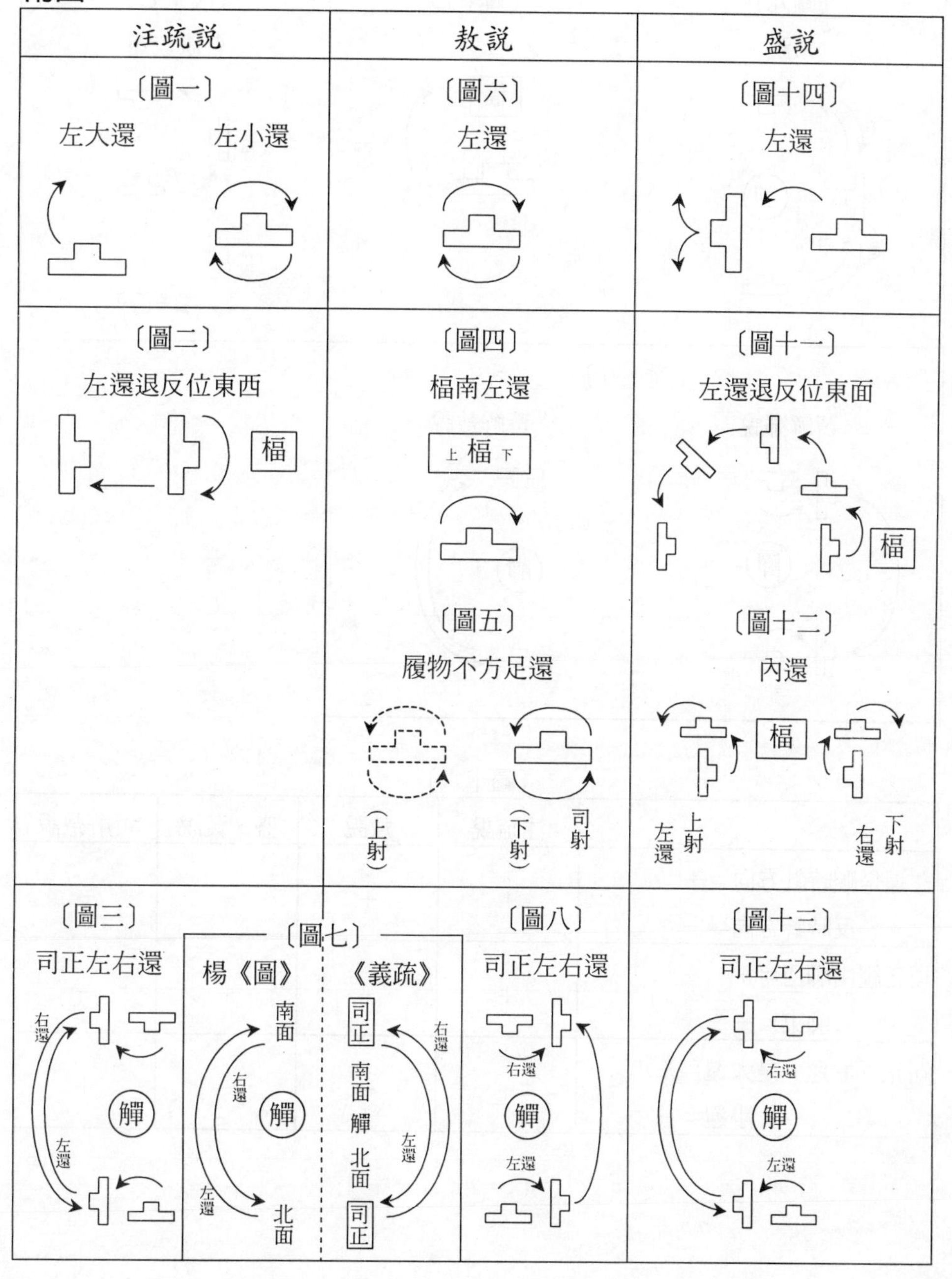
注疏説
敎説
盛説
〔圖一〕
左大還
左小還
〔圖六〕
左還
〔圖十四〕
左還
〔圖二〕
左還退反位東西
楅
〔圖四〕
楅南左還
上 楅 下
〔圖十一〕
左還退反位東面
楅
〔圖五〕
履物不方足還
（上射）
（下射）
司射
〔圖十二〕
內還
楅
左還
上射
右還
下射
〔圖三〕
司正左右還
右還
左還
觶
〔圖七〕
楊《圖》
南面
右還
觶
左還
北面
《義疏》
司正
南面
觶
北面
司正
右還
左還
〔圖八〕
司正左右還
右還
觶
左還
〔圖十三〕
司正左右還
右還
觶
左還

〔圖九〕

朱說

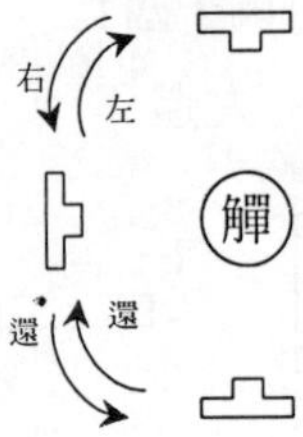

右 左

觶

還 還

〔圖十〕

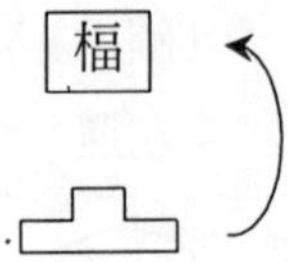

福

〔圖十七〕

曹說左還

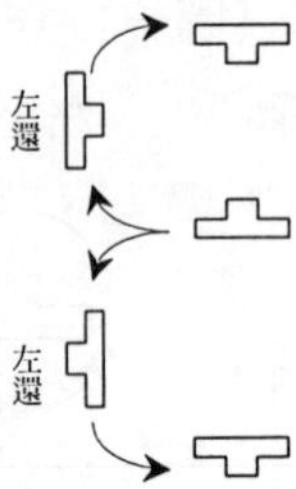

左還

左還

〔圖十五〕

黃解鄭說

右還

觶

左還

黃解敖說

右還

觶

左還

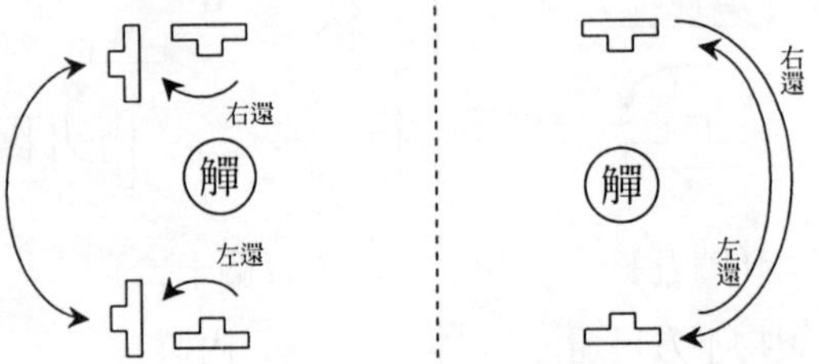

〔圖十六〕

	注疏說	敖說	盛、黃說	黃解敖說
左還是順時針方向＝＋ 反時針方向＝－	＋	＋	－	－
司正經由觶西＝＋ 觶東＝－	＋	－	＋	－
司正「右還」是大還＝＋ 小還＝－	＋	－	－	＋

經　學　研　究　論　叢
第　九　輯　　頁163～212
臺灣學生書局　2001 年 1 月

魏晉南北朝《春秋》學初探
——以史籍所錄《春秋》類著作為例

陳明恩*

壹、前言

在中國歷史上，魏晉南北朝是一政治紊亂、社會動蕩不安的時代。此三百七十年之經學（自建安二十五年〔西元 220 年〕曹丕篡漢自立，以訖開皇九年〔西元 589 年〕隋文帝統一天下，前後總計三百七十年），向有魏晉「經學中衰」、南北朝「經學分立」之說。❶考諸史籍所載，《三國志・魏書・王肅傳》注引魚豢《魏略》云：

> 正始中，有詔議圜丘，普延學士。是時郎官及司徒領吏二萬餘人，雖復分布，見在京師者尚且萬人，而應書與議者略無幾人。又是時朝堂公卿以下四百餘人，其能操筆者未有十人，多相從飽食而退。嗟夫！學業沈隕，乃至於此。❷

---

* 陳明恩，臺灣師範大學國文研究所博士生。

❶ 如皮錫瑞論及魏晉南北朝經學時，即以魏晉經學為「經學中衰時代」；南北朝經學為「經學分立時代」。《經學歷史》（北京：中華書局，1989 年），頁 141、170。

❷ 陳壽：《三國志》（北京：中華書局，1995 年），頁 421。

其後，唐初史家踵繼《魏略》之說，而魏晉「經學中衰」，幾成定論：

> 有晉始自中朝，迄於江左，莫不崇飾華競，祖述虛玄。擯闕里之典經，習正始之餘論；指禮法爲流俗，目縱誕以清高。遂使憲章弛廢，名教頹毀，五胡乘間而競逐，二京繼踵以淪胥，運極道消，可爲長歎息者矣。（《晉書‧儒林傳序》）❸

> 魏、晉浮蕩，儒教淪歇；公卿士庶，罕通經業。（《陳書‧儒林傳序》）❹

> 魏正始以後，仍尚玄虛之學，爲儒者蓋寡。時荀顗、摯虞之徒，雖刪定新禮、改官制，未能易俗移風。自是中原橫潰，衣冠殄盡，江左草創，日不暇給，以迄于宋、齊，國學時或開置，而勸課未博，建之不及十年，蓋取文具，廢之多歷世祀，其棄也忽諸。鄉里莫或開館，公卿罕通經術，朝廷大儒，獨學而弗肯養眾，後生孤陋，擁經而無所講習，三德六藝，其廢久矣。（《梁書‧儒林傳序》）❺

> 洎魏正始以後，更尚玄虛，公卿士庶，罕通經業。時荀顗、摯虞之徒，雖議創制，未有能易俗移風者也。自是中原橫潰，衣冠道盡。逮江左草創，日不暇給，以迄宋、齊，國學時或開置，而勸課未博，建之不能十年，蓋取具文而已。是時鄉里莫或開館，公卿罕通經術，朝廷大儒，獨學而弗肯養眾，後生孤陋，擁經而無所講習，大道之鬱也久矣乎！（《南史‧儒林傳序》）❻

今觀《魏略》所述，但謂「正始中，……學業沈隕」，並未明確指陳「魏晉……學業沈隕」；藉此以證魏晉「經學中衰」，似有過度詮釋之嫌。至於《晉書》、《陳

---

❸ 房玄齡等撰：《晉書》（北京：中華書局，1987 年），頁 2346。

❹ 姚思廉：《陳書》（北京：中華書局，1987 年），頁 433。

❺ 姚思廉：《梁書》（北京：中華書局，1987 年），頁 661。

❻ 李延壽：《南史》（北京：中華書局，1987 年），頁 1730。

書》、《梁書》、《南史》之說，幾乎異口同聲地認爲，兩晉崇尚玄風，是導致儒學寖衰最主要的因素。實則，就「兩漢儒學」（漢學）而言，兩晉崇尚玄風，或許是一項厄運；然若就「經學發展」而言，兩晉崇尚玄風，卻促成另一種經學形式的發展。❼以崇尚玄風言經學中衰，似屬偏見之辭，未可盡從。

至於南北朝「經學分立」之說，學界每引《北史．儒林傳序》以爲佐證。《北史．儒林傳序》云：

> 大抵南北所爲章句，好尚互有不同。江左：《周易》則王輔弼，《尚書》則孔安國，《左傳》則杜元凱。河洛：《左傳》則服子愼，《尚書》、《周易》則鄭康成。《詩》則並主於毛公，《禮》則同遵於鄭氏。南人約簡，得其英華；北學深蕪，窮其枝葉。❽

就《北史．儒林傳序》所言觀之，南北之學確有好尚不同之傾向；然其文明云：「《詩》則並主於毛公，《禮》則同遵於鄭氏。」顯然南北之學，異中有同，不能

---

❼ 學界之說，有以「經學玄理化」爲魏晉經學之主要特色者。說詳葉國良等著：《經學通論》（臺北：空中大學，1996 年），頁 519－526。話雖如此，魏晉經學亦不完全是玄理化之經學。馬宗霍云：「入晉以來，篤守漢學者，亦非絕無人也。如文立治《毛詩》、《三禮》；常勗治《毛詩》、《尚書》；何隨治《韓詩》、《歐陽尚書》；王化治《三禮》、《公羊》……。其書雖不傳、學雖不顯；而史志所載，不聞創新立異。足證猶是學之遺也。」《中國經學史》（臺北：臺灣商務印書館，1992 年），頁 68－69。

❽ 李延壽：《北史》（北京：中華書局，1987 年），頁 2709。今案：《北史》所謂「南人約簡，得其英華；北學深蕪，窮其枝葉」，似有「重南輕北」之嫌，近人多不從其說。如皮錫瑞云：「蓋唐初人重南輕北，故定從南學，而其實不然。說經貴簡約，不貴深蕪，自是定論；但所謂約簡者，必如漢人之持大體，玩經文，口授微言，篤守師說，乃爲至約而至精也。若唐人謂南人約簡得其精華，不過名言霏屑，騁揮麈之清談；屬詞尚腴，侈雕蟲之餘技。」《經學歷史》，頁 176。馬宗霍則云：「後儒因（案：指因循前引《北史．儒林傳序》之說）謂兩漢經學行於北朝，魏晉經學行於南朝。然一加尋索，則有不盡然者。……南朝於《易》，非專崇輔弼也。……南朝於《書》，非專崇安國也。……南朝於《左傳》，非專崇元凱也。……南朝實三傳並立，亦不止《左傳》矣。且《公羊》立何、《穀梁》立范、麋，明有其義，特通其義者少，故二《傳》浸衰耳。北朝諸經，信皆漢學。然……魏晉之學，北朝亦未嘗絕也。……必謂南爲魏晉之學，北爲漢學，見失之固。而如唐人所云『南人簡約，得其英華；北學深蕪，窮其枝葉』，又失之偏矣。」《中國經學史》，頁 76－78。

一概而論。今欲觀此三百七十年之經學，單憑史書隻字片語之記載加以引申，恐難盡得其實。蓋史籍所載，僅述其要；若非詳加考察，實不能輕下斷語。然此一問題牽涉甚廣，今僅以魏晉南北朝《春秋》學爲例加以考察，盼能略窺魏晉南北朝經學之一隅。

然而，今存魏晉南北朝《春秋》類著作，僅有杜預《春秋左氏經傳集解》、《春秋釋例》及范寧《春秋穀梁傳集解》三種，欲藉此以觀魏晉南北朝《春秋》學之全豹，實非易事；且二氏之作，體大思精，除非三言兩語所能備述其要外，亦非筆者能力之所及。故本文所論，擬以史籍所錄魏晉南北朝《春秋》類著作爲例，透過統計學之方法，以觀彼時《春秋》學之大略情形。爲免行文過於蕪雜，本文在分析魏晉南北朝《春秋》學時，將分「魏晉」與「南北朝」兩部分予以考察；同時，爲了讓讀者明瞭魏晉南北朝《春秋》類著作之概況，在進入正文討論之前，本文已根據《隋書・經籍志》、《舊唐書・經籍志》、《新唐書・藝文志》、《宋史・藝文志》、朱彝尊《經義考》、清人補魏晉南北朝諸《志》，及魏晉南北朝諸史所錄相關著作略作整理，列「魏晉南北朝《春秋》類著作一覽表」於〈附錄一〉[9]，以爲下文分析之準據。此外，由史籍之相關記載可知，魏晉南北朝尚有治《春秋》學但無著作著錄者，故另列「魏晉南北朝治《春秋》學而無著作著錄經學家一覽表」於〈附錄二〉，以爲分析之參考。以下即根據這兩份資料，就魏晉南北朝《春秋》學之「形式」加以考察，盼能提供另一思索之角度。

貳、魏晉《春秋》學之發展趨向

爲便於分析，茲將〈附錄一〉所列魏晉《春秋》類著作，透過數據化之方式表列如下：

---

[9] 本文〈附錄一〉所列魏晉南北朝《春秋》類著作，總計一百七十一種、一千零七十一卷。其中《春秋左氏傳條例》、《春秋義例》、《春秋義林》、《春秋大夫辭》、《春秋辨證》、《春秋左氏義略》、《春秋五十五凡義疏》、《春秋公羊穀梁二傳評》、《左氏評》、《左氏音》、《左氏鈔》、《春秋辭苑》、《春秋雜義難》、《春秋井田記》等十四種（序次158－171；此十四種《春秋》類著作乃據《經義考》所錄照列）、九十二卷，因著作年代及作者均未詳，故不在本文討論之列。

魏晉《春秋》類著作分析表⑩

類別／時代	總義類		左傳類		公羊類		穀梁類		三傳類		左公類		左穀類		公穀類		合計	
	種	卷	種	卷	種	卷	種	卷	種	卷	種	卷	種	卷	種	卷	種	卷
魏	0	0	13	93	3	18	1	12	3	10	0	0	0	0	0	0	20	133
蜀	0	0	1	*	0	0	0	0	0	0	0	0	0	0	0	0	1	*
吳	0	0	3	22	3	6	1	13	0	0	0	0	0	0	0	0	7	41
小計	0	0	17	115	6	24	2	25	3	10	0	0	0	0	0	0	28	174
晉	2	*	31	212	7	43	19	143	11	54	0	0	0	0	2	15	72	467
合計	2	*	48	327	13	67	21	168	14	64	0	0	0	0	2	15	100	641

以上魏晉《春秋》類著作一百種、六百四十一卷（不含卷帙不詳者）、《春秋》學家五十八人；若合併〈附錄二〉觀之，則經學家總數更高達一百零一人。卷帙之多、學者之眾，實非「中衰」所能解釋。⑪分別言之，魏晉《春秋》類著作計：總義類二種、卷帙不詳；《左傳》類四十八種、三百二十七卷；《公羊》類十三種、六十七卷；《穀梁》類二十一種、一百六十八卷；三傳類十四種、六十四卷；《公》《穀》類二種、十五卷。⑫茲就此一百種《春秋》類著作、一百零一位《春秋》學家分述如後，以觀魏晉《春秋》學之大要。

一、三國時期《春秋》學之發展趨向

如上表所示，三國時期《春秋》學以曹魏最盛，計：《左傳》類十三種、九十三卷；《公羊》類三種、十八卷；《穀梁》類一種、十二卷；三傳類二種、十卷，合計《春秋》類著作二十種、一百三十三卷。東吳次之，計：《左傳》類三

⑩ 本表加「*」號者，表示著作卷帙不詳，下同。

⑪ 此處僅就《春秋》學而言，若再加上其他治《易》、《詩》、《書》、三《禮》……等之學者，則魏晉時期經學著作總數及經學家人數將更數倍於此。

⑫ 當然，這樣的分類是有其侷限的。蓋透過「著作名稱」無法判定所有著作之「性質」；即使可以完全判定，這樣的判定亦僅是「形式上」的瞭解而已。就比較嚴格的意義上來說，這樣的劃分並不足以說明問題；然換一角度觀之，在魏晉《春秋》類著作大抵亡佚的情況下，形式上的考察仍有其實質上之效益，藉由此一步驟，亦可略窺魏晉《春秋》學之一斑。

種、二十二卷；《公羊》類三種、六卷；《穀梁》類一種、十三卷。合計《春秋》類著作七種、四十一卷。蜀漢最衰，僅《左傳》類一種，且卷帙不詳。就史籍所錄觀之，三國時期《春秋》學之發展趨向，主要有以下數端：

㈠三國時期《春秋》學以《左氏》學最受重視，計著作十七種、一百一十五卷；其中曹魏即佔十三種、九十三卷，實爲《左氏》學之重鎮。

㈡三國時期《公羊》類著作僅曹魏三種、二卷；東吳三種、六卷。相較於兩漢《春秋》學以《公羊》學爲主體之經學風尚，三國時期《公羊》學確有「中衰」之傾向。

㈢三國時期《穀梁》類著作僅曹魏、東吳各一種，合計二十五卷；可知《穀梁》學並非三國學者關注之重點。

㈣合併㈡、㈢點觀之，三國時期顯然有重古（文）輕今（文）之傾向。

㈤三國時期三傳類著作雖僅三種、十卷；然由此類著作可知，三國時期已有三傳比較研究的思潮出現。然因相關著作均已亡佚，無法得知三傳合論之著作，究竟是採取何種角度或方法評騭三傳；也無從得知論者對於三傳優劣之態度爲何。然此一思潮的出現，應與兩漢以來今、古文之爭所衍生之議三傳短長有關。⓭

二、晉代《春秋》學之發展趨向

相較於三國時期重《左傳》而輕《公羊》、《穀梁》之傾向，晉代《春秋》學雖以《左氏》學爲主體，然已略現兼容並蓄之趨勢。依上表可知，晉代《春秋》類著作計：總義類二種、卷帙不詳；《左傳》類三十一種、二百一十二卷；《公羊》類七種、四十三卷；《穀梁》類十九種、一百四十三卷；三傳類十一種、五十四卷；《公》《穀》類二種、十五卷，合計七十二種、四百六十七卷。就史籍所錄觀之，晉代《春秋》學之發展趨向，主要有以下數端：

⓭ 如《華陽國志・後賢志》云：「王長文字德雋，廣漢郪人也。……以爲《春秋》三傳，傳經不同，每生訟議，乃據經摭傳，著《春秋三傳》十二篇。」常璩：《華陽國志》（北京：中華書局，1985 年《叢書集成初編》本），頁 184－185。可見三傳類著作之出現與三傳互爭長短有關。至於其平議方式，程元敏指出：「長文《春秋三傳》十二篇，以《春秋經》十二篇爲本，曰『據經』；裁取《公》、《穀》、《左傳》文按諸事類分列於下，曰『摭傳』，用平訟議。」《三國蜀經學》（臺北：學生書局，1997 年），頁 85。

㈠《左傳》類著作居晉代《春秋》類著作之冠，計三十一種、二百一十二卷，可知《左氏》學持續受到晉代學者之重視。

㈡《公羊》類著作七種、四十三卷，顯示《公羊》學在晉代略有復甦之趨勢。

㈢《穀梁》學異軍突起，計著作十九種、一百四十三卷；實爲晉代《春秋》學另一論述重點。

㈣合併㈡、㈢點觀之，則晉代學者在今、古文此一問題上，並未如三國學者一般，有重古（文）輕今（文）之傾向；兼容並蓄，實爲晉代《春秋》學之一大特色。

㈤三傳類著作明顯增加，顯係三傳比較研究在晉代頗受關注。其說或調而釋之、或正而通之，實不同於專治一經者。⓮此一現象的產生，或與《公羊》學的復甦與《穀梁》學的突起有關。

㈥魏晉《春秋》類著作現存三種：杜預《春秋左氏經傳集解》、《春秋釋例》及范寧《春秋穀梁傳集解》，均集中於晉代；且杜預《春秋左氏經傳集解》及范寧《春秋穀梁傳集解》更被納入《十三經注疏》之中，且在《春秋》三傳注疏中分佔其二。可知晉代在《春秋》學發展史上具有關鍵之地位。

㈦總義類著作二種，其中郭瑀《春秋墨說》（〈附錄一〉，序次 083）單以《春秋》爲題，不知是否以《春秋經》爲研討對象；若然，則晉代已有棄傳從經之學術思潮出現。唯所著今佚，現已莫知其詳。

三、魏晉《春秋》學家之治學旨趣

本節有關魏晉《春秋》學家治學旨趣之分析，乃綜合有著作著錄與無著作著錄者而言；爲便於分析，茲將〈附錄一〉與〈附錄二〉所列魏晉《春秋》學家，透過數據化之處理方式，表列如下：

⓮ 馬宗霍云：「治三傳之學者，乃或調之、或通釋之，亦自我爲法，不同前人矣。即郭璞之注《爾雅》，自謂綴集異聞，會萃舊說，錯綜樊孫，博關群言。則亦以雜比成書。」《中國經學史》（臺北：學海出版社，1985 年 9 月），頁 68。

魏晉《春秋》學家治學旨趣分析表

類別／時代	治春秋		治左傳		治公羊		治穀梁		治三傳		治左公		治左穀		治公穀		合計		總計
	有	無	有	無	有	無	有	無	有	無	有	無	有	無	有	無	有	無	
魏	0	2	10	6	1	1	0	0	3	0	0	0	0	0	0	0	14	9	23
蜀	0	2	1	13	0	4	0	0	0	2	0	1	0	0	0	0	1	22	23
吳	0	0	3	6	2	0	0	0	0	0	0	0	0	0	1	0	6	6	12
小計	0	4	14	25	3	5	0	0	3	2	0	1	0	0	1	0	21	37	58
晉	2	0	11	5	4	0	10	0	7	1	1	0	1	0	1	0	37	6	43
合計	2	4	25	30	7	5	10	0	10	3	1	1	1	0	2	0	58	43	101
總計	6		55		12		10		13		2		1		2		101		101

說明：

1. 本表有關魏晉《春秋》學家治學旨趣之分析，有著作著錄（或記載）者，依其著作性質類分（著作性質之分判基準同〈附錄一〉「凡例㈣」）；無著作著錄（或記載）者，則依史籍所述爲準。表中第一欄「有」表示有著作著錄；「無」表示無著作著錄。
2. 凡經學家僅有一種著作，且其著作僅以一經爲對象者，入治該經類。如曹髦僅有《左氏音》（〈附錄一〉，序次 001）一種，且以《左傳》爲對象，故入治《左傳》類學者。餘此類推。
3. 凡經學家僅有一種著作，然其著作以二經以上爲對象者，則再加細分。如：韓益《春秋三傳論》（〈附錄一〉，序次 016）以三傳爲對象，故入治三傳類學者；江熙《公羊穀梁二傳評》（〈附錄一〉，序次 055）以《公羊》、《穀梁》爲對象，故入治《公》、《穀》類學者。餘此類推。
4. 凡經學家有兩種（含）以上之著作，且其著作僅以一經爲對象者，入治該經類。如王朗《春秋左氏傳注》、《春秋左氏釋駮》（〈附錄一〉，序次 004－005）均以《左傳》爲對象，故入治《左傳》類學者。餘此類推。
5. 凡經學家有兩種（含）以上之著作，且其著作以一經以上爲對象者，則綜合其所治經類之性質類分。如糜信有《春秋》類著作四種：《春秋說要》、《注春秋漢議》、《理何氏漢議》、《穀梁傳注》（〈附錄一〉，序次 011－014），可知糜氏實兼治《左傳》、《公羊傳》及《穀梁傳》，故入治三傳類學者。餘此類推。
6. 凡經學家著作以《春秋》或《春秋經傳》爲題，倘無其他著作足資判定其治學旨趣者，暫入治《春秋》類學者。如郭瑀《春秋墨說》（〈附錄一〉，序次 083）、虞溥《注春秋經傳》（〈附錄一〉，序次 082）。餘此類推。

以上魏晉《春秋》學家一百零一人，有著作著錄者五十八家、無著作著錄者四十三家。其中：治《春秋經》者六家；專治《左傳》者五十五家；專治《公羊傳》者十二家；專治《穀梁傳》者十家；兼治三傳者十三家；兼治《左傳》、《公羊傳》者二家；兼治《左傳》、《穀梁傳》者一家；兼治《公羊傳》、《穀梁傳》者二家。茲分述如後：

㈠三國時期《春秋》學家之治學旨趣：

如上表所示，三國時期《春秋》學家計有五十八人，其中：

曹魏二十三家（有著作著錄者十四家、無著作著錄者九家）。治《春秋經》者二家：荀爽、郭恩（均無著作著錄）；專治《左傳》者十六家：曹髦、王基、周生烈、王朗、董遇、樂詳、王肅、嵇康、曹躭、杜寬（以上有著作著錄）、賈洪、隗禧、謝該、李典、鍾繇、鍾會（以上無著作著錄）；專治《公羊》者二家：徐欽（有著作著錄）、嚴幹（無著作著錄）；專治《穀梁》者無有⓯；兼治三傳者三家：麋信、韓益、孫炎（均有著作著錄）。

蜀漢二十三家（有著作著錄者一家、無著作著錄者二十二家）。治《春秋經》者二家：秦泌、張浩（均無著作著錄）；專治《左傳》者十四家：李譔（有著作著錄）、張陵、張衡、張魯、劉備、譙周、向朗、劉禪、蔣琬、常寬、來敏、尹默、李密、李弘（以上無著作著錄）；專治《公羊》者四家：孟光、王化、劉寵、張裔（均無著作著錄）；專治《穀梁》者無有；兼治三傳者二家：陳壽、壽良（均無著作著錄）；兼治《左傳》、《公羊》者一家：諸葛亮（無著作著錄）。

東吳十二家（有著作著錄者六家、無著作著錄者六家）。專治《左傳》者九家：士燮、張昭、顧啓期（以上有著作著錄）、高岱、吳珩、孫權、諸葛瑾、張紘、程秉（以上無著作著錄）；專治《公羊》者二家：鮮于公、刁氏（均有著作著錄）；專治《穀梁》者無有⓰；兼治《公羊》、《穀梁》者一家：唐固（有著作著

⓯ 案：前述曹魏《穀梁》類著作有麋信《穀梁傳注》（〈附錄一〉，序次 014）一種，然麋信又兼治《左傳》與《公羊傳》，實爲兼治三傳之學者；準此，本文將麋信列入治三傳類學者。職是之故，所以會出現曹魏有《穀梁》類著作一種，但卻無專治《穀梁》之學者的情況。

⓰ 案：前述東吳《穀梁》類著作有唐固《春秋穀梁傳注》（〈附錄一〉，序次 022）一種，然唐固亦兼治《公羊傳》，實爲兼治《公羊》、《穀梁》之學者；準此，本文將唐固列入兼治

錄）。

準上所述，則三國時期《春秋》學之發展趨向，將與僅計有著作著錄者，略有差異：

1.曹魏：與前述情況大致相同，仍以《左傳》為主體。

2.蜀漢：前述蜀漢《春秋》類著作僅有《左傳》類一種，並無《公羊》、《穀梁》方面之著作。依此觀之，蜀漢《春秋》學確實頗為衰微。然若合計無著作著錄之《春秋》學家，則情況就大不相同。除治《穀梁》者無有與前述相同外，無著作著錄之經學家計有：治《春秋經》者二家、專治《左傳》者十四家、專治《公羊》者四家、兼治三傳者二家、兼治《左傳》、《公羊》者一家。可知蜀漢《春秋》學家人數頗眾，而以《左傳》為治學主體。以此觀之，正史有關蜀漢學術之記載，頗有失真之處。⓱

3.東吳：從前述東吳《春秋》類著作可知，東吳《春秋》學略有三傳並重之傾向；然若合計無著作著錄者，則情況亦略有差別。最大之差別主要表現在：史籍所錄東吳《左傳》類著作僅有三種，然若合計無著作著錄者，則治《左傳》者共有九家。以此觀之，東吳《春秋》學仍以《左氏》學為主。

㈡晉代《春秋》學家之治學旨趣：

如前文所述，晉代《春秋》類著作在種數上雖以《左傳》類最多，《穀梁》類居次、《公羊》類最少；然與三國時期比較起來，則有兼容並蓄之傾向。今觀無著作著錄者，其情況大致相同。如上表所示，晉代《春秋》學家四十三人，其中治《春秋經》者二家：虞溥、郭瑀（有著作著錄）；專治《左傳》者十六家：杜預、劉寔、京相璠、孫毓、荀訥、方範、殷興、干寶、范堅、黃容、王述之（以上有著作著錄）、孔坦、王敦、劉元海、劉和、劉宣（以上無著作著錄）；專治《公羊》

《公羊傳》、《穀梁傳》學者。職是之故，所以會出現東吳有《穀梁》類著作，但卻無治《穀梁傳》學者之情況。

⓱ 案：陳壽在編纂《三國志》時，彼時曹魏與東吳兩國已有《魏書》（王沈撰）、《吳書》（韋昭撰）、《魏略》（魚豢撰），以供其撰述之參考，故其所錄較詳；然彼時蜀漢無史，所有資料都是陳壽獨自蒐羅所得，故其所錄，不如魏、吳那樣豐富。説詳《三國志》中華書局編輯部「出版説明」，頁1—3。

四家：王接、王愆期、高龍、江淳（均有著作著錄）；專治《穀梁》者十家：張靖、徐乾、程闡、劉瑤、范寧、段肅、郭琦、聶熊、鄭嗣、沈仲義（均有著作著錄）；兼治三傳者八家：氾毓、劉兆、王長文、孔衍、胡訥、范隆、潘叔虔（以上有著作錄著）、董景道（無著作著錄）；兼治《左傳》、《公羊》者一家：李軌（有著作著錄）；兼治《左傳》、《穀梁》者一家：徐邈（有著作著錄）；兼治《公羊》、《穀梁》者一家：江熙（有著作著錄）。可見晉代《春秋》學雖以《左氏》學爲主體，然整體而言，則有兼容並蓄之傾向。

綜上所述，魏晉《春秋》學家人數頗眾、著作亦甚豐碩，以「中衰」視之，恐難盡得其實。在學術傾向上，三國與晉代則略有差異：三國時期《春秋》學主要以《左氏》學爲主體，相較之下，《公羊》學、《穀梁》學顯得相當薄弱，足見古文經學在三國時期實居學術之主流地位；而晉代《春秋》學則今、古文並重，呈現出兼容並蓄之風貌。其中杜預《春秋左氏經傳集解》、范寧《春秋穀梁傳集解》更居《春秋》三傳之二，可知晉代在《春秋》學發展史上具有關鍵之地位。

參、南北朝《春秋》學之發展趨向

爲便於分析，茲將〈附錄一〉所列南北朝《春秋》類著作，透過數據化之方式表列如下：

南北朝《春秋》類著作分析表

類別／時代	總義類		左傳類		公羊類		穀梁類		三傳類		左公類		左穀類		公穀類		合計	
	種	卷	種	卷	種	卷	種	卷	種	卷	種	卷	種	卷	種	卷	種	卷
南朝	3	*	29	188	3	14	3	8	1	*	0	0	0	0	1	10	40	220
北朝	0	0	9	51	1	*	0	0	6	67	1	*	0	0	0	0	17	118
合計	3	*	38	239	4	14	3	8	7	67	1	*	0	0	1	10	57	338

以上南北朝《春秋》類著作五十七種、三百三十八卷（不含卷帙未詳者）、經學家三十八人；若合併〈附錄二〉及《北史・儒林傳序》觀之，則經學家總數更

高達七十八人。⑱分別言之，南北朝《春秋》類著作計：總義類三種、卷帙不詳；《左傳》類三十八種、二百三十九卷；《公羊》類四種、十四卷；《穀梁》類三種、八卷；三傳類七種、六十七卷；《左傳》、《公羊》類一種、卷帙不詳；《公羊》、《穀梁》類一種、十卷。茲就此五十七種《春秋》類著作、七十八位經學家分述如後，以觀南北朝《春秋》學之大要。

一、南朝《春秋》學之發展趨向：

如上表所示，南朝《春秋》類著作計：總義類三種、卷帙不詳；《左傳》類二十九種、一百八十八卷；《公羊》類三種、十四卷；《穀梁》類三種、八卷；三傳類一種、卷帙不詳；《公羊》、《穀梁》類一種、十卷，合計四十種、二百二十卷。就史籍所錄觀之，南朝《春秋》學之發展趨向，主要有以下數端：

㈠南朝《春秋》學以《左氏》學爲主體，計著作二十九種、一百八十八卷。前引《北史・儒林傳序》曾指出：「河外儒生，俱伏膺杜氏。」然依現有資料觀之，南朝學者治《左傳》，仍有從服注者⑲；可見《北史》有關「河外儒生，俱伏膺杜氏」之判斷，並不夠周延。

㈡《公羊》、《穀梁》類著作各三種、合計二十二卷；顯示南朝今文經學較爲衰微。

㈢合併㈡、㈢點觀之，南朝《春秋》學亦有重古（文）輕今（文）之傾向。

㈣三傳類著作僅一種、且卷帙不詳；可知三傳比較研究並非南朝《春秋》學之發展重點。

㈤總義類著作三種（蕭子懋《春秋例苑》〔〈附錄一〉，序次 107〕、沈驎士

---

⑱ 《北史・儒林傳序》云：「河北諸儒能通《春秋》者，並服子慎所注，亦出徐生之門。張買奴、馬敬德、邢峙、張思伯、張奉禮、張彫、劉晝、鮑長宣、王元則並得服氏之精微。又有衛覬、陳達、潘叔虔，雖不傳徐氏之門，亦爲通解。又有姚文安、秦道靜，初亦服學氏，後更講杜元凱所注。其河外儒生，俱伏膺杜氏。」（頁 2709）其中馬敬德、邢峙、張思伯、潘叔虔、姚文安已見本文〈附錄一〉及〈附錄二〉，去其重複，計有九人。此九位《春秋》學家因無著作著錄，故一併計入無著作著錄《春秋》學家。

⑲ 《梁書・儒林列傳・崔靈恩傳》云：「靈恩先習《左傳》服解，不爲江東所行，及改說杜義，每文句常申服以難杜，遂著《左氏條義》以明之。」（頁 677）崔靈恩雖改說杜義，但卻「申服難杜」，可見服義對崔靈恩有很深遠的影響，非全然從杜說者。

《注春秋》〔〈附錄一〉，序次 108〕、簡武帝《春秋答問》〔〈附錄一〉，序次 112〕），均以《春秋》爲題，不知是否以《春秋經》爲研討對象；若然，則南朝《春秋》學似亦有棄傳從經之傾向。

二、北朝《春秋》學之發展趨勢：

如上表所示，北朝《春秋》類著作計：《左傳》類九種、五十一卷；《公羊》類一種、卷帙不詳；《穀梁》類無有；三傳類六種、六十七卷；《左傳》、《公羊》類一種、卷帙不詳。就史籍所錄觀之，北朝《春秋》學之發展趨向，主要有以下數端：

㈠北朝《春秋》學仍以《左氏》學爲主體，計著作九種、五十一卷。其中服杜元凱者有：賈思同《春秋傳駮》、姚文安《左氏駮妄》二種；依服子愼者則有：徐遵明《春秋義章》、李崇祖《左氏釋謬》、張思伯《左氏刊例》、樂遜《春秋序論》等。而姚文安之治學旨趣，據《北史・儒林傳序》所云，後又更講杜元凱所注；故北朝學者始終服杜者，僅有賈思同一人。既然北朝仍有服杜注之學者，則《北史・儒林傳序》有關「河北諸儒能通《春秋》者，並服子愼所注」之判斷，雖指出北朝《左氏》學之主要面向，但並不全面。然若相較於南朝，則北朝《左氏》學確有如《北史・儒林傳序》所稱：「江左……《左傳》則杜元凱。河洛：《左傳》則服子愼」（頁 2709）之現象。

㈡今文經著作僅有《公羊》類一種、且卷帙不詳；顯示北朝學者治經，仍存有重古（文）輕今（文）之傾向。《北史・儒林傳序》所謂「《公羊》、《穀梁》二傳，儒者多不厝懷」，確實道出今文經學衰微之事實。

㈢三傳類著作六種、六十七卷，佔北朝《春秋》類著作三分之一，可知三傳比較研究在北朝頗受關注。就此而言，南北朝之治學，確實有「好尙互有不同」之現象。

㈣北朝學者以明傳爲主，並無總義類之著作；與南朝相較而觀，亦可看出南北朝學者治學旨趣之不同。

綜上所述，南北朝《春秋》學以《左氏》學爲主體；《公羊》、《穀梁》類之著作不並多，僅《公羊》四種十四卷、《穀梁》三種八卷而已，且多集中於南朝。依此觀之，《公羊》、《穀梁》之學在南北朝實處於「中衰」之情況。至於南北朝之治學傾向，確有如《北史》所言：「好尚互有不同」。此一不同，主要表現在以下三個層面：

㈠南朝學者治《春秋》，有棄傳從經之傾向；北朝學者則以明傳爲主。

㈡南朝學者治《左傳》以杜注爲主；北朝學者治《左傳》則以服注爲主。然亦有例外者。如南朝崔靈恩「申服難杜」；北朝賈思同服杜注。

㈢南朝學者於三傳比較研究可謂「多不厝懷」；相反的，北朝學者則熱衷於三傳之比較研究。

依此三點觀之，可見《北史・儒林傳序》所云：「河北諸儒能通《春秋》者，並服子慎所注。……其河外儒生，俱伏膺杜氏。其《公羊》、《穀梁》二傳，儒者多不厝懷。……大抵南北所爲章句，好尚互有不同。江左：……《左傳》則杜元凱。河洛：《左傳》則服子慎」雖不夠全面，但確有其精闢之處。雖然南北朝《春秋》學多有相異之處，然亦有相同者：南北朝學者治學皆以《左傳》爲主體，且均有重古（文）輕今（文）之傾向。

三、南北朝《春秋》學家之治學旨趣：

本節有關南北朝《春秋》學家治學旨趣之分析，乃綜合有著作著錄、無著作著錄及《北史・儒林傳序》所載；爲便於分析，茲將〈附錄一〉、〈附錄二〉所列，及《北史・儒林傳序》所載南北朝《春秋》學家，透過數據化之處理方式，表列如下：

南北朝《春秋》學家治學旨趣分析表

類別／時代	治春秋		治左傳		治公羊		治穀梁		治三傳		治左公		治左穀		治公穀		合計		總計
	有	無	有	無	有	無	有	無	有	無	有	無	有	無	有	無	有	無	
南朝	3	0	13	15	2	0	2	0	2	0	0	0	0	0	1	0	23	15	38
北朝	0	0	8	22	0	1	0	0	6	2	1	0	0	0	0	0	15	25	40
合計	3	0	21	37	2	1	2	0	8	2	1	0	0	0	1	0	38	40	78
總計	3		60		3		2		10		1		0		1		78		78

以上治《春秋》者七十八家：有著作著錄者三十八家、無著作著錄者四十家。其中：治《春秋經》者三家；專治《左傳》者五十八家；專治《公羊傳》者三家；專治《穀梁傳》者二家；兼治三傳者十家；兼治《左傳》、《公羊傳》者一家；兼治《左傳》、《穀梁傳》者無有；兼治《公羊傳》、《穀梁傳》者一家。茲分述如後：

㈠南朝《春秋》學家之治學旨趣：

南朝《春秋》學家三十八人，其中：治《春秋經》者三家：蕭子懋、沈驎士、簡武帝、（均有著作著錄）；專治《左傳》者二十三家：謝莊、何始真、賀道養、杜乾光、吳略、簡文帝、沈宏、虞僧誕、田元休、沈文阿、張沖、王元規、蕭濟（以上有著作著錄著）、沈子鸞、沈穆夫、蕭道成、關康之、韋愛、裴邃、王筠、賀革、羊侃、嚴植之、王僧辯、謝貞、沈株、陸慶、徐伯陽（以上無著作著錄）；治《公羊》者二家：王儉、周續之（均有著作著錄）；專治《穀梁》者二家：孔默之、蕭邕（均有著作著錄）；兼治三傳者二家：劉之遴、崔靈恩[20]（均有著作著錄）；兼治《公羊》、《穀梁》者一家：孔君指（有著作著錄）。

前述南朝《春秋》類著作，主要以《左傳》爲主體，且重古（文）輕今（文）之態勢至爲明顯；今觀無著作著錄者，其情況大致相同。其中治《左傳》而無著作著錄之《春秋》學家高達十五人，更凸顯出此一情況。

㈡北朝《春秋》學家之治學旨趣：

北朝《春秋》學家四十人：其中治《左傳》者三十家：賈思同、衛隆、徐遵明、姚文安、蘇寬、李崇祖、張思伯、樂遜、（以上有著作著錄）、李孝伯、張吾貴、劉蘭、盧景裕、李業興、鮮于靈馥、邢峙、張耀、馬敬德、庾信、沈重、孫叔毗、楊汪、張買奴、張奉禮、張彫、劉書、鮑長宣、王元則、衛覬、陳達、秦道靜（以上無著作著錄）；治《公羊傳》者一家：梁祚（無著作著錄）；治《穀梁》者無有；兼治三傳者八家：李彪、辛子馥、劉獻之、李謐、李鉉、辛德源（以上有著

---

[20] 案：劉之遴與崔靈恩基本上是以治《左傳》爲主，其中劉之遴因兼治三傳（著有《三傳異同》，見〈附錄一〉，序次 118）、崔靈恩因兼治《公羊傳》與《穀梁傳》（著有《公羊穀梁文句義》，見〈附錄一〉，序次 129），本文將之列入治三傳類學者。

作著錄）、孫蕙蔚、房暉遠（以上無著作著錄）；兼治《左傳》、《公羊傳》者一家：高允（有著作著錄）。

前述北朝《春秋》類著作，主要以《左傳》爲主體，且同樣有重古（文）輕今（文）之現象；今觀無著作著錄者，其情況亦大體相同。比較突出的現象是，其中治《左傳》而無著作著錄《春秋》學家高達二十二人，同樣突顯出北朝《春秋》學以《左氏》學爲主體之事實。

綜上所述，南北朝《春秋》學實以《左氏》學爲主體；至於《公羊》學與《穀梁》學，雖不全然如《北史》所云：「儒生多不厝懷」，然今文經學漸趨衰微，則是不爭之事實。另就《左氏》學而言，學者所論，雖不必然「江左服杜、河洛依服」，然確有南北好尚不同之傾向。

肆、結論

魏晉南北朝《春秋》類著作雖已亡佚殆盡，然藉由史籍著錄情況之分析，亦可略窺其要。整體而言，魏晉南北朝《春秋》學具有以下幾項特點：

㈠魏晉《春秋》類著作一百種、六百四十一卷、《春秋》學家一百零一人；整體而言，並無「中衰」之現象。所謂「中衰」，實僅限於今文經而已；且今文經之中衰，亦僅限於三國及南北朝時期，晉代今文經並無中衰之傾向，反而呈現復甦之趨勢。

㈡南北朝《春秋》學確有「南北分立」之傾向，《北史》所論，確實道出南北朝治經之不同取向；然異中有同，不能一概而論。

㈢魏晉南北朝《春秋》學以《左氏》學爲主體，計著作八十六種、五百五十六卷，經學家一百一十三人；《穀梁》學次之，計著作二十四種、一百七十六卷，經學家十二人；《公羊》學較衰，計著作十七種、八十一卷，經學家十五人。

㈣就整體治學風尚而言，除晉代今、古文兼容並蓄外；其餘各代都存在著重古輕今之現象。

㈤魏晉南北朝《春秋》學家主要以明傳爲主，且多專治一傳；然亦有兼治二傳以上者，足見魏晉南北朝《春秋》學家已嘗試突破師法、家法之限制，而不再囿限一家之學。且除南朝外，三傳比較研究之風頗甚，此亦魏晉南北朝《春秋》學之一大特徵。

㈥魏晉南北朝總義類著作計有五種，倘若此類著作是以《春秋經》爲研討對象，則魏晉南北朝《春秋》學似有「棄傳從經」之傾向；唯相關著作均佚，今已莫知其詳。

㈦今存魏晉南北朝《春秋》類著作均集中於晉代，其中杜預《春秋左氏經傳集解》、范寧《春秋穀梁傳集解》更居《十三經注疏》之二，足見晉代《春秋》學在《春秋》學發展史上具有關鍵之地位。

附錄一

凡例：

㈠本表所列魏晉南北朝《春秋》類著作，主要參考：《隋書・經籍志》、《舊唐書・經籍志》、《新唐書・藝文志》、《宋史・藝文志》、朱彝尊《經義考》、侯康《補三國藝文志》、姚振宗《三國藝文志》、丁國鈞《補晉書藝文志》、文廷式《補晉書藝文志》、秦榮光《補晉書藝文志》、吳士鑑《補晉書經籍志》、黃逢元《補晉書藝文志》、聶崇岐《補宋書藝文志》、陳述《補南齊書藝文志》、徐崇《補南北史藝文志》及魏晉南北朝各史等相關資料。

㈡本表「序次」略依《經義考》所錄，然因《經義考》所錄或尚有闕，且其序次與《隋志》略有不同，爲便於檢閱，茲以：

1.「001、002、003……」表本表所編之序次；

2.「⑴、⑵、⑶……」表《經義考》之序次；

3.「㈠、㈡、㈢……」表《隋志》之序次。

㈢本表「著作名稱」以《經義考》所錄爲主；《經義考》未錄，則依凡例㈠所列著作之載錄爲準。

㈣本表「著作性質」之分判，主要以著作名稱爲基準。其判斷基準如下：

1.凡透過著作名稱即可判定著作性質者，據以歸類。如曹髦《左氏音》（序次001），依其著作名稱即可知其爲《左傳》類著作，餘此類推。

2.凡著作名稱兼含一經以上者，則再加細分爲：三傳類、《左傳》、《公羊》類（簡稱左公類）、《左傳》、《穀梁》類（簡稱左穀類）、《公羊》、《穀梁》類（簡稱公穀類）。如韓益《春秋三傳論》（序次 015）入三傳類；劉兆《春秋公羊穀梁傳解詁》（序次 045）入《公》、《穀》類。餘此類推。

3.凡透過著作名稱無法判定著作性質，但若依史籍之相關記載可以斷定其著作性質者，則依史籍所錄加以判定。如程闡《春秋經傳集注》（序次 060），依其著作名稱無法判定其性質；然《隋志》錄「《春秋穀梁傳》十七卷」，題「程闡撰」，故知其爲《穀梁》類著作。又，糜信《春秋說要》(序次 011)，《舊唐書・經籍志》作《春秋左氏說要》，可知其爲《左傳》類著作。餘此類推。

4.凡經由上述程序仍無法判定著作性質者，則參照《隋志》著錄序次加以判定。*蓋《隋志》所錄《春秋》類著作，大抵以類相次，且先《左傳》而後《公羊》、《穀梁》；據其序次，亦可作為判定之基準。如干寶《春秋序論》（序次 085），依上述程序仍無法推斷其著作性質；然《隋志》列於殷興《春秋左氏滯》（序次 081；《隋志》序次㈤）之後，在何始眞《春秋左氏區別》（序次 104；《隋志》序次㈢）之前，可知《春秋序論》當為《左傳》類著作。餘此類推。

5.凡「著作名稱」以《春秋》或《春秋經傳》為題，且據上述程序仍無法判定其著作性質者，則歸入總義類。如郭瑀《春秋墨說》（序次 083）以《春秋》為題，然無法據上述程序判定其著作性質，故列入總義類。又虞溥《注春秋經傳》（序次 082）以《春秋經傳》為題，因未審所注何《傳》，且無法據上述程序判定其著作性質，故暫入總義類。餘此類推。

㈤本表「著錄情況」以《隋志》所錄為主；《隋志》未錄，則參照凡例㈠所列相關資料補之。

㈥本表著作「時代」以正史所載為準；並參照其他相關典籍所述，加以判定。

㈦本表「輯佚狀況」主要以馬國翰《玉函山房輯佚書》所錄為主；並參考王仁俊《玉函山房輯書補遺》及孫啓治、陳建華所著《古佚書輯本目錄》。

魏晉南北朝《春秋》類著作一覽表

序次	著作名稱及其性質	作者	時代	著 錄 情 況	存佚	輯 佚 狀 況
001 (1)(±)	《左氏音》 〔《左傳》類〕	曹髦	魏	《隋志》三卷	佚	
002	《春秋左氏傳注》 〔《左傳》類〕	王基	魏	《釋文・序錄》❶	佚	

---

* 姚振宗《隋書經籍考證》云：「《隋志》每於一書而有數種，學者雖不標別，然亦有次第。如《春秋三傳》雖不分為三家，而有先後之列：先《左氏》、次《公羊》、次《穀梁》、次《國語》，可以次類求。」《二十五史補編》（北京：中華書局，1986 年），頁 5044。

❶ 《經典釋文・序錄》云：「（魏）荊州刺史王基……注解《左氏傳》。」陸德明：《經典釋文》（北京：中華書局，1985 年，《叢書集成初編》本），頁 44－45。侯康《補三國藝文

003	《春秋左氏傳注》〔《左傳》類〕	周生烈	魏	《釋文‧序錄》❷	佚	
004 (2)(八)	《春秋左氏傳注》〔《左傳》類〕	王朗	魏	《隋志》十二卷	佚	
005 (3)(廿)	《春秋左氏釋駁》〔《左傳》類〕	王朗	魏	《隋志》一卷	佚	
006 (4)(六)	《春秋左氏傳章句》〔《左傳》類〕	董遇	魏	《隋志》卅卷	佚	馬國翰據《釋文》、《左傳正義》採得十節，題爲：《春秋左氏傳章句》一卷。
007	《春秋左氏傳朱墨別異》〔《左傳》類〕	董遇	魏	《魏志》❸	佚	
008 (5)	《左氏問》〔《左傳》類〕	樂詳	魏	《魏略》❹	佚	

志》、姚振宗《三國藝文志》據以著錄；見《二十五史補編》（北京：中華書局，1986年），頁 3169、3204。今從之。

❷ 案：《三國志‧魏書‧王肅傳》云：「自魏初，徵士燉煌周生烈、明帝時大司農董遇等亦歷注經傳，頗傳於世。」陳壽：《三國志》（北京：中華書局，1995 年），頁 420。《經典釋文‧序錄》則云：「（魏）徵士燉煌周生烈……注解《左氏傳》。」《經典釋文》，頁 44－45。侯康《補三國藝文志》、姚振宗《三國藝文志》據以著錄；見《二十五史補編》，頁 3169、3204。今從之。

❸ 《三國志‧魏書‧王朗傳》注引《魏略》云：「遇字季直，性質訥而好學。……初，遇善治《老子》，爲《老子》作《訓注》。又善《左氏傳》，更爲作《朱墨別異》。人有從學者，遇不肯教，而云：『必當先讀百遍』，言『讀書百遍而義自見』。從學者云：『苦渴無日。』遇言：『當以三餘』。或問三餘之意，遇言：『冬者歲之餘，夜者日之餘，陰雨者時之餘也。』由是諸生少從遇學，無傳其《朱墨》者。」（頁 420）。據《魏略》所述，董遇之學已無傳；然《隋志》錄有《春秋左氏傳》三十卷，題爲「董遇《章句》」，可見董遇之學並非無傳。姚振宗《三國藝文志》據以著錄，並云：「案《隋志》有賈逵《春秋左氏經傳朱墨列》一卷，遇此作，蓋本之賈氏。」《二十五史補編》，頁 3204。今從之。

❹ 《三國志‧魏書‧杜畿傳》注引《魏略》云：「樂詳字文載。少好學，建安初，詳聞公車司馬令南郡謝該善《左氏傳》，乃從南陽步〔涉〕詣〔許，從〕該問疑難諸要，今《左氏樂氏問七十二事》，詳所撰也。」（頁 507）

009 (6)(五)	《春秋左氏傳注》 〔《左傳》類〕	王肅	魏	《隋志》卅卷	佚	馬國翰從《釋文》、經疏及《史記集解》等採摭，題爲：《春秋左傳王氏注》。
010 (7)(十)	《春秋左氏傳音》 〔《左傳》類〕	嵇康	魏	《隋志》三卷	佚	馬國翰據《釋文》採得五節，據《史記索隱》採得一節，又據宋庠《國語補音》採得一節，題爲：《春秋左傳嵇氏音》。
011 (三)	《春秋說要》❺ 〔《左傳》類〕	麋信	魏	《隋志》十卷	佚	
012	《注春秋漢議》❻ 〔《公羊》類〕	麋信	魏	《舊唐志》十一卷	佚	
013 (9)(四)	《理何氏漢議》❼ 〔《公羊》類〕	麋信	魏	《隋志》二卷	佚	
014 (10)(五)	《穀梁傳注》 〔《穀梁》類〕	麋信	魏	《隋志》十二卷	佚	馬國翰據《釋文》、《穀梁疏》等採摭，題爲：《春秋穀梁傳麋氏注》。
015 (七)	《春秋公羊傳問答》 〔《公羊》類〕	徐欽	魏	《隋志》五卷	佚	

❺ 《舊唐書·經籍志》作《春秋左氏傳說要》，知其爲《左傳》類著作。

❻ 姚振宗《三國藝文志》云：「案《唐·經籍志》，似麋信取何氏之議、鄭玄之駁而並爲之注；據《唐·藝文志》，則又似麋信但注何氏議，而附以鄭氏駁。」《二十五史補編》，頁3205。姚氏據以著錄，並入《公羊》類，今從之。

❼ 姚振宗《三國藝文志》云：「此似魏人據麋信說以申理何氏之議，而附以己說。蓋從何、鄭、麋三家書中析出別爲是編，又或是兩《唐志》之麋注。」《二十五史補編》，頁 3205。今案：麋信《理何氏漢議》，《隋志》但題「麋信注」，不必爲後人所「析出」不可；蓋所謂「理何氏」者，董理或闡述何休《春秋漢議》之謂也。至於此書是否即爲兩《唐志》所錄之《注春秋漢議》，因史載有闕，玆據姚振宗之說，分別列之。姚氏入《公羊》類，今從之。

016 (11)(十四)	《春秋三傳論》 〔三傳類〕	韓益	魏	《隋志》十卷	佚	
017 (12)(十)	《春秋左氏音》 〔《左傳》類〕	曹髦	魏	《隋志》四卷	佚	
018 (13)	《春秋例》 〔三傳類〕	孫炎	魏	《魏志》❽	佚	
019	《春秋三傳》 〔三傳類〕	孫炎	魏	《魏志》（同❽）	佚	
020 (14)	《春秋左氏傳解》 〔《左傳》類〕	杜寬	魏	《杜氏新書》❾	佚	
021	《左傳注》 〔《左傳》類〕	李譔	蜀	《蜀志》❿	佚	
022 (15)(十三)	《春秋穀梁傳注》 〔《穀梁》類〕	唐固	吳	《隋志》十三卷	佚	
023 (16)	《春秋公羊傳注》 （《公羊》類）	唐固	吳	《吳志》⓫	佚	
024 (17)(一)	《春秋傳注》 〔《左傳》類〕	士燮	吳	《隋志》十一卷⓬	佚	

❽ 《三國志・魏書・王朗傳》云：「時樂安孫叔然，受學鄭玄之門，人稱東州大儒。徵爲秘書監，不就。肅集《聖證論》以譏短玄，叔然駮而釋之，及作《周易》、《春秋例》、《毛詩》、《禮記》、《春秋三傳》、《國語》、《爾雅》諸注，又注書十餘篇。」（頁 419－420）姚振宗《三國藝文志》入《春秋三傳》類，今從之。

❾ 《三國志・魏書・杜畿傳》注引《杜氏新書》云：「（杜）寬，字務叔。清虛玄靜，敏而好古。以名臣門户，少長京師，而篤志博學，絕於世務，其意欲探賾索隱，由此顯名，當塗之士多交焉。……經傳之義，多所論駮，皆草創未就，惟刪集《禮記》及《春秋左氏傳解》，今存于世。」（頁 508）

❿ 《三國志・蜀書・李譔傳》：云「李譔字欽仲，梓潼涪人也。父仁，字德賢，與同縣尹默俱游荊州，從司馬徽、宋忠等學。譔具傳其業，又從默講論義理，五經、諸子，無不該覽。……著古文《易》、《尚書》、《毛詩》、《三禮》、《左氏傳》、《太玄指歸》，皆依準賈、馬，異於鄭玄。與王氏殊隔，初不見其所述，而意歸多同。」（頁 1026）

⓫ 《三國志・吳書・唐固傳》：「唐固亦修身積學，稱爲儒者，著《國語》、《公羊》、《穀梁傳注》，講授常數十人。」（頁 1250）

⓬ 《三國志・吳書・士燮傳》云：「士燮字威彥，蒼梧廣信人也。……少游學京師，事潁川劉

025 (18)	《春秋左氏傳解》 〔《左傳》類〕	張昭	吳	《吳志》⓭	佚	
026 (19)(十二)	《春秋公羊解序》 〔《公羊》類〕	鮮于公	吳	《隋志》一卷	佚	
027 (20)(十七)	《春秋公羊例序》 〔《公羊》類〕	刁氏	吳	《隋志》五卷	佚	
028 (120)	《大夫譜》⓮ 〔《左傳》類〕	顧啓期	吳	《唐志》十一卷	佚	
029 (21)(九)	《春秋左氏經傳集解》 〔《左傳》類〕	杜預	晉	《隋志》三十卷	存	
030 (22)	《春秋世譜》 〔《左傳》類〕	杜預	晉	《宋志》七卷	佚	
031 (23)(三)	《春秋釋例》 〔《左傳》類〕	杜預	晉	《隋志》十五卷	存⓯	
032 (24)(十一)	《春秋左傳音》 〔《左傳》類〕	杜預	晉	《隋志》三卷	佚	

子奇，治《左氏春秋》。……耽玩《春秋》，爲之注解。陳國袁徽與尚書令荀彧書曰：『交阯士府君……玩習《書》、《傳》，《春秋左氏傳》尤簡練精微，吾數以咨問《傳》中諸疑，皆有師說，意思甚密。……聞京師古今之學，是非忿爭，今欲條《左氏》、《尚書》長義上之。』其見稱如此。」（頁 1191－1192）《隋志》所錄士燮注《春秋經》十三卷（兩《唐志》作十一卷），應即是〈本傳〉所載之《春秋左氏傳》。

⓭ 《三國志・吳書・張昭傳》云：「張昭字子布，彭城人也。少好學，善隸書，從白侯子安受《左氏春秋》。……著《春秋左氏傳解》及《論語注》。」（頁 1219）

⓮ 朱彝尊云：「《隋志》有《春秋左氏諸大夫世譜》十三卷，疑即是書。」《經義考》（臺北：臺灣中華書局，1979 年），卷 175，頁 6。《崇文總目》則云：「按《隋》、《唐》書目，《春秋大夫世族譜》十三卷，顧啓期撰。而杜預《釋例》自有《世族譜》一卷。今書與《釋例》所載不同，而本或題云杜預撰者，非也。疑此乃顧啓期所撰云。」王堯臣等編次、錢東垣輯釋：《崇文總目》（北京：中華書局，1985 年，《叢書集成初編》本），頁 28。

⓯ 孫啓治、陳建華云：「《釋文序錄》、《隋志》、兩《唐志》及《宋志》並載杜預《春秋釋例》十五卷，明以後散佚無傳。清四庫館臣從《永樂大典》採得三十篇，並據《左傳正義》等所引補缺校訛，用武英殿聚珍版印行。其後莊述祖、孫星衍校訂重刊。孫星華複取二本參覲，錄其文字異同，成《校勘記》二卷。」《古佚書輯本目錄》（北京：中華書局，1997 年），頁 59。

033 (25)(亖)	《春秋左氏傳評》 〔《左傳》類〕	杜預	晉	《隋志》二卷	佚	
034 (26)	《春秋經傳長曆》 〔《左傳》類〕	杜預	晉	《杜氏新書》⑯	佚	
035 (26)	《春秋古今盟會地圖》 〔《左傳》類〕	杜預	晉	《杜氏新書》⑰	佚	
036 (26)	《春秋世譜》 〔《左傳》類〕	杜預	晉	《宋志》七卷	佚	
037 (26)	《春秋謚法》 〔《左傳》類〕	杜預	晉	《宋志》一卷	佚	
038 (26)	《春秋釋例地名譜》 〔《左傳》類〕	杜預	晉	《通志》一卷⑱	佚	
039 (26)	《春秋公子譜》 〔《左傳》類〕	杜預	晉	《通志》六卷⑲	佚	
040 (27)(亖)	《春秋條例》⑳ 〔《左傳》類〕	劉寔	晉	《隋志》十一卷㉑	佚	
041 (28)	《春秋牒例》㉒ 〔《左傳》類〕	劉寔	晉	《唐志》二十卷	佚	
042 (29)(亖)	《春秋公羊達義》㉓ 〔《左傳》類〕	劉寔	晉	《隋志》三卷	佚	

⑯ 《三國志・魏書・杜畿傳》注引《杜氏新書》云：「預字元凱，……大觀群典，謂《公羊》、《穀梁》，詭辨之言。非先儒説《左氏》未究丘明意，而横以二傳亂之。乃錯綜微言，著《春秋左氏經傳集解》，又參考眾家，謂之《釋例》，又作《盟會圖》、《春秋長曆》，備成一家之學，至老乃成。」（頁508）

⑰ 秦榮光《補晉書藝文志》據以著錄；見《二十五史補編》，頁3805。今附載於此。

⑱ 同前註。

⑲ 同前註。

⑳ 《舊唐書・經籍文志》作《春秋左氏條例》，知其爲《左傳》類著作。

㉑ 《晉書・劉寔傳》云：「劉寔字子眞，平原高唐人也……尤精三《傳》，辨正《公羊》。……又撰《春秋條例》二十卷。」（頁1911－1198）

㉒ 《新唐書・藝文志》作《左氏牒例》，知其爲《左傳》類著作。

㉓ 劉氏《春秋公羊達義》，《唐志》作「違」，今佚。案：作「達」、作「違」，意義相去甚

043 (30)(卌五)	《集解春秋序》㉔ 〔《左傳》類〕	劉寔	晉	《隋志》一卷	佚	
044 (31)	《春秋釋疑》 〔三傳類〕	氾毓	晉	《晉書》㉕	佚	
045 (32)(卆)	《春秋公羊穀梁傳解詁》 〔《公》、《穀》類〕	劉兆	晉	《隋志》十二卷	佚	馬國翰據《釋文》、《文選》李善注等採得十節，題爲《春秋公羊穀梁傳解詁》。
046 (33)	《春秋三家集解》 〔三傳類〕	劉兆	晉	《唐志》十一卷	佚	
047 (34)	《春秋左氏全綜》 〔三傳類〕	劉兆	晉	《晉書》㉖	佚	

遠。蓋若作「達」，則是書之主要意旨，當在「宣達」《公羊》之義；然若作「違」，則是書之主要意旨，當在駁「《公羊》『違』《春秋》之『義』」。今據〈本傳〉云劉氏「辨正《公羊》」，「辨正」者，「辨而正之」也；而其所以「正」者，依其所著《春秋條例》、《春秋牒例》擬建構《左傳》「條例之學」觀之，或即是以《左傳》駁《公羊》。準此，或當以作「違」爲是。

㉔ 孔穎達於杜預《春秋序》下注云：「此序題目，文多不同。或云《春秋序》、或云《左氏傳序》、或云《春秋經傳集解序》、或云《春秋左氏傳序》。案：晉、宋古文及今定本並云《春秋左氏傳序》，今依用之。南人多云，此本《釋例序》，後人移之於此，且有題曰《春秋釋例序》，置之《釋例》之端，今所不用。〔晉〕太尉劉寔與杜同時人也、〔宋〕太學博士賀道養去杜亦近，俱爲此序作注。題並不言《釋例序》，明非《釋例序》也。」《左傳正義》（臺北：藝文印書館，1989 年，《十三經注疏本》），頁 6。據孔穎達所述，《集解春秋序》乃杜預《春秋序》之注；應據入《左傳》類。

㉕ 《晉書．儒林列傳．氾毓傳》云：「氾毓字稚春，濟北盧人也。……合三《傳》爲之解注，撰《春秋釋疑》、《肉刑論》，凡所述造七萬餘言。」房玄齡等撰：《晉書》（北京：中華書局，1987 年），頁 2351。

㉖ 《晉書．儒林列傳．劉兆傳》云：「劉兆字延世，濟南東平人，漢廣川惠王之後也。兆博學洽聞，溫篤善誘，從受業者數千人。武帝時五辟公府，三徵博士，皆不就。安貧樂道，潛心著述，不出門庭數十年。以《春秋》一經而三家殊塗，諸儒是非之議紛然，互爲讎敵，乃思三家之異，合而通之。《周禮》有調人之官，作《春秋調人》七萬餘言，皆論其首尾，使大義無乖，時有不合者，舉其長短以通之。又爲《春秋左氏解》，名曰《全綜》，《公羊》、《穀梁》解詁皆納經傳中，朱書以別之。又撰《周易訓注》，以正動二體互通其文。凡所讚

048 (35)	《春秋調人》 〔三傳類〕	劉兆	晉	《晉書》 見上注	佚	
049 (36)	《公羊春秋注》 〔《公羊》類〕	王接	晉	《晉書》㉗	佚	
050 (37)(卒)	《注春秋公羊經傳》 〔《公羊》類〕	王愆期	晉	《隋志》十三卷	佚	王仁俊從《尚書正義》採得一節，題爲：《公羊王門子注》。
051 (38)(七)	《公羊難答論》 〔公羊類〕	王愆期	晉	《隋志》二卷	佚	
052 (39)	《春秋三傳》 〔三傳類〕	王長文	晉	《華陽國志》㉘	佚	
053 (40)(矣)	《穀梁傳注》 〔《穀梁》類〕	張靖	晉	《隋志》十卷	佚	
054 (九)	《春秋穀梁廢疾箋》 〔《穀梁》類〕	張靖	晉	《隋志》三卷	佚	

述百餘萬言。」（頁 2349－2350）案：兩《唐志》錄劉兆《春秋三家集解》11 卷，爲《隋志》所無；然兩《唐志》所錄不見於《晉書・本傳》，且馬國翰所輯亦僅止於《公羊》、《穀梁》二傳而已。兩《唐志》所錄不知是否爲《春秋左氏全綜》之異稱；蓋〈本傳〉言劉兆「爲《春秋左氏解》，名曰《全綜》」，並兼含《公羊》、《穀梁》二傳在內，實與「三家集解」無異。今分別列之。

㉗ 《晉書・王接傳》云：「接學雖博通，特精《禮》、《傳》。常謂《左氏》辭義贍富，自是一家書，不主爲經發。《公羊》附經立傳，經所不書，傳不妄起，於文爲儉，通經爲長。任城何休訓釋甚詳，而黜周王魯，大體乖硋，且志通《公羊》而往往還爲《公羊》疾病。接乃更注《公羊春秋》，多有新義。」（頁 1435－1436）

㉘ 《華陽國志・後賢志》：「王長文字德僞，廣漢郪人也。……以爲《春秋三傳》《傳》、《經》不同，每生訟議，乃據《經》摭《傳》，著《春秋三傳》十二篇。」常璩：《華陽國志》（北京：中華書局，1985 年，《叢書集成初編》本），頁 184－185。程元敏云：「長文《春秋三傳》十二篇，以《春秋經》十二篇爲本，曰『據經』；裁取《公》、《穀》、《左傳》文，按諸事類分列於下，曰『摭傳』，用平訟議。」《三國蜀經學》（臺北：臺灣學生書局，1997 年），頁 85。案：程氏將王長文列入蜀國學者，然丁國鈞、文廷式、秦榮光、吳士鑑、黃逢元等均入晉代學者，並據《華陽國志》著錄。今從丁國均等之說，入晉代學者。

055 (41)(亖)	《公羊穀梁二傳評》 〔公穀類〕	江熙	晉	《隋志》三卷㉙	佚	馬國翰據范寧《穀梁集解》引熙說，採得十九節，題爲《春秋公羊穀梁二傳評》一卷。
056 (42)(兵)	《春秋穀梁傳注》 〔《穀梁》類〕	徐乾	晉	《隋志》十三卷	佚	馬國翰據《穀梁傳》、范寧《集解》及楊士勛《疏》採得七節，題爲：《春秋穀梁傳徐氏注》一卷。
057	《左氏訓注》 〔《左傳》類〕	孔衍	晉	《闕里文獻考》十三卷㉚	佚	
058 (43)(兲)	《春秋穀梁傳》 〔《穀梁》類〕	孔衍	晉	《隋志》十四卷	佚	
059 (44)(卒)	《春秋公羊傳集解》 〔《公羊》類〕	孔衍	晉	《隋志》十四卷	佚	孔穎達疏杜預《春秋序》引孔衍注《公羊傳》本文一節，王仁俊據以輯存。題爲《孔舒元公羊傳》。
060 (45)(乇)	《春秋經傳集注》㉛ 〔穀梁類〕	程闡	晉	《隋志》十六卷	佚	
061 (46)(兵)	《春秋穀梁傳集解》 〔《穀梁》類〕	胡訥	晉	《隋志》十卷	佚	
062 (47)(乇)	《春秋三傳評》 〔三傳類〕	胡訥	晉	《隋志》十卷	佚	
063 (48)(乇)	《春秋集三師難》 〔三傳類〕	胡訥	晉	《隋志》三卷	佚	

㉙ 案：《隋志》、兩《唐志》並載《春秋公羊穀梁二傳評》3 卷，《隋志》不署撰人，兩《唐志》並題江熙撰。今從兩《唐志》之說。

㉚ 黃逢元《補晉書藝文志》據《闕里文獻考》卷 31〈孔氏著述門〉著錄，見《二十五史補編》，頁 3904。今附載於此。

㉛ 《隋志》作《春秋穀梁傳》，應爲《穀梁》類著作。

064 (49)(七七)	《春秋集三傳經解》〔三傳類〕	胡訥	晉	《隋志》十卷	佚	
065 (50)	《穀梁傳注》〔《穀梁》類〕	劉瑤	晉	《經義考》	佚	
066 (51)(八二)	《春秋穀梁傳集解》〔《穀梁》類〕	范寧	晉	《隋志》十二卷	存	
067 (52)(八六)	《春秋穀梁傳例》〔《穀梁》類〕	范寧	晉	《隋志》一卷㉜	佚	
068 (74)(八八)	《薄叔玄問穀梁義》〔《穀梁》類〕	范寧㉝	晉	《隋志》四卷	佚	馬國翰從楊士勛《疏》採得薄、范問答二十節，題爲《答薄叔元問穀義》。
069 (53)(九六)	《春秋土地名》〔《左傳》類〕	京相璠㉞	晉	《隋志》三卷	佚	馬國翰據《水經注》輯錄，題爲《春秋土地名》一卷。

㉜ 孫啓治、陳建華云：「范寧《穀梁集解序》有『商略名例』之語，楊士勛疏云：『即范氏別爲《略例》百餘條是也。』《隋志》載范寧《春秋穀梁傳例》1 卷，即其書。今本《集解》與楊《疏》中時有《傳例》之文，《四書全書總目》謂當是楊氏割裂其書散入《集解》與《疏》中。按《集解》有《傳例》夂文或是范氏自引其書作解，疏中有《傳例》則楊氏所引也。如謂楊氏割裂其書，何不盡散入《集解》，或盡於《疏》中引之，乃分屬《集解》與自《疏》之中邪？此於情理有不可通者。王謨從楊《疏》中輯出 24 例，至見於《集解》諸例則不錄。按王氏蓋以爲見於《集解》者易尋檢，故不贅錄。其實既輯其書，則宜求備，不得以易尋檢與否爲取捨之準則。」《古佚書輯本目錄》，頁 64－65。

㉝ 《薄叔玄問穀梁義》4 卷，《隋志》不署撰者。孫啓治、陳建華：「《隋志》載《薄叔玄問穀梁義》2 卷，注云：『梁四卷』。楊士勛《穀梁疏》有范寧《答薄氏駁問》，薄氏當即叔玄，而《隋志》所載即錄范寧所答者也。叔玄不詳何人。黃逢元《補晉書藝文志》謂薄氏即薄邕，叔玄當係薄邕字，《隋志》有其文集七卷。」《古佚書輯本目錄》，頁 64。今並錄於此，以供參考。

㉞ 《春秋土地名》3 卷，《隋志》題「晉裴秀客京相璠等撰。」《舊唐志》不署撰人，《新唐志》僅題京相璠撰。今案，京相璠不詳何人，酈道元《水經．穀水注》云：「京相璠與裴司空彥季修晉輿地圖，作《春秋土地名》。」酈道元撰、陳橋驛點校：《水經注》（上海：上海古籍出版社，1990 年），頁 326。依《水經注》之說，《春秋土地名》蓋或成於眾手，而璠總其事也。説參孫啓治、陳建華：《古佚書輯本目錄》，頁 58。

070 (54)(七)	《春秋左氏傳義注》 〔《左傳》類〕	孫毓	晉	《隋志》十八卷	佚	馬國翰從《左傳正義》採得十八節，題爲《春秋左氏傳義注》。
071 (55)(丰)	《春秋左氏傳賈服異同略》 〔《左傳》類〕	孫毓	晉	《隋志》五卷	佚	
072 (56)(亖)	《春秋左氏傳音》 〔《左傳》類〕	徐邈	晉	《隋志》三卷	佚	馬國翰據《釋文》、《集韻》、《左傳正義》集成一卷，題爲《春秋徐氏音》。
073 (57)(兂)	《春秋穀梁注》 〔《穀梁》類〕	徐邈	晉	《隋志》十二卷㉟	佚	馬國翰據《穀梁疏》等採得九十餘節，題爲《春秋穀梁傳義注》。
074 (58)(仝)	《答春秋穀梁義》 〔《穀梁》類〕	徐邈	晉	《隋志》十卷	佚	
075 (59)(全)	《春秋穀梁傳義》 〔《穀梁》類〕	徐邈	晉	《隋志》十卷	佚	
076 (仐)	《春秋穀梁傳》 〔《穀梁》類〕	段肅㊱	晉	《隋志》十四卷	佚	
077 (60)(土)	《春秋左氏傳音》 〔《左傳》類〕	荀訥	晉	《隋志》四卷	佚	

㉟ 《晉書・徐邈傳》云：「（邈）所注《穀梁傳》，見重於時。」（頁 2358）孫啓治、陳建華云：「《釋文序錄》載徐邈《穀梁傳注》十二卷，《隋》、《唐志》同。《隋志》又載徐邈《春秋穀梁傳義十卷》，《新唐志》同，《舊唐志》十二卷。姚振宗《隋書經籍志考證》謂《義》是義疏、講義之類。馬國翰據《穀梁疏》等採得九十餘節，以《注》、《義》二書不能區分，總題之爲《注義》。按云《注》、云《義》皆有所本，是邈書原名也。今云『注義』則非《注》非《義》，未免不倫，邈無是書也。」《古佚書輯本目錄》，頁 64。

㊱ 案：《隋志》云：「段肅注，疑漢人。」《冊府元龜・學校部・注釋一》列段肅於晉代。王欽若編：《冊府元龜》（北京：中華書局，1960 年），頁 1960。丁國鈞《補晉書藝文志》據以著錄，列「存疑類」。見《二十五史補編》，頁 3696。今附載於此。

078 (61)(土)	《春秋左氏傳音》 〔《左傳》類〕	李軌	晉	《隋志》三卷	佚	
079 (62)(卒)	《春秋公羊傳音》 〔《公羊》類〕	李軌	晉	《隋志》一卷	佚	
080 (63)(云)	《春秋經例》㊲ 〔《左傳》類〕	方範	晉	《隋志》十二卷	佚	
081 (64)(云)	《春秋釋滯》㊳ 〔《左傳》類〕	殷興	晉	《隋志》十卷	佚	
082 (65)	《注春秋經傳》 〔總義類〕	虞溥	晉	《晉書》㊴	佚	
083 (66)	《春秋墨說》 〔總義類〕	郭瑀	晉	《晉書》㊵	佚	
084 (67)(三)	《春秋左氏函傳義》 〔《左傳》類〕	干寶	晉	《隋志》十五卷	佚	馬國翰從《左傳正義》、《通典》各採得一節，題爲《春秋左氏傳函義》。
085 (68)(哭)	《春秋序論》㊶ 〔《左傳》類〕	干寶	晉	《隋志》二卷	佚	
086	《春秋左氏義外傳》 〔《左傳》類〕	干寶	晉	《晉書》㊷	佚	

㊲ 《舊唐書·經籍志》作《春秋左氏經例》，知其爲《左傳》類著作。

㊳ 《舊唐書·經籍志》作《春秋左氏釋滯》，知其爲《左傳》類著作。

㊴ 《晉書·虞溥傳》云：「（溥）注《春秋經傳》，撰〈江表傳〉及文章詩賦數十篇。」（頁2141）因未審溥所注何《傳》，故暫入《春秋經類》。

㊵ 《晉書·隱逸列傳》云：「郭瑀字元瑜，敦煌人也。……作《春秋墨說》、《孝經錯緯》，弟子著錄千餘人。」（頁2454）

㊶ 沈秋雄云：「書只名《春秋序論》，知其爲《左氏》論著者，以《隋志》《春秋》類著錄各書，大抵先《左氏》而後二《傳》，干寶之書厠殷興《春秋左氏疑滯》之後，在何始眞《春秋左氏區分》之前，故知其爲《左氏》論著也。」《三國兩晉南北朝春秋左傳學書考佚》（臺北：臺灣師範大學國文研究所博士論文，1981年），頁156。

㊷ 《晉書·干寶傳》云：「寶又爲《春秋左氏義外傳》，注《周易》、《周官》凡數十篇，及雜文集皆行於世。」（頁2151）

087 (69)(云)	《春秋釋難》㊸ 〔《左傳》類〕	范堅	晉	《隋志》三卷	佚	
088 (70)(卒)	《春秋公羊傳注》 〔《公羊》類〕	高龍	晉	《隋志》十二卷	佚	
089 (71)(卒)	《春秋公羊傳音》 〔《公羊》類〕	江惇	晉	《隋志》一卷	佚	
090	《注穀梁春秋》 〔《穀梁》類〕	郭琦	晉	《晉書》㊹	佚	
091 (72)	《注穀梁春秋》 〔《穀梁》類〕	聶熊	晉	《晉書》㊺	佚	
092 (73)	《左傳鈔》 〔《左傳》類〕	黃容	晉	《華陽國志》㊻	佚	
093	《春秋穀梁傳鄭氏說》㊼ 〔《穀梁》類〕	鄭嗣	晉	諸《志》未載	佚	馬國翰據范寧《穀梁集解》說引採得二十節，題爲《春秋穀梁傳鄭氏說》。
094	《春秋三傳》 〔三傳類〕	范隆	晉	《晉書》㊽	佚	
095 (80)(元)	《春秋旨通》㊾ 〔《左傳》類〕	王述之	晉	《隋志》十卷	佚	

㊸ 《隋志》厠諸《左傳》類，應爲《左傳》類著作。

㊹ 《晉書・隱逸傳》云：「郭琦字公偉，太原晉陽人也。少方直，有雅量，博學，善五行，作《天文志》、《五行傳》，注《穀梁》、《京氏易》百卷。」（頁 2436）

㊺ 《晉書・載記・石季龍上》：「國子祭酒聶熊注《穀梁春秋》，列于學官。」（頁 2774）

㊻ 《華陽國志・後賢志》云：「時蜀郡太守巴西黃容，亦好述作。著《家訓》、《梁州巴紀姓族》、《左傳鈔》凡數十篇。」（頁 191－912）

㊼ 孫啓治、陳建華云：「嗣不詳何人，馬氏據范寧《集解序》考之，以爲當是寧父汪門生故吏。」《古佚書輯本目錄》，頁 64。

㊽ 《晉書・隱逸列傳》：「范隆字玄嵩，雁門人……博通經籍，無所不覽，著《春秋三傳》，撰《三禮吉凶紀》，甚有條義。」（頁 2352）。

㊾ 《隋志》厠諸《左傳》類，應爲《左傳》類著作。

096 (81)(元)	《春秋左氏經傳通解》 〔《左傳》類〕	王述之	晉	《隋志》四卷	佚	
097 (126) (亖)	《張程孫劉穀梁傳四家集解》 〔《穀梁》類〕	張靖等著❺⓿	晉	《隋志》四卷	佚	
098 (122)	《春秋穀梁傳集解》 〔《穀梁》類〕	沈仲義❺❶	晉	《唐志》十卷	佚	
099 (100)(坌)	《春秋經合三傳》 〔三傳類〕	潘叔虔❺❷	晉	《隋志》十卷	佚	
100 (101) (夰)	《春秋成套》 〔三傳類〕	潘叔虔	晉	《隋志》十卷	佚	
101	《注穀梁春秋》 〔《穀梁》類〕	孔默之	南朝宋	《南史》❺❸	佚	
102 (75)	《春秋圖》 〔《左傳》類〕	謝莊	南朝宋	《南史》❺❹	佚	
103 (75)	《左氏列國篇及木圖》 〔《左傳》類〕	謝莊	南朝宋	《南史》❺❺	佚	
104 (76)(三)	《春秋左氏區別》 〔《左傳》類〕	何始眞	南朝宋	《隋志》十三卷	佚	

❺⓿ 黃逢元《補晉書藝文志》云：「四家當是張靖、程闡、孫毓、劉瑤。」《二十五史補編》，頁 3904；《經義考》之説同，見卷 175，頁 7。今從之。

❺❶ 朱彝尊云：「唐新舊《志》均次在徐乾、徐邈、蕭邕、劉兆間，當是晉人。」《經義考》，卷 175，頁 7。今從之。

❺❷ 文廷式《補晉書藝文志》云：「按，《隋志》列韓益後、胡訥前，當是晉人。」《二十五史補編》，頁 3712。今從之。

❺❸ 《南史・隱逸上》：「默之儒學，注《穀梁春秋》。」李延壽：《南史》（北京：中華書局，1987 年），頁 1865。聶崇岐《補宋書藝文志》據以著錄；見《二十五史補編》，頁 4300。

❺❹ 《南史・謝弘微傳》云：「莊字希逸，七歲能屬文。……分《左氏》經傳，隨國立篇。製木方丈，圖山川土地，各有分理。離之則州郡殊別，合之則宇內爲一。」（頁 553）

❺❺ 徐崇《補南北史藝文志》據以著錄；見《二十五史補篇》，頁 6653。今從之。

105 (96)(四十)	《春秋序》[56] 〔《左傳》類〕	賀道養	南朝宋	《隋志》一卷	佚	
106	《注公羊傳》 〔《公羊》類〕	周續之	南朝宋	《南史》[57]	佚	
107 (77)	《春秋例苑》 〔總義類〕	蕭子懋	南齊	《南齊書》[58]	佚	
108	《注春秋》 〔總義類〕	沈驎士	南齊	《南齊書》[59]	佚	
109	《春秋音》[60] 〔《公羊》類〕	王儉	南齊	《唐志》二卷	佚	
110 (79)(三十)	《春秋釋例引序》[61] 〔《左傳》類〕	杜乾光	南齊	《隋志》一卷	佚	
111 (82)(六十)	《春秋經傳說例疑隱》[62] 〔《左傳》類〕	吳略	南齊	《隋志》一卷	佚	
112	《春秋答問》 〔總義類〕	梁 簡武帝	梁	《梁書》[63]	佚	

[56] 本書應入《左傳》類。說見孔穎達《左傳正義》，同註㉔。

[57] 《南史・隱逸上》云：「續之……通《毛詩》六義及禮論，注《公羊傳》，皆傳於世。」（頁 1865－18666）聶崇岐《補宋書藝文志》據以著錄，見《二十五史補編》，頁 3400。

[58] 《南齊書・晉安王傳》云：「晉安王子懋字雲昌，世祖第七子也。……撰《春秋例苑》三十卷奏之，世祖嘉之，勅付秘閣。」（頁 708）陳述《補南齊書藝文志》據以著錄；見《二十五史補編》，頁 4328。

[59] 《南齊書・高逸傳》云：「驎士……注《易經》、《禮記》、《春秋》、《尚書》、《論語》、《孝經》、《喪服》、《老子要略》數十卷。」蕭子顯：《南齊書》（北京：中華書局，1987 年），頁 944。陳述《補南齊書藝文志》據以著錄，見《二十五史補編》，頁 4328。

[60] 《舊唐書・經籍志》作《春秋公羊音》，知其爲《公羊》類著作。

[61] 《隋志》於杜預《春秋釋例》下云：「梁有《春秋釋例引序》一卷，齊正員外郎杜乾光撰。」知其爲《左傳》類著作。

[62] 《隋志》厠諸《左傳》類，應爲《左傳》類著作。

[63] 《梁書・武帝本紀》云：「高祖生知淳孝。……造制旨《孝經義》、《周易講疏》、及《六十四卦》、《二繫》、《文言》、《序卦》等義，《樂社義》、《毛詩答問》、《春秋答問》、《尚書大義》、《中庸講疏》、《孔子正言》、《老子講疏》凡二百餘卷，並正先儒

113 (83)	《左氏傳例苑》 〔《左傳》類〕	梁 簡文帝	梁	《唐志》十八卷	佚	
114 (84)(毛)	《春秋發題》❻❹ 〔《左傳》類〕	梁 簡文帝	梁	《隋志》一卷	佚	
115 (85)	《春秋左氏圖》 〔《左傳》類〕	梁 簡文帝	梁	《通志》十卷	佚	
116 (86)	《春秋大意》 〔《左傳》類〕	劉之遴	梁	《梁書》❻❺	佚	
117 (86)	《左氏》 〔《左傳》類〕	劉之遴	梁	《梁書》（同❻❺）	佚	
118 (86)	《三傳同異》 〔三傳類〕	劉之遴	梁	《梁書》（同❻❺）	佚	
119 (87)(芫)	《春秋五辯》❻❻ 〔《左傳》類〕	沈宏	梁	《隋志》二卷	佚	
120 (88)	《春秋經傳解》❻❼ 〔《左傳》類〕	沈宏	梁	《唐志》六卷	佚	
121 (89)(亖)	《春秋文苑》❻❽ 〔《左傳》類〕	沈宏	梁	《隋志》六卷	佚	
122 (90)(毛)	《春秋嘉語》❻❾ 〔《左傳》類〕	沈宏	梁	《隋志》六卷	佚	

之迷，開古聖之旨。」姚思廉：《魏書》（北京：中華書局，1987 年），頁 95－96。

❻❹ 《隋志》厠諸《左傳》類，應爲《左傳》類著作。

❻❺ 《梁書‧劉之遴傳》云：「之遴好屬文，多學古體，與河東裴子野、沛國劉顯常共討論書籍，因爲交好。是時《周易》、《尚書》、《禮記》、《毛詩》並有高祖義疏，惟《左氏傳》尚闕，之遴乃著《春秋大意》十科、《左氏》十科、《三傳同異》十科，合三十事以上之。」（頁 574）依《本傳》所述，劉之遴除《春秋大意》外，尚有《左氏》、《三傳同異》等作品，今俱佚。

❻❻ 《隋志》厠諸《左傳》類，應爲《左傳》類著作。

❻❼ 兩《唐志》厠諸《左傳》類，應爲《左傳》類著作。

❻❽ 《隋志》厠諸《左傳》類，應爲《左傳》類著作。

❻❾ 《隋志》厠諸《左傳》類，應爲《左傳》類著作。

123 (91)㊷	《春秋經傳解》[70] 〔《左傳》類〕	崔靈恩	梁	《隋志》六卷	佚	
124 (92)㊸	《春秋申先儒傳論》[71] 〔《左傳》類〕	崔靈恩	梁	《隋志》十卷	佚	
125 (93)㊹	《春秋左氏傳立義》 〔《左傳》類〕	崔靈恩	梁	《隋志》十卷	佚	
126 (94)㊽	《春秋序》[72] 〔《左傳》類〕	崔靈恩	梁	《隋志》一卷	佚	
127 (94)	《左氏條例》 〔《左傳》類〕	崔靈恩	梁	《梁書》十卷[73]	佚	
128 (94)	《左氏條義》 〔《左傳》類〕	崔靈恩	梁	《梁書》（同[73]）	佚	
129 (94)	《公羊穀梁文句義》 〔公穀類〕	崔靈恩	梁	《梁書》十卷（同[73]）	佚	
130	《申杜難服》 〔《左傳》類〕	虞曾誕	梁	《梁書》[74]	佚	

[70] 《隋志》廁諸《左傳》類，應爲《左傳》類著作。

[71] 《隋志》廁諸《左傳》類，應爲《左傳》類著作。

[72] 沈秋雄云：「今據此書廁諸賀道養與田元休二家《春秋序》之間，二家書固皆爲杜預《春秋經傳集解序》作注者，或此書亦其類也。」《三國兩晉南北朝左傳學書考佚》，頁 402。今從之。

[73] 《梁書·儒林列傳·崔靈恩傳》云：「靈恩先習《左傳》服解，不爲江東所行，及改說杜義，每文句常申服以難杜，遂著《左氏條義》以明之。……靈恩集注《毛詩》二十二卷，集注《周禮》四十卷，制《三禮義宗》四十七卷，《左氏經傳義》二十二卷，《左氏條例》十卷，《公羊穀梁文句義》十卷。」（頁 677）《南史·儒林列傳》則云：「靈恩集注《毛詩》二十二卷，集注《周禮》四十卷，制《三禮義宗》三十卷，《左氏經傳義》二十卷，《左氏條例》十卷，《公羊穀梁文句義》十卷。」（頁 1739）《梁書》、《南史》所述大體相同，然《南史》所錄在卷數上略少，可見崔靈恩著作早有亡佚。據二史所述，則崔靈恩之著作尚有《左氏條例》及《公羊穀梁文句義》二種各十卷，《隋志》未錄，今附載於此。又，〈本傳〉所云「著《左氏條義》」，不知是否即爲《左氏條例》；然觀〈本傳〉所述，《左氏條義》之作主要在於「申服難杜」，就其意旨而言，似又與《春秋申先儒傳論》頗相合之處，不知是否即是此作。然由「申」字推論，應與申服解有關。

[74] 《梁書·儒林列傳·崔靈恩傳》云：「靈恩先習《左傳》服解，不爲江東所行，及改說杜

131 (123)	《穀梁傳義》 〔《穀梁》類〕	蕭邕	梁	《唐志》三卷	佚	
132 (124)	《孔氏春秋公羊傳集解》 〔《公羊》類〕	孔君揩	梁	《唐志》十二卷	佚	
133 (125)(亼)	《春秋穀梁傳指訓》 〔《穀梁》類〕	孔君揩	梁	《隋志》五卷	佚	
134 (95)(咒)	《春秋序》⑮ 〔《左傳》類〕	田元休	梁	《隋志》一卷	佚	
135 (97)(亖)	《春秋左氏經傳義略》 〔《左傳》類〕	沈文阿	陳	《隋志》廿五卷	佚	馬國翰據《左傳正義》、《釋文》等採得六十餘節。題爲《春秋左氏經傳義略》。
136 (98)(亖)	《春秋義略》⑯ 〔《左傳》類〕	張沖	陳	《隋志》卅卷	佚	
137 (102)(亖)	《續春秋左氏傳義略》 〔《左傳》類〕	王元規	陳	《隋志》十卷⑰	佚	馬國翰據《釋文》採得三節，題爲《續春秋左氏經傳義略》。
138 (103)	《春秋發題辭》 〔《左傳》類〕	王元規	陳	《陳書》一卷⑱	佚	

義，每文句常申服以難杜，遂著《左氏條義》以明之。時有助教虞僧誕又精杜學，因作《申杜難服》，以答靈恩，並行焉。僧誕，會稽餘姚人，以明《左氏》教授，聽者亦數百人。其該通義例，當時莫及。」（頁 677）

⑮ 沈秋雄云：「此書蓋爲杜預之《春秋經傳集解序》作注者，如賀道養之書也。」《三國兩晉南北朝左傳學書考佚》，頁 403。今從之。

⑯ 《舊唐書·經籍志》作《春秋左氏義略》，知其爲《左傳》類著作。

⑰ 《陳書·儒林列傳·王元規傳》云：「元規著《春秋發題辭》及《義記》十一卷，《續經典大義》十四卷、《孝經義記》兩卷、《左傳音》三卷、《禮記音》兩卷。」注云：「按：《經典釋文·序錄》言沈文阿撰《春秋義略》未竟，王元規續成之。《隋書·經籍志》有王元規續沈文阿《春秋左氏傳義略》十卷。此『義記』當爲『義略』之訛。」姚思廉：《陳書》（北京：中華書局，1987 年），頁 449、452。

⑱ 馬國翰云：「（元規）《發題辭》及《義記》十一篇（案：應作「卷」），似《發題辭》一卷在《義記》十卷前。」《玉函山房輯佚書》（上海：上海古籍出版社，1990 年），頁

139 (104)	《左傳音》 〔《左傳》類〕	王元規	陳	《陳書》三卷 （同[78]）	佚	
140 (104)	《左氏疑義》 〔《左傳》類〕	蕭濟	陳	《陳書》[79]	佚	
141	《左氏公羊釋》 〔左公類〕	高允	北魏	《魏書》[80]	佚	
142	《議何鄭膏盲事》 〔《公羊》類〕	高允	北魏	《魏書》 （同[80]）	佚	
143 (99)	《春秋傳駮》 〔《左傳》類〕	賈思同	北魏	《魏書》十一卷[81]	佚	馬國翰據《左傳正義》引衛難、賈駮及秦氏、蘇氏等人之說十餘節採摭，題爲《春秋傳駮》。
144	《難杜氏春秋》 〔《左傳》類〕	衛隆	北魏	《魏書》（同[81]）	佚	
145	《述春秋三傳》 〔三傳類〕	李彪	北魏	《魏書》十卷[82]	佚	
146 (105)	《春秋三傳總》 〔三傳類〕	辛子馥	北魏	《北史》[83]	佚	

1430。今從馬說，作一卷。

[79] 《陳書·儒林列傳·蕭濟傳》云：「濟字孝康，東海蘭陵人也。少好學，博通經史，諮梁武帝《左氏疑義》三十餘條。」（頁 395）

[80] 《魏書·高允傳》云：「允所製詩賦誄頌箴論表讚，《左氏公羊釋》，《毛詩拾遺》，《論雜解》，《議何鄭膏肓事》，凡百餘篇，別有集行於世。」魏收：《魏書》（北京：中華書局，1987 年），頁 1090。

[81] 《魏書·賈思同傳》云：「思同之侍講也，國子博士遼西衛冀隆爲服氏之學，上書難《杜氏春秋》六十三事。思同復駁冀隆乖錯者十一條。互見是非，積成十卷。」（頁 1616）

[82] 《魏書·李彪傳》云：「彪在秘書歲餘，史業竟未及就，然區分書體，皆彪之功。述《春秋三傳》，合成十卷。」（頁 1398）

[83] 《北史·辛紹先傳》云：「子馥以三《傳》《經》同說異，遂總爲一部，傳注並出，校比短長。會亡，未就。」（頁 955）

147 (106)	《春秋三傳略例》 〔三傳類〕	劉獻之	北魏	《魏書》三卷[84]	佚	
148 (107)	《春秋義章》 〔《《左傳》》類〕	徐遵明	北魏	《北史》三十卷[85]	佚	
149 (108)	《左氏駮妄》 〔《左傳》類〕	姚文安	北魏	《北史》[86]	佚	
150 (121)(一)	《春秋叢林》 〔三傳類〕	李謐	北魏	《隋志》十二卷[87]	佚	
151	《春秋左傳義疏》 〔《左傳》類〕	蘇寬	北魏	諸《志》未載[88]	佚	馬國翰據《左傳正義》引蘇寬說，採得二十餘節，題爲《春秋左氏傳義疏》。
152 (109)	《左氏釋謬》 〔《左傳》類〕	李崇祖	北齊	《北史》[89]	佚	

[84] 《魏書・儒林列傳》云：「獻之善《春秋》、《毛詩》，每講《左氏》，盡隱公八年便止，云義例已了，不復須解。……魏承喪亂之後，五經大義雖有師說，而海內諸生多有疑滯，咸決於獻之。六藝之文，雖不悉注，然所標宗旨，頗異舊義，撰《三禮大義》四卷、《三傳略例》三卷、注《毛詩序義》一卷，今行於世，并《章句疏》三卷。」（頁 1850）

[85] 《魏書・儒林列傳》云：「徐遵明，字子判，華陰人也・……知陽平館陶趙世業家有《服氏春秋》，是晉世永嘉舊本，遵明乃往讀之。復經數載，因手撰《春秋義章》，爲三十卷。」（頁 1885）

[86] 《北史・儒林列傳》云：「姚文安難服虔《左傳解》七十七條，名曰《駁妄》。」（頁 2725）

[87] 《魏書・逸士傳》：「（謐）鳩集諸經，廣校同異，比三《傳》事例，名《春秋叢林》，十有二卷。」（頁 1938）

[88] 孫啓治、陳建華云：「孔穎達《春秋正義序》舉晉、宋以下爲《春秋左傳》作義疏者，有蘇寬其人。……孔穎達《正義》引其說，馬國翰據以採得二十餘節。按中有二節釋衛冀隆《難杜》，《正義》引作蘇氏，馬氏以爲即寬，當與北魏賈思同等同時之人。」《古佚書輯本目錄》，頁 58。今據馬國翰所輯，附載於此。

[89] 《北史・儒林列傳》云：「崇祖申明服氏，名曰《釋謬》。」李延壽：《北史》（北京：中華書局，1987 年），頁 2725－2726。

153 (110)	《春秋三傳異同》 〔三傳類〕	李鉉	北齊	《唐志》十二卷⑩	佚	
154 (111)	《左氏刊例》 〔《左傳》類〕	張思伯	北齊	《北齊書》十卷⑪	佚	
155 (112)	《春秋序論》 〔《左傳》類〕	樂遜	北周	《周書》⑫	佚	
156 (113)	《春秋序義》 〔《左傳》類〕	樂遜	北周	《周書》 （同⑫）	佚	
157 (114)	《春秋三傳集注》 〔三傳類〕	辛德源	北周	《北史》三十卷⑬	佚	
158 (127)(卅六)	《春秋左氏傳條例》	未詳	未詳	《隋志》廿五卷	佚	
159 (128)(卅七)	《春秋義例》	未詳	未詳	《隋志》十卷	佚	
160 (120)(卅五)	《春秋義林》	未詳	未詳	《隋志》一卷	佚	
161 (130)(卅八)	《春秋大夫辭》	未詳	未詳	《隋志》三卷	佚	
162 (131)(卌)	《春秋辨證》	未詳	未詳	《隋志》六卷	佚	

⑩ 《北齊書‧儒林列傳》云：「李鉉……撰定《孝經》、《論語》、《毛詩》、《三禮義疏》及《三傳異同》、《周易義例》合三十餘卷。」李百藥：《北齊書》（北京：中華書局，1987年），頁584。

⑪ 《北齊書‧儒林列傳》云：「張思伯，河間樂城人也。善說《左氏傳》，爲馬敬德之次。撰《刊例》十卷，行於時。亦治《毛詩章句》，以二經教齊安王廓。武平初，國子博士。」（頁594）

⑫ 《周書‧儒林列傳》云：「遜性柔謹，寡於交游。立身以忠信爲本，不自矜尚。每在眾中，言論未嘗爲人之先。學者以此稱之。所著《孝經》、《論語》、《毛詩》、《左氏春秋序論》十餘篇。又著《春秋序義》，通賈、服說，發杜氏違，辭理可觀。」令狐德棻等：《周書》（北京：中華書局，1987年），頁818。

⑬ 《北史‧辛雄傳》云：「德源每於務隙撰集，注《春秋三傳》三十卷、注揚子《法言》二十三卷。」（頁1825）

163 (132)(蚕)	《春秋左氏義略》	未詳	未詳	《隋志》八卷	佚	
164 (133)(兵)	《春秋五十五凡義疏》	未詳	未詳	《隋志》二卷	佚	
165 (134)(𡈼)	《春秋公羊穀梁二傳評》	未詳	未詳	《唐志》三卷	佚	
166 (135)	《左氏評》	未詳	未詳	《唐志》二卷	佚	
167 (136)	《左氏音》	未詳	未詳	《唐志》十二卷	佚	
168 (137)	《左氏鈔》	未詳	未詳	《唐志》十卷	佚	
169 (138)	《春秋辭苑》	未詳	未詳	《唐志》五卷	佚	
170 (139)	《春秋雜義難》	未詳	未詳	《唐志》五卷	佚	
171 (140)	《春秋井田記》	未詳	未詳	《經義考》	佚	

附錄二

魏晉南北朝治《春秋》學而無著作著錄經學家一覽表

序號	姓　名	時代	治　學　概　況
01	荀爽	魏	《三國志・魏書・魏彧傳》注引《漢紀》云：「爽字慈明，幼好學，年十二，通《春秋》、《論語》，㊵思經典，不應徵命，積十數年。」（頁307）
02	賈洪	魏	《三國志・魏書・王朗傳》注引《魏略》云：「賈洪字叔業，京兆新豐人也。好學有才，而特精於《春秋左傳》。」（頁421）
03	隗禧	魏	《三國志・魏書・王朗傳》注引《魏略》云：「隗禧字子牙，京兆人也。世單家。少好學。……年八十餘，以老處家，就之學者甚多。禧既明經，又善星官，常仰瞻天文，歎息謂魚豢曰：『天下兵戈尚猶未息，如之何？』豢又常從問《左氏傳》，禧答曰：『欲知幽微莫若《易》，人倫之紀莫若《禮》，多識山川草木之名莫若《詩》，《左氏》直相斫書耳，不足精意也。』豢因從問《詩》，禧說齊、韓、魯、毛四家義，不復執文，有如諷誦。又撰作諸經解數十萬言，未及繕寫而得聾，後數歲病亡也。」（頁422）
04	謝該	魏	《三國志・魏書・杜畿傳》注引《魏略》云：「樂詳字文載。少好學，建安初，詳聞公車司馬令南郡謝該善《左氏傳》，乃從南陽步〔涉〕詣〔許，從〕該問疑難諸要，今《左氏樂氏問七十二事》，詳所撰也。」（頁507）
05	李典	魏	《三國志・魏書・李典傳》注云：「《魏書》曰：『典少好學，不樂兵事，乃就師讀《春秋左氏傳》，博覽眾書。』」（頁533）
06	嚴幹	魏	《三國志・魏書・裴潛傳》注引《文章序錄》云：「（嚴）從破亂之後，更折節學問，特善《春秋公羊》。」（頁674）
07	鍾繇	魏	《三國志・魏書・裴潛傳》注引《文章序錄》云：「司隸鍾繇不好《公羊》而好《左氏》。謂《左氏》爲太官，而《公羊》爲賣餅家，故數與幹共辯析長短。」（頁675）
08	鍾會	魏	《三國志・蜀書・鍾會傳》：「會時遭所生母喪・其母〈傳〉曰：『夫人性矜嚴，明於教訓，會雖童稚，勤見規誨・年四歲授《孝經》，七歲誦《論語》，八歲誦《詩》，十歲誦《尙書》，十一誦《易》，十二誦《春秋左氏傳》、《國語》，十三誦《周禮》、《禮

			記》，十四誦《成侯易記》，十五使入太學問四方奇文異訓。謂會曰：「學猥則倦，倦則意怠；吾懼汝之意怠，故以漸訓汝，今可以獨學矣。」』」（頁 785）
09	郭恩	魏	《三國志・魏書・管輅傳》注引《輅別傳》：云「郭恩，字義博，有才學，善《周易》、《春秋》，又能仰觀。」（頁 812）
10	張陵 張衡 張魯	蜀	程元敏《三國蜀經學》云：「《想爾老注》中，偶爾抑儒崇道，詆訾五經，病深傳注，然援儒家經典傳注以釋《老子》，則隨處可見：有《易》、《尚書》及古今文《尚書》說，今文《齊詩》說，古文《周禮》及鄭《注》，《禮記》（〈樂記〉、〈中庸〉），古文《左傳》說，及讖諱之學。蓋無論博雅、今古文兼容而多取古文學及重視鄭《注》，特以融合儒道，頗多沿東漢以來學脈，而開魏晉新經學之風氣。」❶程說將三張天師列入治《左傳》學者。
11	劉備	蜀	《華陽國志・劉後主志》：「時有言公惜赦者，（亮）答曰：『……先帝亦言：「吾周旋陳元方、鄭康成閒，每見啓告治亂之道，備矣。」曾不語赦也。』」（頁 95）程元敏將之列入治《左傳》學者。
12	譙周	蜀	《三國志・蜀書・譙周傳》：「譙周字允南，巴西西充國人。……凡所著述，撰定《法訓》、《五經論》、《古史考》，書之屬百餘篇。」（頁 1027－1033） 程元敏云：譙之《春秋》學，出於《古史考》及雜議論。《周史古考》，今尚存其據《左傳》糾謬《史》、《漢》之佚文。茲錄二條： 《史記・燕世家・集解》：「譙周曰：『按《春秋傳》燕與子穨逐周惠王者，乃南燕姞姓也，世家以爲北燕，失之。 《史記・陳世家・索隱》：「《莊二十二年・傳》云：『陳厲公，蔡出也，故蔡人殺五父而立之。』則他與五父俱爲蔡人所殺，其事不異，是一人明矣。《史記》……誤以他爲厲公，五父爲別人，是太史公錯耳。班固又以厲公躍爲桓公弟，又誤。」 周答群臣難曰：「若陛下降魏，魏不裂土以封陛下者，周請身詣京都，以古義爭之。」古義云者，其〈諫後主南行疏〉顯言之：故微子以殷王之昆，面縛銜璧而歸武王。」事據《左・僖六年傳》（頁 38－39）程說將譙周列入治《左傳》學者。

❶ 程元敏：《三國蜀經學》（臺北：學生書局，1997 年），頁 21。

13	陳壽	蜀	《華陽國志・後賢志》：「陳壽字承祚，……治《尚書》、《三傳》，銳精《史》、《漢》。」（頁180）
14	諸葛亮	蜀	程元敏《三國蜀經學》云：「孔明讀經普及《易》、《書》、《詩》、《周禮》、《春秋公羊》與《左氏》、《論語》、《孟子》九種。《易》、《論語》所主未詳。餘以古文學爲主；《書》合僞孔、《詩》毛鄭、《周禮》、《左傳》皆古學也。今文唯《詩》偶用三家，《春秋》偶用《公羊》，惟《禮記》學後漢大興，孔明頗治斯學。」（頁70）
15	向朗	蜀	《襄陽耆舊記》云：「向朗字巨達，襄陽宜城人。……自去長史，優遊無事，垂三十年。乃更潛心典籍，孜孜不倦。年踰八十，猶手自校書，刊定謬誤。積聚成篇卷，於時爲多。開門接賓，誘納後進，但講論古義，不干時事。……遺言戒子曰：『《傳》稱「師克在和不在眾。」』」❷程元敏據以判定向氏治《左氏春秋》（頁72）。
16	劉禪	蜀	《三國志・蜀書・尹默傳》：「尹默字思潛，梓潼涪人。益部多貴今文而不崇章句，默知其不博，乃遠游荊州，從司馬德操、宋仲子等受古學。皆通諸經史，又專精於《左氏春秋》，自劉歆條例，鄭眾、賈逵父子、陳元、服虔注說，咸略誦述，不復按本。先主定益州，領牧，以爲勸學從事，及立太子，以默爲僕射，以《左氏傳》授後主。」（頁1026）程元敏據此列入治《左傳》學者（頁74）。
17	蔣琬	蜀	程元敏據〈本傳〉載琬語：「人心不同，各如其面。」（《左傳・襄公卅年》）列入治《左傳》學者。（頁77）
18	壽良	蜀	《華陽國志・後賢志》：「壽良字文淑，蜀郡成都人也。……治《春秋三傳》，貫通五經。」（頁185）
19	常寬	蜀	《華陽國志・後賢志》：「常寬字泰恭，……治《毛詩》、《三禮》、《春秋》、《尚書》，尤意《大易》。」程元敏云：《春秋》當指《左傳》。（頁120）
20	孟光	蜀	《三國志・蜀書・孟光傳》：「好《公羊春秋》而譏《左氏》，每與來敏爭此二義，光常譊譊讙咋。」（頁1023）
21	來敏	蜀	《三國志・蜀書・來敏傳》：「來敏字敬達，義陽新野人，來歙之後也。……涉獵書籍，善《左氏春秋》，尤精於《倉》、《雅》訓詁，好是正文字。」（頁1023）

❷ 〔晉〕習鑿齒撰、〔清〕任兆麟訂：《襄陽耆舊記》（上海：上海古籍出版社，1995年，《續修四庫全書》本，第548冊），頁356。

22	尹默	蜀	《三國志・蜀書・尹默傳》：「尹默字思潛，梓潼涪人。益部多貴今文而不崇章句，默知其不博，乃遠游荊州，從司馬德操、宋仲子等受古學。皆通諸經史，又專精於《左氏春秋》，自劉歆條例，鄭眾、賈逵父子、陳元、服虔注說，咸略誦述，不復按本。先主定益州，領牧，以為勸學從事，及立太子，以默為僕，以《左氏傳》授後主。」（頁1026）
23	李密	蜀	《三國志・蜀書・楊戲傳》注引《華陽國志》云：「密祖父光，朱提太守。父早亡。母何氏，更適人。密見養於祖母。治《春秋左氏傳》，博覽多所通涉，機警辯捷。」（頁1078）
24	李弘	蜀	程元敏云：「弘治《春秋左氏》，不為章句之學。」（頁23）
25	王化	蜀	《華陽國志・後賢志》：「王化字伯遠，廣漢郪人也。……化治《毛詩》、《三禮》、《春秋公羊傳》。」（頁180）
26	劉寵	蜀	《華陽國志・廣漢士女》：「劉寵字世信，綿竹人也。出自孤微，以明《公羊春秋》上計闕下，見除成都令。」（頁143）
27	秦宓	蜀	《三國志・蜀書・秦宓傳》：「譙允南少時，數往諮訪，記錄其言於《春秋然否論》，文多故不載。」（頁976）
28	張浩	蜀	《三國志・蜀書・張翼傳》注引《耆舊傳》云：「浩治律、《春秋》，游學京師。」（頁1703）
29	張裔	蜀	《三國志・蜀書・張裔傳》：「張裔字君嗣，蜀郡成都人也。治《公羊春秋》，博涉《史》、《漢》。」（頁1011）
30	高岱	吳	《三國志・吳書・孫策傳》注引《吳錄》云：「聞其（按：指高岱）善《左傳》，乃自玩讀，欲與論講。」（頁1109）
31	吳珩	吳	《三國志・吳書・孫權傳》注引《吳書》云：「珩字仲山，吳郡人，少綜經義，尤善《春秋》內、外傳。」（頁1124）
32	孫權	吳	《三國志・吳書・呂蒙傳》注引《江表傳》云：「孤少時歷《詩》、《書》、《禮記》、《左傳》、《國語》，惟不讀《易》。」（頁1274－1275）
33	諸葛謹	吳	《三國志・吳書・諸葛謹傳》注引《吳書》云：「其先諸葛氏，本琅邪諸縣人，後徙陽都。陽都先有姓葛者，時人謂之諸葛，因以為氏。瑾少游京師，治《毛詩》、《尚書》、《左氏春秋》。」（頁1232）
34	張紘	吳	《三國志・吳書・張紘傳》注引《吳書》云：「紘入太學，事博士韓宗，治京氏《易》、歐陽《尚書》，又於外黃從濮陽闓受《韓詩》及《禮記》、《左氏春秋》。」（頁1243）

35	程秉	吳	《三國志・吳書・程秉傳》注引《吳錄》云：「崇字子和，治《易》、《春秋左氏傳》，兼善內術。本姓李，遭亂更姓，遂隱於會稽，躬耕以求其志。」（頁1249）
36	孔坦	晉	《晉書・孔愉傳》：「坦字君平。祖沖，丹楊太守。父侃，大司農。坦少方直，有雅望，通《左氏傳》，解屬文。」（頁2054）
37	董景道	晉	《晉書・儒林列傳》：「董景道字文博，弘農人也。……明《春秋三傳》、《京氏易》、《馬氏尚書》、《韓詩》，皆精究大義。」（頁2355）
38	王敦	晉	《晉書・王敦傳》：「敦眉目疏朗，性簡脫，有鑒裁，學通《左氏》，口不言財利，尤好清談，時人莫知，惟族兄戎異之。」（頁2566）
39	劉元海	晉	《晉書・載記》云：「幼好學，師事上黨崔游，習《毛詩》、《京氏易》、馬氏《尚書》，尤好《春秋左氏傳》、《孫吳兵法》，略皆誦之，史、漢、諸子，無不綜覽。」（頁2645）
40	劉和	晉	《晉書・載記》云：「和字玄泰。身長八尺，雄毅美姿儀，好學夙成，習《毛詩》、《左氏春秋》、鄭氏《易》。」（頁2653）
41	劉宣	晉	《晉書・載記》云：「劉宣字士則。朴鈍少言，好學修潔。師事樂安孫炎，沈精積思，不舍晝夜，好《毛詩》、《左氏傳》。」（頁2653）
42	沈子響	南朝宋	《宋書・列傳自序》：「子響字世明，惇篤有行業，學通《左氏春秋》。……子穆夫字彥和，少好學，亦通《左氏春秋》。」（頁2445）
43	沈穆夫	南朝宋	《宋書・列傳自序》：「穆夫字彥和，少好學，亦通《左氏春秋》。」（頁2445）
44	蕭道成	南齊	《南齊書・高帝本紀》：「太祖年十三，受業，治《禮》及《左氏春秋》。」（頁3）
45	關康之	南齊	《南齊書・高逸列傳》：「康之字伯愉，河東人。……性清約，獨處一室，稀與妻子相見。不通賓客。弟子以業傳受。尤善《左氏春秋》。」（頁937）
46	韋愛	梁	《梁書・韋叡傳》：「愛少而偏孤，事母以孝聞。性清介，不妄交遊，而篤志好學，每虛室獨坐，遊心墳素，而埃塵滿席，寂若無人。……博學有文才，尤善《周易》及《春秋左氏》義。」（頁226）

47	裴邃	南齊	《南齊書・裴邃傳》：「邃十歲能屬文，善《左氏春秋》。」（頁413）
48	王筠	梁	《梁書・王筠傳》：「（筠）幼年讀五經，皆七八十遍。愛《左氏春秋》，吟諷常為口實，廣略去取，凡三過五抄。」（頁486）
49	賀革	梁	《梁書・儒林列傳》：「革字文明。少通三禮，乃長，遍治《孝經》、《論語》、《毛詩》、《左傳》。」（頁673）
50	羊侃	梁	《梁書・羊侃傳》：「侃少而瑰偉，身長七尺八寸，雅愛文史，博涉書記，尤好《左氏春秋》及《孫吳兵法》。」（頁557）
51	嚴植之	梁	《梁書・儒林列傳》：「植之少善《莊》、《老》，能玄言，精解《喪服》、《孝經》、《論語》。及長，遍治鄭氏《禮》、《周易》、《毛詩》、《左氏春秋》。」（頁671）
52	王僧辯	梁	《南史・王神念傳》：「僧辯字君才，學涉該博，尤明《左氏春秋》。（頁1536）
53	謝貞	陳	《陳書・孝行列傳》：「（貞）年十三，略通五經大旨，尤善《左氏傳》。」（頁426）
54	沈洙	陳	《陳書・儒林列傳》：「洙少方雅好學，不妄交遊。治《三禮》、《春秋左氏傳》。」（頁436）
55	陸慶	陳	《陳書・儒林列傳》：「時有吳郡陸慶，少好學，遍知五經，尤明《春秋左氏傳》，節操甚高。」（頁450）
56	徐伯陽	陳	《陳書・文學列傳》：「伯陽敏而好學，善色養，進止有節。年十五，以文筆稱。學《春秋左氏》。」（頁468）
57	李孝伯	北魏	《魏書・李孝伯傳》：「李孝伯，趙郡人也，高平公順從父弟。父曾，少治鄭氏《禮》、《左氏春秋》，以教授為業。」（頁1167）
58	梁祚	北魏	《魏書・儒林列傳》：「祚篤志好學，歷治諸經，尤善《公羊春秋》，鄭氏《易》，常以教授。」（頁1844）
59	張吾貴	北魏	《魏書・儒林列傳》：「張吾貴，字吳子，中山人。少聰惠口辯，身長八尺，容貌奇偉。年十八，本郡舉為太學博士。吾貴先未多學，乃從酈詮受《禮》，牛天祐受《易》。詮、祐粗為開發，而吾貴覽讀一遍，便即別構戶牖。世人競歸之。曾在夏學，聚徒千數而不講傳，生徒竊云張生之於《左氏》似不能說。吾貴聞之，謂其徒曰：「我今夏講暫罷，後當說傳，君等來日皆當持本。」生徒怪之而已。吾貴謂劉蘭云：「君曾讀《左氏》，為我一說。」蘭遂為講。三旬之中，吾貴兼讀杜、服，隱括兩家，異同悉舉。諸生後集，便為講之，義例無窮，皆多新異。蘭乃伏聽。學者以此益奇之。」（頁1851）

60	劉蘭	北魏	《魏書，儒林列傳》：「劉蘭，武邑人。……蘭讀《左氏》，五日一遍，兼通五經。先是張吾貴以聰辨過人，其所解說，不本先儒之旨。唯蘭推經、傳之由，本注者之意，參以緯候及先儒舊事，甚爲精悉。自後經義審博，皆由於蘭。蘭又明陰陽，博物多識，爲儒者所宗。瀛州刺史裴植徵蘭講書於州城南館，植爲學主，故生徒甚盛，海內稱焉。又特爲中山王英所重。英引在館，令授其子熙、誘、略等。蘭學徒前後數千，成業者眾，而排毀公羊，又非董仲舒，由是見譏於世。」（頁 1851）
61	盧景裕	北魏	《魏書・儒林列傳》：「景裕注《周易》、《尚書》、《孝經》、《論語》、《禮記》、《老子》，其《毛詩》、《春秋左氏》未訖。」（頁 1859）
62	李業興 鮮于靈馥	北魏	《魏書・儒林列傳》：「業興少耿介志學，晚乃師事徐遵明於趙、魏之間。時有漁陽鮮于靈馥亦聚徒教授，而遵明聲譽未高，著錄尙寡。業興乃詣靈馥黌舍，類受業者。靈馥乃謂曰：『李生久逐羌博士，何所得也？』業興默爾不言。及靈馥說《左傳》，業興問其大義數條，靈馥不能對。於是振衣而起曰：『羌弟子正如此耳！』遂便徑還。自此，靈馥生徒傾學而就遵明。學徒大盛，業興之爲也。」（頁 2721－2722）
63	邢峙	北魏	《北史・儒林列傳》：「邢峙字士峻，河間鄭人也，少學通《三禮》、《左氏春秋》。」（頁 2729）
64	孫蕙蔚	北魏	《北史・儒林列傳》：「孫蕙蔚，武邑武遂人也。年十五，粗通《詩》、《書》及《孝經》。十八，師董道季講《易》。十九，師程玄讀《禮經》及《春秋三傳》。周流儒肆，有名於冀方。」（頁 2716）
65	張耀	北齊	《北齊書・張耀傳》：「耀歷事累世，奉職恪勤，咸見親待，未嘗有過。每得祿賜，散之宗族，性節儉率素，車服飲食，取給而已。好讀《春秋》，月一遍，時人比之賈梁道。趙彥深嘗謂耀曰：『君研尋《左氏》，豈求服虔、杜預之紕繆邪？』耀曰：『何爲其然乎？《左氏》之書，備序言事，惡者可以自戒，善者可以庶幾。故厲己溫習，非欲詆訶古人之得失也。』」（頁 362）
66	馬敬德	北齊	《北齊書・儒林列傳》：「馬敬德，河間人也。少好儒術，負笈隨大儒徐遵明學《詩》、《禮》，略通大義而不能精。遂留意於《春秋左氏》，沉思研求，晝夜不倦，解義爲諸儒所稱。」（頁 590）

67	房暉遠	北齊	《北史・儒林列傳》：「房暉遠字崇儒，恒山眞定人也。……暉遠幼有志行，明《三禮》、《春秋三傳》、《詩》、《書》、《周易》，兼善圖緯。」（頁 2760）
68	庾信	北周	《周書・庾信傳》：「信幼而俊邁，聰敏絕倫。博覽眾書，尤善《春秋左氏傳》。」（頁 733）
69	沈重	北周	《周書・沈重傳》：「沈重字德厚，吳興武康人也。性聰悟，有異常童。弱歲而孤，居喪合禮。及長，專心儒學，從師不遠千里，遂博覽群書，尤明《詩》、《禮》及《左氏春秋》。」（頁 808－809）
70	孫叔毗	北周	《周書・孝義列傳》：「叔毗早歲而孤，事母以孝聞。性慷慨有志節。勵精好學，尤善《左氏春秋》。」（頁 829）
71	楊汪	北周	《北史・楊汪傳》：「汪少凶疏，與人群鬥，拳所毆擊，無不顚踣。長更折節勤學，專精《左氏傳》，通《三禮》。」（頁 2550）

附錄三

魏晉南北朝《春秋》類著作總表

類別／時代	總義類		左傳類		公羊類		穀梁類		三傳類		左公類		左穀類		公穀類		總計	
	種	卷	種	卷	種	卷	種	卷	種	卷	種	卷	種	卷	種	卷	種	卷
魏	0	0	13	93	3	18	1	12	3	10	0	0	0	0	0	0	20	133
蜀	0	0	1	*	0	0	0	0	0	0	0	0	0	0	0	0	1	*
吳	0	0	3	22	3	6	1	13	0	0	0	0	0	0	0	0	7	41
晉	2	*	31	212	7	43	19	143	11	54	0	0	0	0	2	15	72	467
南朝	3	*	29	188	3	14	3	8	1	*	0	0	0	0	1	10	40	220
北朝	0	0	9	51	1	*	0	0	6	67	1	*	0	0	0	0	17	118
總計	5	*	86	556	17	81	24	176	21	131	1	*	0	0	3	25	157	979

魏晉南北朝《春秋》學家治學旨趣總表

類別／時代	治春秋		治左傳		治公羊		治穀梁		治三傳		治左公		治左穀		治公穀		合計		總計
	有	無	有	無	有	無	有	無	有	無	有	無	有	無	有	無	有	無	
魏	0	2	10	6	1	1	0	0	3	0	0	0	0	0	0	0	14	9	23
蜀	0	2	1	13	0	4	0	0	0	2	0	1	0	0	0	0	1	22	23
吳	0	0	3	6	2	0	0	0	0	0	0	0	0	0	1	0	6	6	12
晉	2	0	11	5	4	0	10	0	7	1	1	0	1	0	1	0	37	6	43
南朝	3	0	13	15	2	0	2	0	2	0	0	0	0	0	1	0	23	15	38
北朝	0	0	8	22	0	1	0	0	6	2	1	0	0	0	0	0	15	25	40
合計	5	4	46	67	9	6	12	0	18	5	2	1	1	0	3	0	96	83	179
總計	9		113		15		12		23		3		1		3		179		179

經學研究論叢
第九輯　頁213～228
臺灣學生書局　2001年1月

楊樹達《春秋大義述》析評

胡楚生*

甲、引言

楊樹達字遇夫，湖南長沙人，生於清光緒十一年，卒於民國四十五年，當西元一八八五年至一九五六年，享年七十二歲。

楊氏自幼入塾，研讀詩書，光緒二十三年，楊氏進入長沙時務學堂，從梁啓超、熊希齡等學習新知，光緒三十一年，楊氏前往日本，先後進入東京宏文書院大塚分校及京都第三高等學校學習，辛亥革命後，返回國內，先後執教於北京師範大學、清華大學、湖南大學，歷時凡數十年，民國三十七年，獲選爲中央研究院第一屆院士。

楊氏一生，專意講學，著述甚多，如《高等國文法》、《詞詮》、《古書句讀釋例》、《中國修辭學》、《淮南子證聞》、《鹽鐵論要釋》、《漢書窺管》、《周易古義》、《老子古義》、《論語古義》、《論語疏證》、《積微居金文說》、《積微居甲文說》、《積微居金石小學論叢》、《積微居小學述林》、《積微居讀書記》等書，皆屬蜚聲士林之學術專著。❶

民國二十年九月十八日，日軍進佔瀋陽，民國二十六年七月七日，蘆溝橋事變發生，楊樹達時因親病，自北平歸省湖南，民國二十九年，抗戰進入艱苦階段，

---

* 胡楚生，中興大學中國文學系教授。

❶ 參劉紹唐主編：《民國人物小傳》第10冊（臺北：傳記文學出版社，1988年11月）。

楊氏激於義憤，秉其愛國情操，撰成《春秋大義述》一書，以寄寓心志，楊氏在該書的〈自序〉中說：

> 余自民國八年北遊，居舊京將二十年，教士於清華大學者十載，二十六年夏，以親病乞假南歸，歸二月而倭夷憑恃武力，挑釁蘆溝，先是倭夷強據我東三省及熱河，國人已中心憤怒，群思起與相抗，至是益憤寇難之逼，不能復忍，我軍事委員長蔣公以神武之姿，因國人之怒，起率南北健兒，以與夷虜周旋，伸其撻伐，蓋自始戰迄今，歷時三十餘月矣。

又說：

> 余時既移席於湖南大學，每念二十年都講之所，東南財賦之區，淪爲羊豕窟宅，不可卒拔，又自念荏染書生，迫於衰暮，不能執戈衛國，深用震悼於厥心，一日獨居深念，忽悟先聖之述《春秋》，以復讎攘夷爲大義，爰取往業，再三熟復，粗有所明，二十八年秋，乃以是經設教，意欲令諸生嚴夷夏之防，切復讎之志，明義利之辨，知治己之方，又以是經大義散在諸篇，學者始習，艱於通貫，乃取諸大義之比近者，類聚而群分之，立文爲綱，而以經傳附著其下，欲令學者力省時約，易於通解，每習一章，即明一義。

又說：

> 自知學識闇陋，不足明先聖之志於萬一，顧念經術之就衰，痛島夷之猾夏，寧敢以固陋自廢，而不誦其所聞，於是紹述大義，凡得二十九篇，當世賢人君子，儻能嘉其用心，匡所不逮，使聖學明而民志定，正義立而夷禍平，將國族實嘉賴之，寧獨余一人之私幸也。❷

---

❷ 此據 1943 年 12 月，上海：商務印書館初版，下引並同。

楊氏此〈序〉，於民國二十九年二月二十五日，作於湖南辰谿，在〈序〉文中，楊氏敘說了撰寫此書的時代背景、寫作用意、以及內容大要。楊氏此書，於民國三十二年十二月，由商務印書館出版，出版之時，書前有吳興陳立夫先生所撰之〈序〉，〈序〉文說道：

> 春秋二百四十二年之間，綱紀陵夷，荊蠻猾夏，孔子以述而不作之聖，愍然憂之，故於《詩》《書》，則刪其煩蕪，於《禮》《樂》，則定其訛謬，於《周易》，則贊其幽賾，而獨於《春秋》一經，則毅然取史氏之舊文，加以筆削，垂萬世之法，微言大義之所存，蓋有在於是矣，絜其要領，則大一統與攘夷狄二者爲先，大統一則必尊王室，以其爲號令所自出，不可得而僭，尤不可得而干之也，攘夷狄則必內諸夏，以其爲立國之大防，不可得而踰，亦必不可一日潰也。

又說：

> 自抗戰軍興，舉國一心，以翊戴中樞，安夏攘夷，期成大業，媚外者則民族有賊子之誅，專命者則國家有亂臣之討，而《春秋》之義，必使其户曉家喻，正人心以固國本，其事蓋不可緩，湖南大學教授楊君遇夫，治經深有得於屬辭比事之教，講學之餘，思有以自靖獻於國家民族，成此《春秋大義述》一書，以示後學，遠道問序於余，因發其凡如此，倘亦桴鼓相應之義也。

陳立夫先生的〈序〉文，寫於民國三十年三月，也是抗日戰爭最爲艱苦的時期，是時，太平洋戰爭尚未爆發，國內則和談之議頻興，故〈序〉文中，於大一統與攘夷狄之外，則於媚外之誅與專命之討兩者，也特別加以強調，楊氏之書，陳〈序〉之外，尚有曾運乾先生所撰之〈序〉文，〈序〉中說道：

> 吾友長沙楊積微先生，說字之精，遠逾段令，釋詞之審，上邁二王，注班

漢則抗手晉顏，校淮南殆鼎足高許，亦既天下學士，家誦其書矣，邇者以來，鑒於國變日亟，慨然中輟其考訂精嚴之素業，而從事於師絕道喪之微言，條舉《公羊》《春秋》綱義，類繫經傳於其下，以淺持博，以一持萬，爲《春秋大義述》一書，展卷觀之，不煩鉤稽，而麟經數十義法，豁然如披雲霧而睹天日，其開宗明義兩篇，曰〈復讎〉，曰〈攘夷〉，上契聖心，近符國策，不僅爲久湮之義發其覆，抑又爲新造之邦植其基。

曾運乾先生的〈序〉文，寫於民國三十年一月，曾氏也是長沙人，擅長《尚書》及古音之學，負有時名。在〈序〉文中，曾氏對於楊氏爲學，由考訂轉入探索《春秋》微言大義的心路歷程，敘說較詳。

此文之作，目的在於分析楊樹達先生《春秋大義述》一書之寫作方法，內容大要，並對其寫作的用心，寄寓的義旨，作出評論。

乙、析評

對於楊樹達先生《春秋大義述》一書，本文擬從「篇目之安排」、「大義之彰顯」、「論斷之依據」、「微旨之寄寓」等四個方面，加以分析及評論。

一、篇目之安排

楊樹達先生《春秋大義述》一書，分爲五卷，共計爲二十九篇，其篇目，依次爲〈榮復讎第一〉、〈攘夷第二〉、〈貴死義第三〉、〈誅叛盜第四〉、〈貴仁義第五〉、〈貴正己第六〉、〈貴誠信第七〉、〈貴讓第八〉、〈貴豫第九〉、〈貴變改第十〉、〈貴有辭第十一〉、〈譏慢第十二〉、〈明權第十三〉、〈謹始第十四〉、〈重意第十五〉、〈重民第十六〉、〈惡戰伐第十七〉、〈重守備第十八〉、〈貴得眾第十九〉、〈尊尊第二十〉、〈大受命第二十一〉、〈錄正諫第二十二〉、〈親親第二十三〉、〈重妃匹第二十四〉、〈尚別第二十五〉、〈正繼嗣第二十六〉、〈諱辭第二十七〉、〈錄內第二十八〉、〈言序第二十九〉。

《春秋大義述》卷首，有「凡例」二十六條，敘說該書體例，「凡例」之中，對於該書二十九篇篇目名稱與次第之安排，曾經提出清晰之說明，如「凡例」第七條說：

> 倭奴狂狡，陵我中華，五十年於此矣，著者年方十歲，即有中倭甲午之戰，於時親睹父兄憤慨之誠，即切同仇之志，年既冠，出遊倭京，益知倭奴之凶狡，晚遭大難，自恨書生，不能執戈衛國，乃編述聖文，昭示後進，故本編以〈復讎〉〈攘夷〉二篇爲首，惡倭寇，明素志也。

在此條「凡例」之中，楊氏敘說了《春秋大義述》一書，所以要以〈復讎〉、〈攘夷〉兩篇居全書之首的用意。又如「凡例」第八條中說：

> 華倭國力，本不相當，而三年以來，我方將士前仆後繼，視死如歸，馴致愈戰愈強，而倭寇乃陷入深淵，不能自拔，環顧歐陸，最強大之國不一二月遽即淪亡，以彼例此，我國潛力強盛，頓使世界震驚，此固由國人涵濡聖教，故人有忠義之心，亦由元帥賢明，故爾士心激厲也，本編次述〈貴死義〉，念國殤，厲將士也。

在此條「凡例」之中，楊氏敘說了要以〈貴死義〉繼於〈復讎〉與〈攘夷〉兩篇之後，正是爲了激勵抗日將士，視死如歸的用意。又如「凡例」第九條說：

> 人臣之罪，莫大於叛國，宋魚石齊慶封以中原之人，受夷狄之封，憑藉異族之勢，以脅父母之邦，固天地所不容，神人所共憤也，故楚靈雖不道，其討慶封也，《春秋》予之伯討，而董子亦著封罪之宜死，誠深惡而痛絕之也，倭寇鴟張，不謂今日炎黃之胄，尚有爲魚石慶封之續，藉外援以叛國者，眞人類之梟獍也，故次述〈誅叛盜〉，明眾怒，張天討也。

在此條「凡例」之中，楊氏指出了抗戰之時，漢奸叛國之流的可惡，也更明確地顯示了楊氏之書，即從篇目名稱與次第的安排而言，也是緊扣了抗日戰爭中的諸般史事，發揮了《春秋》大義的褒貶精神。又如「凡例」第十條說：

> 國於天地，必有與立，與立者何，道德是已，國父著書，力倡固有道德，

總裁詔示國人，諄諄以養成道德爲言，皆此物此志也，次述〈貴仁義〉、〈貴正己〉、〈貴誠信〉、〈貴讓〉、〈貴豫〉、〈貴變改〉、〈譏慢〉諸篇，皆修身養德之事也，蓋根本不立，萬事皆隳，雖有智能，適增罪惡爾。

在此條「凡例」之中，楊氏敘說了以道德修身自立自強爲本的各篇要義。又如「凡例」第十一條說：

士必以良友自輔，國必求與國自助，故折衝樽俎者尚矣，次述〈貴有辭〉，明外交之重要也。

在此條「凡例」之中，楊氏說明了在抗戰前期的艱苦歲月之中，國人期望求取友邦協助的迫切情況。

另外，自〈明權第十三〉以下，從注重民生的〈重民〉，到愛好和平的〈惡戰伐〉，到不能缺乏軍事防衛力量的〈重守備〉，到監督吏制的〈錄正諫〉等等，大體而言，二十九篇篇目的名稱與次第，確實有其內在理路的貫串線索，也有其條理井然的層層體系，因此，楊樹達先生在《春秋大義述》一書中的篇目安排，不僅能彰顯《春秋》的大義，也能緊扣抗日戰爭的時代背景和時代精神，而進行了彰明古籍、兼寓新義的雙重任務。

二、大義之彰顯

楊樹達先生所撰《春秋大義述》一書，重在彰顯《春秋》之大義，故採取歸納的方法，將《春秋》及各《傳》中所述類似的事件，聚爲一篇，又採取綱目式的體例，以自身之言論文字爲綱，提絜各篇大義，使《春秋》大義，從而彰著明顯，楊氏在該書「凡例」第一條中說道：「《春秋》之所重在義，聖人固已明示後人，此書編述，一以大義爲主，考證之說，概不錄入。」又在「凡例」第五條中說道：「《春秋》始隱訖哀，凡二百四十二年，一《經》大義，散在《傳》中諸篇，學者非偏讀全書，再三紬復，不易得其條貫，此書既主述大義，故將各《傳》之屬於某一義者類聚之，即取其大義爲篇名，絜各《傳》文中要旨立爲綱，而以《經》

《傳》附列於其下，意欲期讀者，每讀一篇，得明一義，聊收節省日力之效云爾。」已將此書之寫作方式，敘說清楚。因此，即就《春秋大義述》一書楊氏所撰寫之各篇提綱而言，也已足夠了解楊氏此書在其篇中所欲彰顯的大義。例如在《春秋大義述》卷一〈榮復讎第一〉篇中楊氏所撰的提綱說道：

> 《春秋》榮復讎。 復國讎者賢之。 國讎不可並立於天下，雖百世可復也。 復讎而戰，雖敗猶可伐，故內不言敗，復讎敗則特書。 讎者無時可與通，故與讎狩則譏。 與讎會則譏。 與讎爲禮則譏。 娶讎女則譏。 事復讎，而無復讎之誠者，譏。 君弒，賊不討，不書葬，以爲臣不討賊，非臣，子不復讎，非子。 讎在外不能討則書葬。 無賊可討則書葬。 復讎者，滅其可滅，葬其可葬。 家讎不可復。 父不受誅，子復讎可也。 朋友復讎，相衛而不相迿，古之道也。

在〈榮復讎第一〉篇中，楊氏一共撰寫了十七條提綱，在這十七條提綱之下，每條提綱都有支持此條提綱主張的《經》《傳》史籍資料，對於此條提綱，作出詳密的證明，每條提綱，由《經》《傳》資料證明其可信，證明其來源，而每條提綱，也依據其《經》《傳》資料，作出了概括性及綜合性的提要說明。每條提綱與每條提綱之間，也有其密切之關聯性質，因此，將每條每條提綱揀擇出來，貫串成一篇前後相聯之文字，則正好彰顯了該篇文章所欲表顯的《春秋》「大義」。如此篇自「榮復讎」入手，提爲綱領，然後提出了「復國者賢之」，以至「國讎不可並立於天下，雖百世可復也」的目標，以至爲「復讎而戰，雖敗猶可伐」的激勵之語，以至「讎者無時可與通」，故「與讎狩」、「與讎會」、「與讎爲禮」、「娶讎女」、「事復讎」，則皆「譏」之，以至「君弒，賊不討」，則「不書葬」，以至由君國之讎，至於父母之讎等等，皆由每條提綱，作出系統之貫聯，同時也彰明了「榮復讎」的《春秋》大義。又如在《春秋大義述》卷一〈貴死義第三〉篇中楊氏所撰的提綱說道：

> 《春秋》貴死義。 國君之死者，萊君死國則正之。 紀侯死國則賢之。

> 人臣之死者，孔父義形於色而死，則賢之。 仇牧不畏強禦而死，則賢之。 荀息不食其言而死，則賢之。 女子之死者，宋伯姬守禮而死，則賢之。 貴死義，故賤苟生，國君見獲不能死位，則絕之。 故蔡侯獻舞名。 沈子嘉名。 邾婁子益名。 曹伯陽名。 隗子之不名，以小國故不詳耳。 國君失國不能死位，亦絕之，故穀伯綏鄧侯吾離名。 鄭忽名。 邾子益名。 郜子盛伯之不名，以魯同姓故耳，此國君之見賤者也。 鄭祭仲不能死難，故見惡於《春秋》。 曹大夫不能死義，故眾殺而不名。 楚公子比不能死義，故加以弒君之罪。 凡伯不能死義，故書以歸以見其辱命，此人臣之見賤者也。 逢丑父代齊頃公之死，可謂能捨身也，而《春秋》非之者，以其使頃公苟生，置其君於人所甚賤故也。

在〈貴死義第三〉篇中，楊氏一共撰寫了二十二條提綱，這二十二條提綱，從國君如萊君紀侯能夠以義殉國，人臣如孔父仇牧荀息的以義死難，到女子如宋伯姬的守禮死義，都是《春秋》視以爲是賢明的對象。反之，國君人臣，如果偷生苟活，不能捐軀報效國家，《春秋》則直書其名，以表示輕賤視之的意義，至於成公二年齊晉鞌之戰，齊師戰敗，晉郤克將虜獲齊頃公，頃公之車右逢丑父在戰車上與頃公易位，又使頃公下車覓取飲水，因而得以免於被俘，此在逢丑父，雖屬捨身與敵，代君而死，有功國家，但是，《春秋》以爲，逢丑父措其君於人所至賤之地，而因以苟生，也不是眞能知曉權變的舉動，故也並不稱許他的行爲。又如在《春秋大義述》卷三〈重民第十六〉篇中楊氏所撰的提綱說道：

> 《春秋》重民。 故齊桓愛民則稱之。 楚莊恤百姓則與之。 魯僖有志乎民則稱之。 魯文無志乎民則譏之。 重民力則譏築作。 故城中丘譏。 新延廐，譏。 作南門，譏。 作雉門及兩觀，譏。 築鹿囿，譏。 築臺，譏。 毀臺，譏。 久役，譏。 亟伐，譏。 亟大蒐，譏。 重民食，故有年則書。 告糴則譏。 重民命，故公子遂乞師則譏。 魯僖以楚師伐齊則譏。 鄭棄其師則譏。 重民財，故稅畝則譏。 虞山林藪澤則譏，聖人之意，亦大可見矣。

在〈重民第十六〉篇中，楊氏一共撰寫了二十三條提綱，這二十三條提綱，主要說明《春秋》大義，以重視人民爲本，從愛民恤民如齊桓公楚莊王之受到稱許，到不重視人民如魯文公的受到譏刺，以至一切輕用民力，如築新城、建新廄、作新門、設鹿囿、多戰伐、多蒐閱之事，都是《春秋》譏刺的對象，以至進而重視人民的生活食物是否豐足，重視百姓的農作稅賦是否合理，重視人民百姓的身家性命而主張不應輕動干戈輕啓戰端，都是楊氏歸納所見《春秋》經中「重民」的大義所在。又如在《春秋大義述》卷三〈惡戰伐第十七〉篇中楊氏所撰寫的提綱說道：

> 《春秋》惟重民也，故惡戰伐。 滅國者疾之。 取邑者疾之。 火攻者疾之。 伐喪，則尤惡之。 諸侯取鄭邑，諱之曰，城虎牢。 而晉士匄不伐齊喪，則善之。 然宋襄公以豎刁易牙爭權而征齊，則與之。 楚靈王以齊慶封亂齊而伐防，則與之。 爲復讎而興師者，則榮之。 故齊襄滅紀，爲之諱而書大去。 魯與齊戰於乾時，雖敗績而不諱，此國君之復讎者也。 伍子胥假吳師以伐楚，則善而不誅，此臣子之復讎者也。 至魯季公忿不加暴，則大其獲莒挐。 宋襄公不忘大禮，則譽爲文王之戰，此戰而能以禮見稱者也。

在〈惡戰伐第十七〉篇中，楊氏一共撰寫了十五條提綱，這十五條提綱，都是楊氏歸納《春秋》經中所記事例所得聖人厭棄戰爭的大義，因此，像滅人之國、奪人之邑、以大火燒焚人物、或趁人國有喪而加以攻伐，都是《春秋》最爲棄惡的行爲，故戰伐之事，除以戈止武，安寧邦國，如宋襄公楚靈王者，能復君父之讎，如魯莊公伍子胥者，則不在棄惡之列，其他爭城爭戰、殺人盈野之事，皆是聖人最爲厭惡棄絕之行徑。

以上所舉數例，都是楊樹達先生自《春秋》經傳中歸納得見聖人在《春秋》中所主張之「大義」，然後以提綱的方式，加以寫出，又以經傳資料，臚列其下，加以佐證，因此，提綱中的「大義」，皆屬楊氏自《春秋》經傳中，客觀歸納而得，所得結論，也都堅確可信。

三、論斷之依據

楊樹達先生撰寫《春秋大義述》一書，採取歸納的方法，將《春秋》經傳中相關的史事以及評論的意見，類聚一處，從而得到極爲可信之論斷。因此，在該書每篇的提綱之下，皆有廣徵博引的相關史事及評論資料，用以佐證楊氏所撰提綱的可信程度，而在楊氏引用的史事及評論資料中，由於所著重的在彰明《春秋》的經義，因此，大體上是以《公羊傳》、《穀梁傳》、《春秋繁露》爲主，而以其他經傳資料爲輔，例如《春秋大義述》卷二〈貴誠信第七〉篇中「宋華元楚子反不欺則大之」的提綱之下，楊氏引述的資料說道：

> 「宣十五年，夏，五月，宋人及楚人平。」《公羊傳》曰：「外平不書，此何以書，大其平乎己也。何大乎其平乎己，莊王圍宋，軍有七日之糧爾，盡此不勝，將去而歸爾，於是使司馬子反乘堙而闚宋城，宋華元亦乘堙而見之，司馬子反曰，子之國何如，華元曰，憊矣，曰，何如，曰，易子而食之，析骸而炊之，司馬子反曰，嘻，甚矣憊，雖然，吾聞之也，圍者拑馬而秣之，使肥者應客，是何子之情也，華元曰，吾聞之，君子見人之厄則矜人，小人見人之厄則幸之，吾見子，君子也，是以告情於子也，司馬子反曰，諾，勉之矣，吾軍亦有七日之糧爾，盡此不勝，將去而歸爾，揖而去之，反於莊王，莊王曰，何如，司馬子反曰，憊矣，曰，何如，曰，易子而食之，析骸而炊之，莊王曰，嘻，甚矣憊，雖然，吾今取此然後歸爾，司馬子反曰，不可，臣已告之矣，軍有七日之糧爾，莊王怒曰，吾使子往視之，曷爲告之，司馬子反曰，以區區之宋，猶有不欺人之臣，可以楚而無乎，是以告之也，莊王曰，諾，舍而止，雖然，吾猶取此然後歸爾，司馬子反曰，然則君請處於此，臣請歸爾，莊王曰，子去我而歸，吾孰與處於此，吾亦從子而歸爾，引師而去之，故君子大其平乎己也。」《韓詩外傳・二》曰：「楚莊王圍宋，有七日之糧，曰，盡此而不剋，將去而歸，於是使司馬子反乘闉而窺宋城，宋使華元乘闉而應之……。君子善其以誠相告也。」

楚莊王圍宋，楚司馬子反與宋華元相見，各言其軍中實情，誠懇相告，楚軍因而引師歸去，《春秋》遂記此事曰「宋人及楚人平」，平是和平之義，而《公羊傳》也說「故君子大其平乎已」，指君子稱許此次事件能夠和平解決，楊樹達先生在此條「宋華元楚子反不欺則大之」的提綱之下，引述《春秋》經、《公羊傳》、《韓詩外傳》的記述和評論，（《韓詩外傳》的記述與《公羊傳》大略相同），而得出前述的提綱，一則說明提綱的來源，一則也說明了提綱論斷的言必有據，信而可徵。又如《春秋大義述》卷二〈貴讓第八〉篇中「齊桓公不讓公子糾，則書入以惡之」的提綱之下，楊氏引述的資料說道：

> 「莊九年，齊小白入於齊。」《公羊傳》曰：「其言入，何，簒辭也。」《穀梁傳》曰：「大夫出奔，反，以好曰歸，以惡曰入，齊公孫無知弒襄公，公子糾小白不能存，出亡，齊人殺無知而迎公子糾於魯，公子小白不讓公子糾，先入，又殺之於魯，故曰，齊小白入於齊，惡之也。」

齊亂，襄公被弒，公子糾與小白出亡，亂平，齊人迎公子糾，而小白不讓，先入於齊，又使魯人殺公子糾，《春秋》經記「齊小白入於齊」，《公羊傳》謂言「入」乃指其簒奪君位，《穀梁傳》則指言「入」乃「惡之」之意，楊樹達先生在此條「齊桓公不讓公子糾，則書入以惡之」的提綱之下，引述了《春秋》經、《公羊傳》、《穀梁傳》的記述和評論，以佐證其論斷《春秋》大義「貴讓」的依據。又如《春秋大義述》卷三〈謹始第十四〉篇中「蕭同姪子笑客，齊患之始也」的提綱之下，楊氏引述的資料說道：

> 「成二年，秋，七月，齊侯使國佐如師，己酉，及國佐盟於袁婁。」《公羊傳》曰：「前此者，晉郤克與臧孫許同時而聘于齊，蕭同姪子者，齊君之母也，踊於踣而窺客，則或跛或眇，於是使跛者迓跛者，使眇者迓眇者，二大夫出，相與踦閭而語，移日，然後相去，齊人皆曰，患之起，必由此始，二大夫歸，相與率師爲鞌之戰，齊師大敗。」成元年，《穀梁傳》曰：「冬十月，季孫行父禿，晉郤克眇，衛孫良夫跛，曹公子手僂，

> 同時而聘于齊，齊使禿者御禿者，使眇者御眇者，使跛者御跛者，使僂者御僂者，蕭同姪子處臺上而笑之，聞于客，客不說而去，相與立胥閭而語，移日不解，齊人有知之者，曰，齊之患，必自此始矣。」

齊國與晉國、魯國、衛國、曹國的聯軍大戰於鞌，是春秋時代重要的戰役之一，齊國大敗，霸業由是漸衰，而關係如此緊要的戰爭，卻起源於齊君母子以玩笑的態度接待各國的使臣，歷史重大事件，肇端卻如是細微，《公羊傳》與《穀梁傳》，發明《春秋》之義，以爲患由此起，楊樹達先生也提出了「蕭同姪子笑客，齊患之始」的「《春秋》謹始」的論斷。又如《春秋大義述》卷五〈惡戰伐第十七〉篇中「宋襄公不忘大禮，則譽爲文王之戰」的提綱之下，楊氏引述的資料說道：

> 「僖二十二年，冬，十有一月，己巳，朔，宋公及楚人戰于泓，宋師敗績。」《公羊傳》曰：「偏戰者日爾，此其言朔，何，《春秋》辭繁而不殺者，正也，何正爾，宋公與楚師期于泓之陽，楚人濟泓而來，有司復曰，請迨其未畢濟而擊之，宋公曰，不可，吾聞之也，君子不厄人，吾雖喪國之餘，寡人不忍行也，既濟，有司復曰，請迨其未畢陳而擊之，宋公曰，不可，吾聞之也，君子不鼓不陳列，臨大事而不忘大禮，有君而無臣，以爲雖文王之戰，亦不過如此也。」《春秋繁露・俞序篇》曰：「善宋襄公不厄人，不由其道而勝，不如由其道而敗，《春秋》貴之，將以變習俗而成王化也。」又〈王道篇〉曰：「宋襄公曰，不鼓不成列，不阨人，此《春秋》之救文以質也。」《史記・宋微子世家》曰：「太史公曰，襄公既敗于泓，而君子或以爲多，傷中國缺禮義，褒之也，宋襄之有禮讓也。」《淮南子・泰族訓》曰：「泓之戰，軍敗君獲，而《春秋》大之，取其不鼓不成列也」。

宋襄公與楚人戰於泓水，能夠守禮不渝，雖然戰爭失利，而《春秋》不以成敗之判相論，以爲襄公在戰爭危疑之中，能夠不忘大禮，甚至以爲文王行軍作戰，也不能有逾於此，所以才特別加以稱譽，《春秋》記載此一戰爭，不但記載日期「己已」，而且特別記載時間「朔」，清晨會戰，正是稱許宋襄公的行事得體，不計小功，所以《公羊傳》也特別對於《春秋》的記「朔」，表示是「得正道」（何休注語）的意義，要之，從關係生死存亡的戰爭行爲中，能夠不以成敗去論其優劣，即在此處，最能見出《春秋》的文化理想與禮義精神。

從以上的幾件例子，可以見出，楊樹達先生在《春秋大義述》一書之中，歸納所得之《春秋》大義，也都言必有據，信而可徵，佐證確鑿，堅實不移。

四、微旨之寄寓

楊樹達先生在日軍侵華、舉國抗戰之際，激於義憤，撰成《春秋大義述》一書，他蒿目時艱，感慨殊深，伏案著書，自然也有不少的微旨與心意，寄託在古人的典籍之中。至於楊樹達先生又是怎樣去表達他那微旨和心意呢？

首先，楊氏之書，在篇目次第的安排和篇目意涵的強調上，去表達其寓寄的微旨，例如以〈榮復讎〉、〈攘夷〉、〈貴死義〉、〈誅叛盜〉等四篇依次置於最前，〈惡戰伐〉、〈重守備〉等篇置於稍後，從篇目次第的安排以及篇目意涵的強調，尤其在抗戰時期，都很容易引起讀者們的愛國觀念。

其次，楊氏以提綱絜領的文字敘說，彰明《春秋》的大義，同時，在彰明的大義中，也傳達了以古鑑今的類似義趣，例如〈榮復讎〉篇中的「國讎不可並立於天下，雖百世可復也」，〈攘夷〉篇中的「春秋嚴夷夏之防，內其國而外諸夏，內諸夏而外夷狄」，〈誅叛盜〉篇中的「人臣挾他國之威以陵脅己國，其罪已大矣」，〈惡戰伐〉篇中的「春秋惟重民也，故惡戰伐」，這些提綱中的《春秋》「大義」，也給讀者們提示了一種是非、邪正、褒貶、取捨的論斷標準，這種論斷標準，讀者們很自然地會應用到眼前的事例上去，而加以論斷。

再次，楊氏之書，在每一條提綱之下，都類聚了許多經傳諸子的「史事」，以佐證該一提綱所彰明的「大義」，在一件件的「史事」的敘述之中，讀者們閱讀該書，很自然地會產生以古喻今、引今證古的聯想，以當前的相似事件，去和古代的「史事」，相互印證比較，從而加以論斷，加以評議。

楊樹達先生撰寫《春秋大義述》一書，有感而發，下筆之際，意有所寄，手下書寫的雖然是古代經典的意義，心中所關切的卻不免是當前的巨變，至於讀者，在抗戰期間，閱讀楊氏之書，感憤國難，從該書的篇目、大義、史事、序文、凡例之中，產生啓發，將古代的事件，與眼前相似的事件，聯類比較，也自然易於感受到楊氏在該書言語之外的一些意趣。

舉例言之，清光緒二十年，西元一八九四年，中日甲午戰爭發生，清廷割讓臺灣，民國二十年，九一八事變發生，日本侵佔東北三省，民國二十六年七月七日，蘆溝橋事變發生，日軍侵華行動，全面展開，四十年間，日軍對於我國，步步進逼，肆其暴行，我國軍民同胞，忍辱已久，復讎之志，堅不可拔，楊樹達先生在《春秋大義述》書中，首篇即申論〈榮復讎〉之大義，讀者閱讀該篇，自然易於感受到楊氏激勵士氣、喚醒國魂的言外之意。

又如抗戰軍興，我國英勇將士，奮起抵抗，以劣勢之裝備器械與敵人作殊死之鬥，犧牲壯烈，傷亡無數，高級將領，親冒矢石，取義成仁，如趙登禹、佟麟閣、張自忠者，指不勝屈，楊樹達先生於《春秋大義述》書中第三篇所論〈貴死義〉之大義，讀者閱讀該篇，自然易於感受到楊氏禮讚抗日陣亡將士的言外之意。

又如《春秋大義述》有〈誅叛盜〉一篇，讀者閱讀該篇，自然易於聯想及殷汝耕、王揖唐、梁鴻志、汪精衛等人之叛僞政權，《春秋大義述》有〈惡戰伐〉一篇，讀者閱讀該篇，自然易於聯想及犧牲已至最後關頭，全民不得不奮起抗敵的處境，《春秋大義述》有〈重守備〉一篇，讀者閱讀該篇，自然易於聯想及國家不能缺乏守衛疆土的武備力量，《春秋大義述》有〈貴有辭〉一篇，讀者閱讀該篇，自然易於聯想及抗戰時期外交工作之艱困情形。

要之，楊樹達先生《春秋大義述》一書，撰著背景，別有緣由，有所寄寓，事本自然，其主旨雖在彰明《春秋》之大義，也同時盼能激勵國人之心志，因此，讀者若身處抗戰危難之際，閱讀其書，必更能以古史今事，相似之處，類推比較，得到楊書言外的旨趣，從而激發愛國的情操。

丙、結語

綜合前文所述，約略可得結語如下：

一、楊樹達先生本以研治金石甲骨語言文字之學，成就卓著，享譽士林，及至抗戰時期，國難當頭，激於義憤，乃毅然輟捨舊業，轉而探究《春秋》，抒發大義，寄寓微旨，用以鼓舞民心，激勵士氣，無疑是一種愛國的行為與可貴的情操。

二、楊樹達先生《春秋大義述》一書，在篇目的名稱與次第的安排上，即已表現了與時代的緊密關係，在《春秋》大義的彰顯上，他則以撰寫提綱的方式，去加以表達，在論斷的依據方面，他則採取歸納的方法，將《春秋》經傳中的史事敘述與有關的評論意見，類聚一處，從而提出極爲堅確的論斷。因此，即就《春秋》一經本身的研究而言，楊氏研究的成果，也極爲客觀而可憑信。

三、楊樹達先生身處民族危亡之際，撰寫《春秋大義述》一書，當時的讀者們，置身國家艱困之時，閱讀楊氏之書，以古鑑今，以今喻古，很自然地會從該書的篇目、大義、史事、序文、凡例之中，感受到是非邪正的論斷標準，激勵出同仇敵愾的奮發力量。

四、抗日戰爭，日寇侵華，神州大地，遍歷烽煙，學者專家，身當此際，也往往感發奮起，於文字著述中兼寓其愛國之情懷，例如陳援庵（垣）先生於抗日戰爭期間，身居舊京，閱讀古人之書，深切感受到宋人胡三省在異族統治下注釋《資治通鑑》之心情，因而撰成《通鑑胡注表微》❸一書，陳氏在書中曾藉胡三省所言「亡國之恥，言之者痛心，矧見之者乎」❹的話語，用以戒懼國人，又再三強調夷夏觀念、民族意識之重要，並謂「當國土被侵陵，或分裂時，則此種意識特著」❺，用以激勵民心。又如馮芝生（友蘭）先生，在抗戰時期，身率愛國青年，飄泊於西南天地之間，講學不輟，撰成《新理學》、《新事論》、《新世訓》、《新原人》、《新原道》、《新知言》等所稱之「貞元六書」❻，用以激勵國人，要「一面抗戰，一面建國」❼，也用以激勵自己，「以期對於當前之大時代，即有涓埃之貢獻」❽，同樣也是知識份子報效國家的一種表現。又如錢賓四（穆）先生，於抗

---

❸ 此書〈自序〉於民國三十四年七月，撰於北平。

❹ 見《通鑑胡注表微》書前〈小引〉所引《通鑑·後晉記》開運三年胡注之言。

❺ 見《通鑑胡注表微·夷夏篇第十六》。

❻ 據馮先生各書自序，「貞元六書」，除《新知言》撰成於民國三十五年六月，其他五書，皆撰成於民國二十七年至三十三年抗日戰爭期中，地點則多在雲南昆明。

❼ 見《新事論·論抗建》。

❽ 見《新理學·自序》。

戰期間，感懷國家危亡，撰成《國史大綱》❾一書，用以昭蘇國魂，一則強調，「我民族國家之前途，仍將於我先民文化所貽自身內部獲得其生機」❿，使國人對於抗戰的前景，堅定信心，再則強調，「抗戰勝利，建國完成，中華民族固有文化，對世界新使命之開始」⓫，使國人對於未來之前途，充滿希望。而楊樹達先生所撰著之《春秋大義述》一書，論其存心，論其作用，皆足以與前述援庵、芝生、賓四諸位先生之著述，並轡齊驅，同樣具有時代之精神與不朽之意義。

五、楊樹達先生《春秋大義述》一書，近時以來，注意及之者，似極罕見，然而，楊先生在抗日戰爭時期的一番用心，也不應任其淹沒，因此，本文之作，即在探索《春秋大義述》一書的內容與意旨，予以表出，俾使一段歷史眞相，得以彰明於世。

❾ 《國史大綱》撰成於民國二十八年六月，地點則在雲南宜良，上海：商務印書館初版，1940年6月。

❿ 見《國史大綱・引論》。

⓫ 見《國史大綱》第8編第46章〈除舊與開新〉第8節之提綱。

經學研究論叢
第九輯　頁229～274
臺灣學生書局　2001年1月

《四書》註釋書的歷史

佐野公治著・張文朝譯*

壹、關於章句集注的原文書

一、現行的章句集注

朱子終其一生不斷地思索，並與知己、門人反覆再三地討論如何把經書，特別是《四書》的理解方法、思想內容以「註釋」的方式再現。而其成果則是不斷地改寫註釋。就《四書》而言，正是現在呈現在我們眼前的《章句集注》。由章句集注而成的《四書》說，以及註釋文章的成立過程本身就是朱子一生的思想過程。這雖然也是個很有趣的研究課題，但同時，從完稿到刊行流通的章句集注中有幾種異本存在一事可知，朱子《四書》說傳承到後世時，成爲一個爭論點。在這裡我要來討論一下關於對《四書》學說史或者《四書》註釋史而言是項重要問題的章句集注本子。

現在一般所用的章句集注大致可區分爲吳志忠校訂本系統和通行本系統兩種。

吳志忠校訂本於嘉慶十六年（1811）出版，其中附錄了吳英的〈四書章句附考序〉〈四書章句集注定本辨〉〈四書家塾讀本句讀〉一卷、志忠〈四書章句附考〉四卷。（中華書局版《四書章句集注》〈點校說明〉）。我國（日本）以前有文求堂的影印本，中國在一九八三年所出版的《四書章句集注》（《新編諸子集

* 佐野公治，日本名古屋大學文學部教授。張文朝，復興工商專校兼任講師。

成》第一輯）是以吳氏校訂本為底本，再依據宋淳祐年間刊本的清仿刻本而校勘的。一九八四年所出版的中國書店版，宋元人注《四書五經》的《四書》雖然沒有說明，但可知是用淳祐本系統的本子。而臺灣從以前就出版了文求堂的影印本。

近年來在我國的註譯事業中，以介紹《大學章句》、《中庸章句》的註釋表現、思想體系結晶和達到結晶前之過程的島田虔次《大學・中庸》（昭和 42 年，朝日新聞社）最稱善本，這是依據吳志忠校訂本。而金谷治的《大學・中庸》（昭和 46 年，筑摩書房，《世界古典文學全集》）雖然以朱子的註為主，也參考了古注，但其文本也是依據前面的校訂本。

另一方面，《四書大全》本因《四庫提要》而被稱為通行本，廣為大家所用。在我國《漢文大系》的《四書》中，初學者所常用的簡野道明的《論語集註》正是依據這版本。中國在一九八三年刊行岳麓書社版的《四書集注》，也是根據這版本，而對於所依據的版本沒有加以說明，顯示近幾年來的中國也對書本的異同並非廣泛了解，或者不認為吳志忠校訂本是唯一的文本。

在我國的註釋事業中，試圖闡明宋明《四書》解釋史的山下龍二《大學・中庸》（昭和 49 年，集英社）之所以使用這本子，是因為它是明清時的通行本，可以說是很適當的選擇。

如上所述，現有的兩個章句集注的文本系統，其來源如何？以往的註釋書又依據哪個呢？容我做以下的說明。

二、章句集注的成立

與《四書》有關的朱子和其知友、門人的討論中，註釋的文章常常被拿來討論，其中有舊說、舊本、未定本、改本、更定本等用語一事可知，註釋不止一次被改訂過。在《朱子語類》中關於章句集注的文章有施以「按注是舊本」（卷 14，86 條）、「集注非定本」（卷 24，82 條）等原註。

關於註釋文章的討論，理所當然是手上拿著註釋文本來進行的。註釋在每次的改訂後，不管是片斷的或是全冊的，都分給知己、門人。所分發的文本有時是刊本，也有時是抄本。《中庸章句》序裡有「若吾夫子則雖不得其位……」其中有把「吾」字誤衍為「哥」字的寫本。因此，我們看朱子指示手上的書如果有誤的話請訂正一事（《朱文公文集》卷 44「答蔡李通」第八書）；和對看了《大學》舊說的論者告訴他誰有修訂本的抄本；以及在另一封信上更說沒人抄寫改訂後的書等事（《文集》別集卷 4〈向伯元〉第三、第六書），這些都顯示了朱子門人使用了章句集注的抄本。

就刊本而言，朱子本身自著出版、坊間出版都有章句集注。朱子從二十四歲到二十八歲間（紹興二十五年～二十七年）開始當同安縣主簿，到五十歲至五十二歲（淳熙六年～八年三月）任南康軍知事，接著到五十三歲（淳熙九年九月）任提舉兩浙東路常平茶鹽公事，六十一、二歲（紹熙元年、二年）任漳州知事等，經歷了在地方當官的官宦生活。其中除了著述尚未成熟的同安縣主簿時期之外，在江西的南康、浙江的浙東、福建的漳州三處任地都有過著述的出版或出版的計畫。這種官僚在任地從事書籍出版的事業，由在嚴州任知州的錢可則所出版的《四書管見》（參考第 2 章）及詹儀之在任地廣東廣西出版了朱子的著述（後述）等事也可知道，利用官僚的地位而得到相關人事的協助、以及像詹儀之那樣使用公帑是可能的。這點在了解當時的著述出版時期上是很重要的。朱子每次任官都策劃出版自己的著作，這意味著他積極地利用了廣佈學術的良機。

據說在南康軍知事的時期，把在建陽刻版的《語孟精義》改稱為《語孟要義》，「豫章郡文學、南康黃某商伯」非常高興，而「刻于其學」。豫章郡是南康軍的雅稱，大概是經由任教於南康軍校的南康人黃某（商伯）而交給學校刻印的吧！（《文集》卷 81，〈書語孟要義序後〉）。文中有「淳熙庚子（七年）冬十有一月，江東道院拙齋記」，在南康就任時的淳熙七年的年記下有被認為是轉任浙東後的「江東道院」，這雖然留下一些疑問，但無論如何，在南康軍知事的時期曾計畫出版而且加以實現是確實的事。南宋時江西的吉安、撫州是一個刻書的重地（魏隱儒、王金雨《漢籍版本入門》日譯，17 頁）。

這時期朱子自己的註釋也有可能被出版。「某所為《大學》、《論》、《孟》說近有為刻板南康者，後頗復有所刊正」（《文集》別集卷 1，〈劉德脩〉第二書）、「南康《語》、《孟》是後所定本，然比讀之，尚有合改定之處，未及下手」（同上，卷 63〈答孫敬甫〉第四書）。但是《朱子年譜考異》（四十八歲之條）把前面的〈答孫敬甫〉視為是在丙辰年（慶元二年，1196），認為在南康時所刊的，並不是在任的時候。

《語孟要義》以舊題《論語精義》、《孟子精義》被收入《朱子遺書》。若據此，此書乃收集編纂二程子明道、伊川及其後學的論說而成的著述，所以前面所說的《大學論孟說》、《語孟》大概不是指該書而可認爲是朱子自己初期的章句集注。據悉，《學庸章句》早在四十五歲時已成草稿（山根三芳〈朱子著作年代考（二）〉，《論孟集注》在四十八歲時成書（同上，及《年譜》）。如《年譜考異》所說，確實難以限定南康的出版是在朱子在任時。但在這時期章句集注大致已完成，因爲如前面所述有官僚的地位是出版的良機，所以在任期大幅縮短時是難以想像能有出版的機會。由以上可以推定在南康軍知事的五十幾歲時，出版了除《中庸》以外的章句集注。所謂的「《論》、《孟》二書甚恨其出之太早也」（《文集》卷 62〈答張元德〉第一書）大概是指這些早期的出版吧！

朱子六十一、二歲漳州知事在任時刊行了《書經》、《詩經》、《易經》、《春秋》等四經、及四子。除了《易經》中有淳熙九年夏六月的〈書後〉之外，其他的三經中則有紹熙庚戌（元年）十月的「書後」，而四子中有同年十二月的「書後」（《文集》卷 82）。雖然〈書後〉中沒有明記，但是在前年的淳熙十六年曾就經改定而完成的《學》、《庸》寫過章句序，所以這次的出版可以視爲是廣佈自著的良機，不只是經文的出版，而且也出版章句集注吧！藤塚鄰的《論語總說》，中華書局版《四書章句集注》〈點校說明〉也採取同樣的看法。在信中有敘述自己的學問觀，然後要對方讀讀臨漳刊行的《四書》的指示（同上，卷 59〈答曹元可〉），這明示了不單只是經文的出版而已。

朱子利用仕宦積極的刊布著述一事從諸經的「書後」也可以知道。那麼，在臨漳出版的三經書後寫著「紹熙庚戌元年」，而《易經》的〈書後〉卻先此而寫著淳熙九年，這是爲什麼呢？這期間有八年的差距，且讓我來推論一番。

朱子在南康軍任官期間的淳熙八年三月除提舉江南西路常平茶鹽公事，與待次差遣，七月除直秘閣，但辭之。八月改除提舉兩浙東路常平茶鹽公事，即日赴任地（《年譜》）。《易經》書後是翌年六月在任地所寫的。是年七月彈劾唐仲友、八月奪唐仲友之職、改除江南西路提點刑獄公事，但又辭退，而於九月回鄉。這期間的情形《年譜》及三浦國雄的《朱子》中有詳論。但由於任地方官是出版自著的良機，所以不難想像在任官於浙東提舉時也抱有此志。這時出版了《學》、《庸》

一事可從下文得知，「《大學》當在《中庸》之前，熹向在浙東刻本見爲一編」（《文集》卷 58〈答宋深之〉第一書）（譯者按：實爲第二書）。或許朱熹也想在浙東出版四經吧！因此可以認爲先是在六月時寫了《易經》的〈書後〉，馬上在翌月有彈劾唐仲友之事，其結果是辭官而喪失機會，而在再度得到機會的漳州知事之任時重新出版四經四子、書寫其他的〈書後〉。從〈書後〉執筆時期的不同可以知道仕宦是出版書籍的良機，而朱子積極地利用了這種機會。

章句集注也有不按照朱子的意向出版的時候：

> 《論語集注》蓋某十年前本，爲朋友間傳去，鄉人遂不告而刊，及知覺則已分裂四出，而不可收矣。（《語錄》卷 19，70 條）

文章的記錄者楊道夫在淳熙十六年（朱子六十歲）時入朱子之門下，到紹熙三年（1192）止一直都跟隨在朱子身邊（田中謙二：〈朱門弟子師事年考〉）。由此可知集注很早就有了民間刊本。

詹儀之（字體仁），紹興二十一年（1151）的進士，淳熙年間歷任信州知事、帥廣東、吏部侍郎、知靜江府（《景定嚴州續志》卷 3）。儀之在吏部侍郎、靜江知府任內六年，歿於紹熙元年（1190）。由朱子的〈祭詹侍郎文〉（《文集》卷 87）可知，任廣東帥時最遲也在淳熙十年（1183，朱子五十四歲）以前。

儀之在廣東任地（廣東或廣西）出版了朱子的著述。收錄在《朱文公文集》（卷 27）裡的四封〈與詹帥書〉傳達了這件事的經緯。朱子雖然應儀之要求，筆寫諸經之說以贈，並提醒切勿示人，但是儀之還是打算把它刊刻出來。驚愕之餘的朱子，基於已使用公帑雇用工役，所以無法中止，而強烈地希望由自己償還公帑以阻止此事，若報所用實費則「破產還納所不辭也」（第二書）。大概是接到了已在進行的回信吧！於是更進一步說，使用公帑來刻印私書是被人誣告的，而未定稿的上梓非朱子個人之本意，所以認爲削去刻版焚毀是爲上策，停止刻版而藏之，暫時中止是爲次策，如果（採取下策）出版的話應該重新改正（第三書），緊急送去改正稿本（第四書）。

由此看來，可以得知在廣東的儀之利用其地位以公帑刊刻朱子的著述。這時的出版由〈第三書〉所述說「《大學》、《中庸》舊本的改定尤多，所幸還沒刻版，不敢再呈送新本，所以可停止刊刻，及因爲貴眼沒有看破《論語》、《孟子》是未定稿所以才生今日之憂」一事可看出是初期的《論語集注》、《孟子集注》。

如上，在朱子生前已經過數次章句集注的刊行。之後也不斷地有所改訂，所以晚年的絕筆定本和各種刊本之間產生了很大的差別。魏了翁（1178－1237）有如下地說法：

> 王師北伐之歲，余請郡以歸，輔漢卿廣以《語孟集註》爲贈曰：「此先生晚年所授也」，今（按原文爲「余」，又所曰之內容止於所授也，非如原著者之止於授之）拜而授之，較以閩（福建）淛（浙江）間書肆所刊，則十已易其二三，趙忠定（汝愚）公帥蜀日，成都所刊，則十易六七矣。（參見《鶴山先生大全文集》卷53〈朱子語孟集注序〉。又〈朱文公語類序〉）

所謂的王師北伐是說開禧二年（1206）企圖進攻北方的金國，了翁是慶元五年（1199）的進士，因批判北伐之舉，三年後被改爲嘉定府知府。所謂的「請郡」是指這事。據此則可知自朱子之歿年（慶元六年，1200）初期，除了上述的各種版本之外，在福建、浙江、四川也有《語孟集注》刊本而且其間有很大的差別。

嘉定十年（1217）間被浙江省嚴州知州鄭之悌聘請講義的朱子高弟子陳淳，見此地少有人持有朱子的《大學》解，而持有者的書也都是「久年未定之本」（《北溪大全集》卷 24〈答趙司直季仁〉一），於是「得先生絕筆定本，因刻之嚴陵郡庠」（同上，卷 14〈代跋大學〉）。所謂「刻之郡庠」的陳淳跋文一般認爲是當局者的官僚（大概是鄭之悌吧）的代筆而且是使用公帑出版。

沒有資料可以知道輔廣、魏了翁、陳淳所見之文本是否的確是絕筆定本。關於文本的問題現在能說的只有如下兩點：

1.與絕筆定本比，有大幅差別的朱子生前未定稿爲抄本、刊本，曾有好幾種存在，總括稱之爲舊本。舊本是未定稿一事爲大家所周知，所以在被視爲晚年定本的書普及之後，舊本已失去其生命而幾近散逸，由《文集》、《語類》，及宋元的註釋書可以部分地復原。

2.雖然無法確實知道傳說中臨終數日前也改定了《大學》〈誠意章〉（《年譜》，同〈考異〉）的絕筆定本情況，但是宋代淳祐年間的刊本及當時興國軍治下所出版的興國本，其間雖有數處的差別，但比諸舊本，其差別則小多了，又從門人弟子、後學的言論來看，都是與晚年絕筆本很接近的文本。此淳祐本（及繼承與淳祐本同祖本的文本，稱之爲淳祐系統本）與興國本是相傳於後世的章句集注的二支源流。

以下來看關於文本傳承的問題。

三、宋元代的章句集注

以前鐵琴銅劍樓有淳祐壬子（十二年，1252）識刊本，故宮博物院有淳祐丙午（六年，1246）識刊本的《四書章句集注》。後者事實上應該稱之爲元修補覆宋本，大概是因爲年記是僞裝宋槧之故吧！於清初影刻（仿刻）（藤塚鄰：《論語總說》）。又，後者現藏於臺灣故宮博物院（阿部隆一：《增訂中國訪書誌》）。

使用與淳祐本同系統本的註釋書，在宋代有眞德秀《四書集編》、趙順孫《四書纂疏》、元代有金履祥《論語集註考證》、胡炳文《四書通》。胡炳文把淳祐系統本視爲是傑出的文本，明示了不依據另一系統的興國本的理由（後述）。

依據興國本的註釋書在宋代有祝洙《四書附錄》、在元代有陳櫟《四書發明》、倪士毅《四書輯釋（大成）》等。陳櫟見《四書通》而志於自著的改訂，但沒有完成，這工作便由其弟子倪士毅繼續完成。但以底本來說是依據祝洙本，謂：

> 祝氏附錄本，文公（朱子）之適孫鑑書其卷端云：「四書元本，則以鑑向得先公晚年絕筆所更定而刊之興國者爲據。」（《四書輯釋》大學經一章注所引）

到後世，經清末吳英重新探討上文的文意是：若依倪士毅，則朱子之孫朱鑑說：「在興國所出版的《四書》是祖父的晚年絕筆。」（「文公之孫謂：四書此興國刊者晚年絕筆所更定之本也」《四書輯釋》凡例）。其師陳櫟當然也同樣地認爲這文本是朱子晚年絕筆本，而就這祝洙本（興國本）與其他本的得失加以詳辯而著有《四書考異》一卷（同上）。

所謂的興國是以現在的湖北省陽新縣爲中心的地域，太平興國三年時改永興軍爲興國軍。興國軍是個出書很方便的地方。《黃氏日抄》（卷 91〈修撫州六經跋〉）裡有「六經之官板，舊惟江西之撫州，稱興國軍爲善本」。《四書》的出版是在馮去疾任知軍時的理宗時代（1225－1264）（《宋元學案補遺》卷 49「馮去疾」條）。根據《日抄》，六經的官版在己未（開慶元年，1259）因虜騎之侵入而燒毀，所以假定那時《四書》的版本也被燒毀的話，那麼，可以據此判定出版的下限。

朱子的長子是塾（字受之），塾的兒子鑑，官至奉直大夫、湖廣總領（《宋元學案》卷 49）。朱子的母親是祝確的女兒，母親的哥哥是莘，莘的曾孫是祝洙（確－莘－康國－丙〔穆〕－洙）。關於祝確的事跡，朱子有〈外大父祝公遺事〉（《文集》卷 98）。祝洙之父穆及其弟癸都從學於朱子，祝穆著有《事文類聚》、《方輿勝覽》。祝氏本新安人（也是朱子的故鄉），之後康國移居福建崇安。朱子在六十二歲移住福建建陽之前也住在崇安，所以大概是康國請朱子移居的吧！建陽和崇安距離近，而且祝洙因父親從學於朱子，所以可以想像得到他與朱家有著密切的關係，而與朱子之孫謀求刊刻晚年絕筆當然是有可能的事。

假設依以上所說的，那麼，以朱子的嫡孫保證是祖父絕筆定本——興國刊本爲底本的祝洙《四書附錄》本，便可視爲極有價值的章句集注文本。

在此就淳祐系統本與興國本列舉出兩者有顯著差別的部分。甲是淳祐系統本，依據《四書通》（《通志堂經解》本），乙是興國本，根據《四書輯釋》。

⑴《大學》經一章，關於誠意之註。

甲、欲其一於善而毋自欺也（胡炳文自注謂：「一於善而無自欺」。

乙、欲其必自慊而無自欺也。

⑵《中庸》首章，「天命之謂性……修道之謂教」註。

甲、蓋人之所以爲人，道之所以爲道，聖人之所以爲教原其所自，無一不本於天而備於我。學者知之，則其於學，知所用力，而自不能已矣。故子思於此首發明之，讀者宜深體而默識也。

乙、蓋人知己之有性，而不知其出於天，知事之有道，而不知其由於性。知聖人之有教，而不知其因吾之所固有者裁之也。故子思於此首發明之，而董子所謂道之大原出於天，亦此意也。

⑶同上「道也者……恐懼乎其所不聞」註。

甲、若其可離，則爲外物而非道矣。

乙、若其可離，則豈率性之謂哉。

⑷同上九章「天下國家可均也……中庸不可能也」註。

甲、然不必其合於中庸，則質之近似者，皆能以力爲之。若中庸，則雖不必皆如三者之難，然非義精仁熟而無一毫人欲之私者，不能及也。

乙、然皆倚於一偏。故資之近而力能勉者，皆足以能之。至於中庸，雖若易，然非義精仁熟而無一毫人欲之私者，不能及也。

⑸《論語》爲政首章註。

甲、得於心而不失也。

乙、行道而有得於心也。

⑹同上，〈述而篇〉「志於道，據於德」章註。

甲、德者得也。得其道於心而不失之謂也。

乙、德則行道而有得於心者也。

淳祐系統本和興國本之間，及這二系統的各本間，除了上面所舉之外，還有很多地方有文字上的差異，吳志忠（《附考》）有所校勘。舊本與上面的二系統本間有更大的不同，淳祐系統本與興國本間的差異與之相較要小得多，都可視爲較接近晚年絕筆的文本。

胡炳文就⑸說明了不依據興國本的理由。定本（淳祐系統本）有「得於心而不失」。是因爲，舊本作「行道而有得身」（根據《禮記．鄉飲酒義篇》之「德也者得於身也」），祝洙本（興國本）作「（行道而）有得於心」，但祝洙沒有看到後來更改過的定本。「按桐原胡氏侍坐武夷亭，先生執扇而曰：『德字須用不失訓。如人得此物，可謂得矣。才失之，則非得也。』此譬甚切，蓋此句含兩意，一謂得之於有生之初者不可失之於有生之後；一謂昨日得之者今日不可失之也。」（《四書通》凡例）」「爲政行德」的「德」字語義是後來改定本的「得於心而不失」一事由朱子的話可以證明。

桐原胡氏者，胡泳是也，字伯量，號桐原。在《朱子語類》中錄有「戊午（慶元四年，1198）所聞」，爲朱子晚年之弟子。上面的話在所聞中看不到，所以一般認爲是根據《四書通》的引用書，即胡泳的《衍說》等而來的。

〈爲政篇〉首章註的異文自古以來即爲人所知，而趙順孫在《四書纂疏》舉舊本和淳祐系統本的文章並採用後者可推測，趙不知有興國本。但其後金履祥（1232－1303）所寫的《論語集註考證》中興國本的文章是「集註之初本」，傳說是後來被改成像淳祐系統本那樣。假如合胡、趙、金三氏之說，就變成了由舊說的「行道而有得身」到興國本的「行道而有得於心」到淳祐系統本的「得於心而不失」般的變化，而最後是定本。元末的吳程也以爲這興國本是初改本（《論語輯釋通考》）。

這點由《朱子語類》也可以得到論證。即「行道而有得於身，身當改作心，諸經注，皆如此」，「舊說德者行道而有得於身，今作得於心而不失，諸書未及改，此是通例」（卷 23、14 條、15 條）。這裡所說的學說之轉變，和胡、金兩氏一樣。依據淳祐系統本的眞德秀、趙順孫沒有明示底本，而胡炳文的版本論之所以只有上面的一章，一定是自信依據的是定本，所以不覺得有更進一步論證的必要。

相對於此，陳櫟就三點來論證了興國本就是定本。他的《四書考異》要點爲《四書輯釋》所引用，爲了方便起見，我改變它的順序揭示出來。

㈠關於(5)：朱子的德字之訓是根據《禮記》的「德者得也」，訂正初本的「有得於身」爲後改本的「有得於心」。若就淳祐系統本的「得於心而不失」來說，那麼，(6)的〈述而篇〉集注中，淳祐系統本之所以有「得其道於心而不失之謂也。得之於心，若守之不失則……」是依據經文而言，這〈述而篇〉的註文不能做爲把〈爲政篇〉當作「不失」的論據，因爲在淳祐系統本的〈述而篇〉中「不失」的重出是幾近於贅文，所以興國本是正確的。

㈡關於(2)：「(A)蓋人知己之有性，而不知其出於天。(B)知事之有道，而不知其由於性。(C)知聖人之有教，而不知其因吾之所固有者裁之也。(D)故子思於此首發明之，而董子所謂道之大原出於天（《對策》），亦此意也」的註文是分析經文的「天命之謂性，率性之謂道，脩道之謂教」三句，更進一步加以綜合。即(A)、(B)、(C)是「剖析」，(D)是「融合貫通」。相對的，淳祐系統本經文與註的對應並不明確，所以是「含蓄未盡」的未定稿。

㈢關於(1)：臨終前，朱子的《大學》改訂是把「一於善」改成「必自慊」，前者尚缺「語意渾成的當」。

若就陳櫟所說的三點重新改問的話，二本中哪一本才是絕筆定本呢？就㈠而言，陳櫟的反論雖也是一理，但從上述的《語類》來看，淳祐系統本似乎比較有利。就㈡而言，即使同意興國本整理上較合乎邏輯，但只有這些，並不能做爲絕筆定本的論據。關於㈢，我們稍微詳細地來看看。

若依看護朱子臨終的蔡沈所說，朱子在臨終的數日前改了《大學》的誠意章，令門人弟子謄寫，又改了幾個字（《年譜》所引《夢奠記》），就《夢奠記》、《行狀》等沒有明示臨終的改訂內容而言，到了清代由江永、夏炘等所論及而認爲把這經一章註的「一於善」改成「心自慊」。近幾年，錢穆也持同樣的見解（《朱子新學案》〈朱子論誠〉）。在這些議論中，沒有人對章句集注書有兩大系統及陳櫟已經論定了有關臨終改訂等事感興趣，如果要採用這見解的話，那麼，先知先覺的陳櫟是不可忽略的。

後藤俊瑞在《朱子的倫理思想》中謂，朱子在六十五歲的「經筵講義」中爲「一於善」，但在六十九歲時〈答孫敬甫〉第六書（《朱子文集》卷 63）中卻採「無自欺」即「自慊」的立場，所以「心自慊」可視爲是朱子的絕筆（228 頁）。島田虔次、金谷治在前面所提的書中在這地方亦採用「心自慊」。由這些問題來看，雖然筆者在舊稿〈四書章句集註テキストの原文書的問題性〉（《愛知縣立大學文學部論集》31 號）中認爲陳櫟說較爲優越，但是再度思考時發覺並非沒有疑問。

後藤氏以朱子寫給孫敬甫的書信爲論據。書簡中指出孫敬甫的說法是「不自欺方能自慊」，說「不自欺之實」就是「自慊」。乍看之下後藤說好像可以成立，但是，在這兒的示教是根據《大學章句》傳六章的經文「所謂誠其意者毋自欺也，如惡惡臭，如好好色，此之謂自謙（慊）」。因爲是根據經文的示教，所以朱子不能立即採取「不自欺」即「自慊」的立場。退一步，即使採取那樣的立場，也不能成爲把經一章之註由「一於善」改成「心自慊」的明證。因爲把後出的傳六章的「自慊」字眼回溯用在經一章之註的必然性並不一定存在。如此看來，所謂「必自慊」就是絕筆定本是不能斷定的。

蔡沈以爲絕筆改定是「誠意章」。所謂的「誠意章」一般是指傳六章而言，關於這一點，看出改定解釋經一章之誠意文章的錢穆認爲《大學》的「誠意」可說是改了初出時的註。但同時如錢穆謹慎地指出，朱子當就傳六章的「誠意章」施加改訂，所以臨終就這章加以改訂是充分可以想像的事。如此看來，就㈢而言，未必就可以說興國本即絕筆定本。

從以上來說，㈠淳祐系統本雖然有點優勢，但是包括㈡㈢整體性來說的話，便無法定出淳祐系統本還是興國本就是絕筆定本。

陳櫟的《四書發明》是在延祐四年（1317）所寫的（後述）。在這之前一般認爲以淳祐系統本爲有力，但是因爲陳櫟及其弟子倪士毅而使興國本得勢，倪士毅繼承師說而決心改訂重編。其著《四書輯釋》之初，即以《重編四書發明》爲題（後述），底本當然是取興國本而記載著陳櫟《四書考異》的要語，但是關於《論語》〈爲政篇〉註的異文也記載了上列的胡炳文說，足見也有要集成異說的想法。

這之後的註釋書，詹道傳的《四書纂箋》（至正三年，1343 序刊）是依據興國本。景星《學庸集說啓蒙》（至正二十二年，1362 年序），⑴是依淳祐系統本但卻註記興國本的文章，⑷是依淳祐系統本，⑵⑶則依興國本。

吳程（生卒年不詳。若依《重訂四書輯釋》引用姓氏則爲新安人，著有《四書音義》）採淳祐本，就⑴、⑷、⑸而辯之（⑴、⑸取自《三魚堂大全》，⑷取自《論語輯釋通考》），就⑷的文章而言，興國本是初本，與祖先幼時的讀本相同，聽說毅齋先生（不詳）認爲是章句的初本所以抹掉。

因此，在宋元時章句集注有異本之事廣爲人知，所以文本的好壞便經常被討論。在朱子的四書說、章句集注的傳承上成爲人們所注意的爭論點！

四、通行本和吳志忠校訂本

到了明代，永樂年間所編纂的《四書大全》全面性地採用《四書輯釋》，其結果，就成了文本是採用了興國本。由於《大全》是用來做爲科舉的標準解釋，所以擁有很大的影響力，四書的文本，依據大全本，所以大全本就成了通行本。

在大全本通行之後，文本的異同並未完全消失。在宣德年間以前所出版的《四書章圖輯釋通考》由書名也可知道這是一部在《輯釋》上附加了諸說的作品，但是著者劉剡就前列⑴認爲採淳祐系統本的吳程之說爲是。又，蔡清（1453－1508）的《四書蒙引》雖然是依照朱子之說的穩健四書說而爲人所好讀，但是就文本而言，則再三地對陳櫟加以反論而偏袒於淳祐系統本。

但就全體而言，章句集注的朱子四書說透過大全本被傳承遵奉之後，已不見有關文本的議論。到了明代中期以後，超越章句集注而直問經文本身的內容，變成對古本《大學》、石經本《大學》等經文文本感興趣之後，縱使偶而有對章句集注的註釋內容加以重問，那文本也只是仿照通行本而已。想超過朱子而直問經書本義的清代學術界，其情況也是相似的。在當時依然有勢力的朱子學派也對於文本的異同幾乎毫不留意。

到了清末，吳英、志忠父子，為了得到章句集注之定本而進行文本的選定、校勘。吳英自癸卯、乾隆四十八年（1783）起苦於科舉考試二十餘年。隨著母親之死，同時也捨棄了舉子業，而志忠也因為在學習帖括而不好修舉子業，在嘉慶十六年（1811）進行《四書》的校勘（〈四書附考序〉）。脫離科舉所據的興國本教科書因而得到新的校訂文本。父子倆的事業既有祖父以來的豐富藏書，同時又有不得志於舉業的背景（關於吳氏參見藤塚鄰的《論語總說》）。

校勘是以淳祐本系統的文本為底本，認為朱子之子敬且把父親所未完成的晚年絕筆《儀禮經傳通解》裡所收的《學》、《庸》，親近朱子而受業的眞德秀《四書集編》、父親親自受業於朱子門人的趙順孫《四書纂疏》、學問淵源於朱子的黃震《日抄》、朱註最好的疏解的胡炳文《四書通》都是依據淳祐系統本的文本，所以淳祐本是定本無疑。

與之相較，坊刻通行本雖然是淵源於祝洙的《四書附錄》，但明言祝洙之父、穆雖說是朱子的母方的人，而且曾從學於朱子，但是從其著書來看，並非是性理學的專家，且祝洙本為胡炳文所批判（前述）及朱子之孫鑑已肯定地說祝洙本並非就是興國本，而指出以這話作為論據的祝洙本信從者有破綻。

關於最後的一點，就是上列的「四書元本則以鑑向得先公晚年絕筆所更定而刊之興國者為據」的讀法。我認為所謂的「元」是指「以此為宗」，所謂的「則以」「所」「者」是指「別有所指之辭」，所謂的「得」是指「已亡失」而言。如此定好語義之後，如何解釋文章雖然不明確，但總之，可以認為鑑肯定地說祝洙本與自己所得的書不合，既不是興國刊本，也不是絕筆定本，所以很明顯地是強行解讀。

吳英更進一步地就差別的各處來論證淳祐本的優點。志忠承受其父的遺志寫成了校訂本。經過這父子的校勘而產生優秀的章句集注校訂本，自不待言，但依吳英的論述而不能斷言論證淳祐本就是定本，是一看就明白的。

到這裡，依據各自所根據之版本的論者，簡單地說是想要論證以下兩點：㈠所根據之版本是朱子的絕筆定本。㈡是符合晚年定論的註釋內容。就㈠而言，有朱子之孫鑑所證言的興國本爲有利，所以吳英雖然極力地想加以否定其證言之價値，但不能謂之有說服力。另一方面，興國本雖有此證言，但卻有如吳英所指出的，在宋代很少有人把它拿來做爲教科書的難點。因此，如前所述，就絕筆定本而言是無法確定的。因此㈡的論點被大加提出進行繁雜的論證。在此沒有舉出其大部分的論證是因爲無法成爲判斷是否爲好版本的材料，此論證，如在陳櫟論中可見般，認爲註釋的進展就是從初本到絕筆定本的章句集注的完成過程。吳英和錢穆的情況也可說是一樣的。這在一般而言，確實是有其理由的，學說是終其一生地進展而達於完成之域。但實際上就章句集注的文章來看，何者是優秀的注釋，還是很難以判定。即使可以就好壞下判定，也無法保證好的文章確實就是在晚年時寫成的。舉例如下。

《大學》誠意章（章句傳六章）是朱子不斷地施加改定的地方，這個議論在檢視註釋的形成過程上是很有趣的。關於這一點，門人沈僩持誠意章「自欺」的註比「今改本」舊註好的見解來向老師質問。依此，今註云「心之所發，陽善陰惡，則好善惡惡皆爲自欺而意不誠矣」，恐讀書者不曉，又此句《或問》中已言之，卻不如舊注云：「人莫不知善之當爲，然知之不切，則其心之所發必有陰在於惡而陽爲善以自欺者，故欲誠其意者無他，亦曰禁止乎此而已矣。」此言明白而易曉（《語類》卷16，107條）。

沈僩的記錄是戊午（慶元四年，1198）以後所聞，是朱子晚年時的弟子。現行章句不論上面二句中的哪一句，至少可知道上面所說的舊註→今註→現行章句般地註釋變遷。沈僩在老師以今註爲佳的說明之後，更進一步，也提出關於註的下文改訂的疑義，執拗地確信以舊註爲佳。直弟子的沈僩認爲與後改本比較之下，舊註較好一事提供了上述不可忽略的問題。也就是說，在朱子的理解和門人眼裡，也不認爲章句的改訂一定會得到較好的內容。更不用說後世把章句集注的改變視爲註釋達於完成的論法，並不一定就適合每篇文章。從文章表現或者論旨的完成度來決定絕筆定本，就實際來看可以說幾乎是不可能的吧！

如此一想，即使可以高度評價各本的比較校勘之勞，也不能斷言吳英、志忠的校訂本是最接近朱子的絕筆定本。

關於《朱子》四書說的形成過程，以晚年定本為到達點的諸本定位，從上面來說，依然是個有更進一步多方面檢討的課題。但是就《四書》學史的觀點來說，當下無法判定朱子的晚年定論，並不是什麼嚴重的障礙。章句集注從朱子學說的傳承出發點即存在著淳祐系統本和興國本兩種版本，各自重覆論爭同時流傳於後世一事可說是很重要的。讓我們在下一節來看看，一邊內涵著這樣的版本問題，同時章句集注被傳承下來，進而被疏釋的具體情況吧！

貳、註釋書的續成——關於集成書

一、四書說的集成

關於《四書》的論說，在各時代除了被收入很多的專著中之外，也片斷的被個人的文集、語錄所記述。雖然這些資料現在大多已不再流傳，但是由各時代所編纂的《四書》說集成書，有時候可知其一端，又因為集成書的編者認為有用的學說或者正在流行的有力學說而加以收錄，所以集成書也可說是在了解《四書》學沿革上的有益資料。在以「述而不作」為傳統的中國，很多都是採用傳承先進學說的編纂方針，又也有因應科舉苦讀的必要，可以簡便地知道通行學說的集成書在各時代裡大量地出現。朱子編輯《中庸輯略》、《論孟精義》等，據此而著章句集注，成為集成書之先例。其後重新編纂很多被視為是朱子所著述的四書說，及盛行其門下後輩的四書說的集成，更隨著四書學的展開而集成新的學說。由如此所集成的《四書》說，其性格、編纂方針、編纂過程、集成書的普遍利用狀況等，可以明白當時《四書》學的趨向。在此選了幾本集成書來探討它的內容。這不是由書誌學觀點寫成的書目解題，而是想藉由含書誌問題的書籍內容、性格來闡明當時的《四書》學的目的。

二、真德秀的《四書集編》

雖然朱子的章句集注因來自政治方面尊崇朱子學的形勢，和來自學術方面門人後生的推動，而逐漸地提高權威，但當初即使是門人後生，對章句集注的絕對權威也有認爲未必不能否定的傾向。如第二章所述，門人後生中也有不忠實地繼承朱子《四書》觀的人，如高徒蔡沈之子蔡模的《論語集說》是摘取古注疏、北宋諸儒說、朱子說、張南軒說再加上自說的書，集注只不過是諸說中的一種而已。根據《通志堂經解》本，卷首有淳祐五年（1245）的〈進論語集說表〉，卷尾有同六年的刊跋。同樣，蔡模的《孟子集說》雖然以集注爲主，但是試圖引用朱子的其他著述來疏通註釋的論旨，有部分嘗試對集注作訂正。

如此，在朱子以後也可看到章句集注爲各種註釋中的一種而相對地被評價的傾向。但是隨著朱子學的權威上昇，章句集注之正確性爲人所信任而得到神聖、絕對之書的地位。眞德秀的《四書集編》是與蔡模幾乎同時期的，在上面的意義中的過渡期作品。所見的《通志堂經解》本雖然並不是善本（《通志堂經解目錄》）是否有其他版本則不得而知。

眞德秀（1178－1235，人稱西山先生）於慶元黨禁最激烈的慶元五年舉進士，其生涯與朱子直傳弟子時間上重疊，與他們的交流也很親密。

由《四書集編》卷首的諸序（大通書局影印《通志堂經解》中錯把謝侯善的後序置於《四書通》卷首）可知，以下的著述時期、刊行情況。

〈大學章句序〉的德秀後記有「寶慶三年（1227）八月丁卯，後學眞德秀編於學易齋」，德秀的嗣子志道，於咸淳七年（1271）的序文說「拜受《大學》、《中庸》的集編之後經過了三紀（一紀爲十二年）」，所以《學》、《庸》之集編毫無疑問的，最遲也在一二三〇年代完成。

但是就《論》、《孟》而言，由志道所言「雖已點校而集編則未成」，及咸淳九年（原文爲咸寧九年，今從《四庫提要》之說改正）的劉才之序言：劉（樸谿）承彙集了德秀的遺著、《讀書記》及《文集》、《大學衍義》一事，可知《學》、《庸》的集編刊行之後，在很短的期間內由後人編纂成書，合刊成《四書集編》。《四庫提要》也認爲《學》、《庸》是德秀的自著，《論》、《孟》是劉承補輯成書，並無爭論的餘地。

但是，若是依志道所言，那麼德秀也已經點校了《論》、《孟》，所以有幾分視爲低估了補輯作業的意義，而保持幾近於自著性格的可能性。有人注意到這點而試著想從《論語集編》中來掌握德秀的思想觀點（吉原文昭〈眞德秀の的論語集編〉、《藝林》19－1 所收）。在此把焦點放在檢討《論》、《孟》集編的資料價值上，同時以《論語集編》〈學而篇〉爲例來探討其編纂之態度。

現在就〈學而篇〉來和《讀書記》作一對比，則《集編・學而篇》的經文(1)(2)(3)(4)(5)*(6)(7)(8)(9)(10)*(11)(12)(13)(14)(15)*(16)*的各章中，除了＊印以外的各章可以在《讀書記》中找出相符的《論語》說。如下所示。

《論語集編》	《讀書記》
(1)學而時習之……	卷二十「學」
(2)有子曰……	卷六「仁」上
(3)子曰，巧言令色……	卷六「仁」上（續上文）
(4)曾子曰，吾日三省……	卷十一「忠信」
	卷二十八「孔子顏曾傳授」
(6)子曰，弟子入則孝……	卷二十「學」
(7)子夏曰，賢賢易色……	卷二十「學」
(8)君子不重則不威……	卷二十「學」
(9)曾子曰，愼終追遠……	卷十一「父子」
(11)子曰，父在觀其志……	卷十一「父子」
(12)有子曰，禮之用和……	卷八「禮」
(13)有子曰，信近於義……	卷十「禮義信」
(14)子曰，君子食無求飽……	卷二十「學」

《讀書記》以學術用語爲分類，以朱子說爲中心，配以諸儒之相關文章，由於有類書的性質，所以也收錄與《論語・學而篇》有關的論說，比如在「學」的項目中收錄了論及朱子、諸儒之學的相關論說。其中也包含了和集編文章相對應的論說。

對校集編和《讀書記》二者，即可知，《讀書記》並沒有全如原文般地引用集注的朱子說。這在不以注釋爲目的的本書而言，是理所當然的事。在記載集注的朱子說時以「朱子曰」來引用。

相對於此，集編大多把《讀書記》所省略的集注改回原來的文章，(1)(2)(3)(4)(7)(9)(12)中可看到此事（(6)(11)(13)(14)《讀書記》也全文記載）。例外的只有(8)，集編就集注的圈內說改採原來的文章，同時採圈外說的前半而省略了後半。這理由雖然不明，但一般認爲由於集編的文章是合《讀書記》卷二十和卷十的文章而成的，所以收錄卷十中的謝氏語，因此視圈外說的後半爲不必要。如此集注的省略在集編的全篇中到處可見，吳志忠的〈四書附考〉對此省略有詳細的指出。

儘管如此，與《讀書記》比較，則《集編》揭載了集注較多。除了集注揭載的繁簡之外，二書一致的地方很多，續集注而記載的或問、諸儒之說(1)(2)(3)(6)(7)(9)(12)(13)(14)，大致是一致的。

從以上說來，可認爲《集編·學而篇》大部分採用了《讀書記》的論說，進而備置了註釋的形式。在右邊附有*印的《讀書記》中無法檢出的各條雖然未研討是否由德秀的其他著述所引用的，但是從〈學而篇〉的例子來推測，則可推定《論》、《孟》的集編正如劉序、謝跋所言是以德秀的遺著爲主要根據，由後人所編輯而成的作品。從以上說來，可認定從這部分直接來看德秀的思想觀點，是不可能的。

在此來討論一下確實爲德秀之自著無疑的《大學集編》的註釋方法。就《章句》首章的「經一章」之註解調查，可知在章句之外還有《或問》、《朱子語類》的文章所構成的。《語類》以卷數/條數號碼表之，條數依中文出版社版，是暫由己見而附上的號碼，如 14/1 則表示卷十四之第一條，前後則表示只有該條的前半、後半的引用，未檢則是指《語類》中無法檢出之文。

○子程子曰……其不差矣

《語類》14/1 14/2 14/8(後) 14/9 14/12 14/14 14/10 14/15 14/27 14/19 14/18 14/22 14/34 未檢 14/38 14/43 14/47 未檢

○大學之道……止於至善

《章句》、《或問》

《語類》14/63 14/77 14/86 14/85 14/68 14/70 14/71 14/72(前) 14/73 14/81(前) 14/82(中) 14/83 14/87(前) 14/91 17/33 14/95 14/96 14/97 14/98 14/102 14/104 14/106 14/105 14/107(前) 14/111 14/113(前) 14/113(後) 14/114 14/119 14/116 17/1 17/2 未檢 17/20(前) 17/19 17/23(中) 17/26(後) 17/27(前) 17/29(中) 17/30(後) 17/31(中) 17/32(中)

○知止而後有定……慮而後能得。

《章句》

○物有本末……則近道矣。

《章句》、《或問》

《語類》14/129 14/130 14/133 14/134(中) 14/137 14/149 14/150 14/147 14/138 (前) 14/139 14/143 14/164 14/144(前) 14/161(前) 未檢 14/162 未檢 14/166 14/142 14/160(前) 14/160(後) 14/169(前) 未檢 未檢

○古之欲明明德……致知在格物

《章句》、《或問》

《語類》15/4 15/35*1 15/3 15/2 15/32 15/34(前) 15/31(前) 15/7(前) 15/22 15/12 15/13 15/14(中) 15/15 15/19 15/67 15/26 15/28 17/40*2 17/43 15/48 15/53(前) 15/52 15/41 15/50(中) 15/44 15/46 15/45(後)

○物格而後知至……而後天下平

《章句》、《或問》

《語類》15/68 15/72 15/80(前) 15/84(前) 15/84(後) 15/118*3 15/96 15/94(中) 15/93 15/89 15/112 15/111 15/86(前) 15/90 15/98 15/99 15/100 15/101 15/102 15/146(前) 15/113 15/127(前) 15/115(中) 15/115(後) 15/120 15/148 15/133 15/147 15/152(前) 15/134 15/138

○自天子以至於庶人……未之有也。

《章句》、《或問》（前半無引用）

《語類》17/47(前) 17/47(後) 17/48(前) 17/47(中)

○右經一章……爲序次如左。

《章句》、《或問》

由此可推定《大學集編》的整體構成有與「經一章」的部分共通的傾向。同時，此書除了作爲經文的註釋而大量地採用了章句全文之外，還有《或問》全文的大部分和《語類》相關的論說。

*2「問，知者妙眾理而宰萬物者也。何謂妙眾理……」、*3「問，尋常讀大學，未有所得。願請教。曰，致知誠意兩節……」的劃線部分是現行黃士毅編《朱

子語類》中所看不到的文章。即使少了這些，對於理解上也不會有障礙，而且其他的例子都很忠實《語類》的文章，所以很難想像是德秀的加筆。在《語類》的編纂過程中，特別是對門人子弟質問的文章加以節略是理所當然的，例子雖少，但上面的句子很可能是現行《語類》成立以前的《語錄》文章。

關於「經一章」引用的《語類》涉及現行《語類》的卷十四、十五、十七等三卷（包括未檢出的文章），約引用了一五〇次。如果連分割一條而引用的都考慮進去的話，則引用約達三卷，總計四〇二條的三分之一。《語類》因其性質所以也記載了重複的論說、卑近的譬語、朱子自己的感慨等。除去這些，可以說從《語類》中引用了可以做爲註釋用文章的大半。

而《中庸》則也有採錄朱子輯集先儒之說的《中庸輯略》，若包括這點的話，那麼，就《學》、《庸》而言，可以認爲由《章句》、《或問》、《語類》及相關論著等的朱子著述中，極盡能事地收集《學》、《庸》說，可以說製作朱子的《學》、《庸》註釋定本就是德秀的編纂方針。在此雖然德秀自己的《學》、《庸》說沒有直接地表示出來，但是改變《語類》的排列而引用的地方，特別是論窮理 *1 的文章比論格物的文章先揭示這點，可以認爲是按照他的編纂方針。這大概是爲了要對朱子的文章加以整理而得出較具註釋的形態吧！他對整理編輯的關心在把宋學的述語彙集在項目別的《讀書記》也可清楚地看出。

在《通志堂經解》本中，接續《章句》之後的《或問》、《語類》以同樣大小的文字並列著，底本雖因不是善本所以有幾分保留，但可推定原本恐怕也沒有在章句和其他的朱子說之間看出實質上的不同。也就是說，可認爲不是做爲章句的疏釋而採用《或問》、《語類》，而是試圖將朱子《四書》說彙爲大成，這點可以由書名是「集編」一事而得到旁證。如此不把章句視爲絕對而寫了網羅其他《四書》說的《學》、《庸》注釋定本，雖然絕大部分是基於德秀愛好著述類書的傾向，另一方面也反映了此書完成時，章句集注還沒有得到與經書同等權威的章句集注觀吧！

三、趙順孫《四書纂疏》

朱子以後，出現了很多四書註釋書。《經義考》（卷 252）記載的有黃榦（字尚質，長溪人）《四書紀聞》、葉味道《四書說》、劉爚《四書集成》、劉炳《四書問目》、潘柄《四書講義》（《四書通》的引用姓氏書目作《講讀》）、童伯羽《四書訓解》、江默《四書訓詁》、黃士毅《四書講義》、程永奇《四書疑義》、胡泳《四書衍說》、王遇《四書解義》，都是朱子門人的著述，雖然也知道有其他很多註釋書，但是這些幾乎已成了佚書、未見的書。現存朱子門下的四書說資料，除了爲各人的文集、當時的隨筆雜記等所引用之外，以趙順孫的《四書纂疏》最有用。據說《通志堂經解》所收本是依據汲古閣之宋本（前揭《目錄》）。

趙順孫（1215－1276），字和仲，縉雲（浙江省）人。嘉定十五年（1222）賜童子出身，淳祐十年（1250）賜進士出身。累遷爲同知樞密院事，兼參知政事、執政柄。據說受學於與朱子門下滕璘學的父親（黃溍：《金華黃先生文集》卷 30〈格菴先生阡表〉）。

根據寶祐四年（1256），牟子才的〈中庸纂疏序〉（《通志堂經解》本所收，以下同），可知是續《大學纂疏》之後，寫成了《中庸纂疏》。《論語纂疏》及《孟子纂疏》大概是其後所完成的。雖因在完成後洪天錫所寫的〈四書纂疏序〉裡沒有記載年月而無法確定，但是無論如何是在一二五〇年代以後，也就是由南宋滅亡的一二七九年稍早一些時期的作品。這本書的立場由以下的自序可得知。

> 子朱子《四書》註釋其意精密，其語簡嚴，渾然猶經也。順孫舊讀數百過，茫若望洋。因徧取朱子諸書及諸高弟講解，有可發明註意者，悉彙于下，以便觀省，間亦以鄙見一二附焉，因名曰《纂疏》。

接著附上謙辭以爲自己勉強模仿孔穎達、賈公彥而爲「疏」，將其刪削委於識者。

這樣的章句集注有如經書般的正確性、神聖性的認識，一般認爲是隨著朱子學的權威上昇而產生，之後，從元代到明代中期成爲有力的潮流。

就纂疏的形式而言，接著經文之後另起一行低一格刻《章句集注》，再低一格刻《或問》，《章句集注》和《或問》與經文字體同大。接著是疏，以雙行的夾註記載著朱子的文集和《語類》、《中庸》則加上《中庸輯略》、朱子的後學的論說及順孫的私見。可看出《章句集注》（及《或問》）和其他的諸說之間實質上的不同，而得知前者爲註、後者爲其疏釋的排置，這點在註釋態度上很明顯地與以集成朱子的《四書》說爲目的的眞德秀不同。書名之所以意味著集成對註做疏的「纂疏」也是源於這個註釋態度，這本書是《章句集注》的神聖傾向逐漸擴大的南宋末期的產物。

關於被引用的朱子後學《四書》說，《四庫提要》中爲十三家，《通志堂經解》本裡沒有明示引用姓氏書目，又本文中的引用記載著黃氏、陳氏、蔡氏的地方很多，出現如「三山陳氏（陳孔碩）」這樣特定人物的記述則很少。一般認爲提要大概是根據胡炳文《四書通》的記載。在《四書通》中「四書通引用姓氏書目」接在朱子的著書之後如下記載著（字號、鄉貫省略）：

黃　榦　　通釋　文集　講義
陳　淳　　字義　文集　庸學講義
輔　廣　　語孟問答
潘　柄　　講說
蔡　淵　　易傳　庸學思問　中庸通旨
蔡　沈　　書傳
蔡　模　　語孟集疏
陳孔碩　　講義
陳　埴　　經說　木鍾集
胡　泳　　衍說
葉賀孫　　講義　文集
黃士毅　　講義
眞德秀　　大學衍義　讀書記　文集
趙順孫　　四書纂疏
以上並依《纂疏》、《集成》引用。

提要除去趙順孫把朱子的直傳弟子十三家置於前面，而把眞德秀和蔡模放在後面刊載著。這十三家之說是否全爲《四書纂疏》所採用，如前面所述很難判定，所以或許可以視爲是合纂了《纂疏》和《集成》二書中所記載的吧！

《經義考》記載著朱子門下的劉爚著有《四書集成》，但是在他的神道碑（《眞文忠公文集》卷 41 所收）所列舉的著述中卻看不到這書。這裡所說的集成是指吳眞子的《四書集成》。吳眞子爲傳記未詳的南宋末期人物，他所著的《四書集成》由在《四書通》中與《纂疏》並列而大書特書，雖然倪士毅在其《四書輯釋》凡例中斥爲「甚泛濫」，但還是爲該書特寫一番，汪克寬在倪士毅的《重訂四書輯釋》序上排斥這書，但是仍然在眞德秀、祝洙、蔡模、趙順孫的書後以「最晚出」者列舉了這書，明代的《四書大全》以《四書輯釋》及這書爲所據資料等事來看，可說是從南宋末到明初通行而有力的一種註釋書。現在有無完本不爲人所知，聽說在臺灣、北平圖書館有《論語》卷六、七、《孟子》卷九～卷十二之殘闕本（阿部隆一《增訂中國訪書志》、王重民《中國善本書提要》）。

雖說前面所提的十三家可視爲《纂疏》和《集成》所引用之說，但是所以由南宋末眾多的《四書》說中只有引用十三家，是因爲認爲這些是對《章句集注》的理解有助益的有力《四書》說，這也可以做爲南宋末的主要《四書》說的大略名單。《纂疏》的引用大部分著眼於詳述《章句集注》而謀求疏通論旨，這也可以知道朱子說法被祖述繼承的情況。

《纂疏》按照注而採用《或問》之事，和《集編》相同，但是順孫似乎沒有見過《集編》，且前面所列的眞德秀項中也沒有提到這書。

一般認爲這書在元代也有流通。黃溍（1277－1357）謂「童而習之」，順孫的著述中也說這書「行於世」、「今之四方學者既每家有其書」（上列〈阡表〉）。如後所述對後世的影響很大。

由於在章句集注中加了《或問》，更進一步爲此做疏釋，所以《四書纂疏》就成了大部書，不免給人冗長的感覺。由於不得增減一字的完美作品，朱子所自負的《章句集注》其正確性、神聖性爲人所信奉，即加以疏釋，反而變得煩瑣不明朗，因此更進一步謀求疏通而加上註釋。

四、胡炳文的《四書通》

在元代集成書的代表作中有胡炳文的《四書通》。

胡炳文（1250－1333），字仲虎，號雲峰，婺源（江西省）人。至元二十五年（1288）江寧教諭，大德五年（1301）信州路學錄。任道一書院山長、蘭溪州學正等，至大年間（1308－1311）為建於婺原的明經書院所聘擔任教職。有《周易本義通釋》、《四書通》、《純正蒙求》、《雲峰集》等著。與後述的陳櫟同世代而有交流，在《四書通》的製作上也有徵求他的意見，據此，當初取名《四書通旨》是想訂正《四書纂疏》、《四書集成》的差謬（參見後述）而後改題《四書通》。在此想依據《通志堂經解》本予以檢討，前面所列《目錄》沒有言及有關此書的底本。

卷首有泰定元年（1324）胡炳文自序，同三年鄧文原序，天曆二年（1329）張存中刊跋。據張跋是在泰定三年受命刊行，經三年完成校勘付印。依據《雲峰集》卷三〈大學釋旨序〉可知是在至順元年（1330）刊行的。

《四書通》的形式，章句集注為大字，雙行的細字為註，採用《朱文公文集》、《朱子語錄》、《中庸輯略》及諸儒之說，而以「通曰」記述自說。特徵之一是刪除了《四書集編》和《四書纂疏》所採用的《或問》，而且也節略了諸儒之說而成為較簡約的內容。由諸序、凡例可知，他所在意以前的註釋是《四書纂疏》和《四書集成》而更正這兩本通行書的差誤和煩瑣的地方，增補了元儒之說，疏釋了《章句集注》。另一個特徵是雖然屬於《章句集注》的書，但卻不用興國本系統而用淳祐系統本。關於這事容後再述。

在記述著這些的凡例之後揭示了引用姓氏書目。在依朱子四書引用姓氏、《纂疏》、《集成》的引用姓氏書目之後，更揭示了七十一家的姓氏書目，而註明「以上並《纂疏》、《集成》外新增」。其中前面的五十二家是北宋、南宋的人物，只舉姓名而無記書目，接著揭示自南宋末到元代的十九家，姓名和書目記載如下（字號、鄉貫省略）。

祝　洙	四書附錄	王　柏	批點標注四書
程若庸	字訓	饒　魯	石洞紀聞　講義
盧孝孫	大學通義	沈貴瑤	正蒙解
謝枋得	文集	齊夢龍	語解
許　衡	文集　遺書	馮　椅	論語解
方逢辰	中庸大學釋傳	金履祥	大學疏義

杜　瑛	語孟旁通	薛延年	四書引證
黃仲元	四書講義	熊　禾	標題四書
吳　浩	大學講義	陳　櫟	四書發明
吳仲迂	語錄次		

一看到被認爲是從《集成》所引用的五十二家姓氏，就可以感受到一個特徵，五十二家的細分是從胡瑗、曾鞏、張載、程顥、程頤等北宋諸儒到張栻、呂祖謙、葉適、陳亮等，其中朱子的同輩有二十九名，朱子門人後輩及錢時、袁甫等有十三名（其他不詳）。與趙順孫的《四書纂疏》專只引用朱子的門人後輩相較，則上面的舉例在學統上頗不統一，他增補了朱子已加以取捨的北宋諸儒說，同時採用了在學問上處於對立關係的張九成、陳亮、葉適及陸九淵之後學的楊簡、錢時、袁甫、邵甲、顧平甫（原文誤作諱元常）。從這些舉例可以知道南宋以後，學派間融合進展、打破學問上見解的異同而集成《四書》說。可以說在元代胡炳文繼承了此一傾向，更增補當時的新說而集大成。

在學界政界都不爲人所知的炳文，他的大部分書之所以刊行流通，是因爲在延祐年間以後所實施的科舉課目採用了《四書》，而爲了得到與《四書》學說有關的知識，這種書籍的需求是有必要的。

五、倪士毅的《四書輯釋》

與《四書通》同爲元代的集成書而對後世影響很大的作品，是繼承了陳櫟《四書發明》的倪士毅《四書輯釋》。關於這本書，我曾以〈四書輯釋の歷史〉（《說林》三十號）爲題檢討過，但請容我訂正誤謬加上其後所得見識重新論述。

陳櫟（1252－1334），字壽翁，人稱定宇先生，休寧（江西省）人。傳說出生在休寧之西三十里藤溪之上有個叫陳村的村里（《定宇集》卷 17，〈定宇先生墓誌銘〉）。休寧是朱子的故鄉，陳櫟以和朱子同鄉而爲榮。在《元人傳記資料索引》中有「延祐元年，鄉試中式。不赴禮部試，教授於家」。赴元代第一次鄉試之年是六十三歲，通常傳記中都以恬淡名聲、官位之類的事爲美談而記載著，但事實上卻有很多是執著於名譽權勢的。陳櫟也強赴鄉試而中舉，但卻解讀成他毫無赴禮部試的意圖，事實上並非如此，陳櫟曾寫信給大儒許衡之子，也就是當時監督江浙鄉試的左丞相（許敬？），信中提及在赴禮部試途中因罹患感冒延遲了考期而斷念。陳櫟以其爲朱子之同鄉，又披瀝眾多著作因而詢問左丞相是再應試而赴京師呢，或是令其任紫陽書院山長或徽州路學的學正而以朱子之學傳朱子學統於後進呢？以此懇請許衡之子給予適當的意見（同上，卷 18〈上許左丞相書〉）。許衡之子雖篤信朱子，對陳櫟所強調的訴求卻都沒有採納，於是，陳櫟就這樣在野終其一生。

對陳櫟而言，他相信四書五經、章句集注的朱子學的學問世界就是眞理本身，所謂的學問不外乎就是如此。

> 講學當於何下手，不出乎讀六經《四書》而已。六經非大儒不能盡通，初學且先通一經四書，亦當讀之有次序，文公（朱子）定法，先《大學》次《語》次《孟》未及《中庸》，今皆當按此用功精熟，以看《四書》、窮一經，然後讀官樣典雅程文，以則倣之，又求之古文以助其文氣，曉其文法。雖大儒教人亦不過如此而已。（同上，卷 8）

《四書》是元代的科舉課目，學《四書》而後學作文是準備科舉的一般學習法。而這樣的學問正是大儒的教育內容。

這樣地信奉科舉之學和朱子學的話，那麼《四書章句集注》應該就成了金科玉律。他贊同對「妄改朱子之言以非朱」的朱子門人饒魯的批判，指出饒魯在改朱子的《大學》格物致知章時是心疾發作的時候（同上，卷 7），這正顯示對朱子學說的批判幾乎無法正常思考的陳櫟，他對朱子的盲信。在這樣的態度下所著的《四書發明》，自然是一心遵守著《章句集注》。隨著朱子學的普及和其權威的上昇，到了元代，《四書》便成爲科舉的科目，從此，《章句集注》「如經」的神聖性、正確性，便廣爲人們所信仰。

在《定宇集》卷首的「年譜」中記述著「延祐四年（1317）六十六歲。編《四書發明》」。但是胡炳文在《四書通》的編纂階段得知陳櫟的事情，所以切盼陳櫟之著能附在自著的《通旨》諸家之列，也表明了借覽卷帙。（由此可知胡炳文當初把自著命名爲《〔四書〕通旨》。《雲峰集》卷 1，〈答定宇陳先生櫟〉第二書、第五書）。因爲這樣，陳櫟贈送他四帙《四書發明》，其結果是《四書通》的「引用姓氏書目」中記載了這本書。由此可知，這本書是在《四書通》刊行的泰定三年（1326）以前寫成的。雖然刊行的時期不明確，但在「年譜」上有「泰定三年七十五歲。胡容齋（名无），爲先生作〈四書發明序〉（收錄在《定宇集》卷17，「別集」）。由〈四書輯釋大成凡例〉（後述）中有「先師，定宇陳先生，方編《四書發明》時，星源雲峰胡先生亦編《四書通》，彼此雖嘗互觀其書之一二，未竟也。既而因二書傳入學者之坊中，皆已行板」來看，和《四書通》幾乎前後由民間的書店，也就是坊肆、書坊所刊行。

胡炳文和陳櫟在這樣各自集成《四書》說的過程中，交換了情報和意見。在陳櫟給炳文的書信中，提及「坊中四種（四書）、附錄（祝洙《四書附錄》爲最）、纂疏多不滿人意、集註依樣畫葫蘆而已、不堪視覽，故不得已而有《發明》之編，今蒙批論謂纂疏集成多有差謬，可謂先得我心，又報集成外添得數家亦難得也，大學有盧玉溪通義最不易（至當之論），想亦在一家之內，若夫北溪之《學庸講義》、陸坦之《木鐘集》，纂疏已略取之，但未盡善爾。」（《定宇集》卷10，〈答胡雲峰書〉），對纂疏、集成中有差謬的炳文說表示贊同之意，而推崇祝洙《四書附錄》是最爲優秀的作品。

但是這個意見不爲炳文所採納，在《四書通》的凡例裡，具體地明示了無法採用以祝洙本爲底本的理由。對此，採用祝洙本的陳櫟公開認爲《四書通》雖有好處，但瑣末很多，更不該的是不採用朱子之孫鑑所保證「先公晩年之絕筆」的祝洙本（興國刊本）（《定宇集》卷 10，〈答吳仲文甥書〉）。因此更參照《四書通》矢志改定《四書發明》，但未果而亡，繼續他的遺志的是倪士毅。

倪士毅（1303－1348）字仲弘，休寧人，受業於陳櫟，因數十里西方黟縣人汪泰初之招，偕同雙親來居，擔任了二十三年的教育工作，大概是鄉塾的老師吧！沒後因貧窮而無法得到好地可葬，所以埋葬在休寧的故里，由被認爲是汪家子弟的汪志道和其弟存心等之力改葬在黟地（趙汸：〈倪仲弘先生改葬誌〉、《東山存稿》卷 7 所收）。

代寫致謝函給陳櫟墓誌銘的執筆者（《定宇集》卷 17，〈謝揭學士撰定宇先生墓銘啓〉）表示，士毅在門人中有其分量，其師生前允許他改訂《四書發明》，其師歿後，守完師喪即著手改訂，而正式著手編纂，則是在至元元年（1335）。這前後的記述是以《四書輯釋（大成）》及《四書通義》卷首的各文章（內閣文庫著錄爲《重訂四書輯釋通義大成》、蓬左文庫著錄爲《四書輯釋章圖通義大成》，關於此書稱爲《四書通義》之事容後再述）爲資料，經兩三年編纂而成，在凡例序上記著至元三年（1337），指出了初稿本完成的時間。

士毅在至正元年（1341）前後，把原稿交給建陽有名的書坊，劉錦文的日新書堂。明代時也有位劉錦文但兩者不同（張秀民：〈明代印書最多的建寧書坊〉，《文物》79 年 6 期，總 277 號）。關於這點，若就士毅之學友、趙汸「閩坊（福建的坊肆，即日新書堂）購其初藁刻之」（前揭〈改葬誌〉）則可知，科舉考試用的這種集成書，是以買賣營利爲目的而出版的。因爲《四書》學的盛衰和科舉是有密切的關係。

劉氏很快地把這原稿付印了。這對士毅而言似乎是出乎預料。接到送來的部分印刷樣本的士毅，寫信給書坊，「已嘗答墨中願俟執事且後便具呈，然後鏤板（興版木），想必未鳩工也。鮑六成復到，出示教字乃知不待其書之全，其說之定而遽已刊矣。」他後悔原稿「發之太早」（〈至正辛巳（元年）冬十月朔，答坊中劉氏書〉，《通義》所收）。著述者和出版社的利害對立很明顯，也是個現代的問題，這書信傳達了元代出版情況的一個寶貴的具體例子。

寫了意味著述完成的序文凡例之後經過五六年，在把原稿交給書坊之後，對付印的未定稿仍然流露不滿，這在著者似乎也有責任，但可知道另一方的書坊也在上梓時想在書物的性質上加以變更，其最大的一點是書名作者名的變更，書信中說：「承發至所刊印之物，比元藁既改書名則凡卷首之朱子章句行後僅存賤名一行極是也（原注：元藁先列五行，後欲存前二行）。但改重編發明爲會極，此二字爲未的當」。

這裡有兩個問題，一個是題名。原稿是題著《重編（四書）發明》，但卻被改爲《（四書）會極》。就此，士毅以爲若用「會」字的話，「會釋」也可以，但是「會極」無法表現出「解釋經註」之意，且近來和朋友議定改稱「輯釋」二字，所以再次請求改題爲《（四書）輯釋》。定原題名爲《重編（四書）發明》是意味著繼承先師之志增補改訂《四書發明》的著述，可知士毅當初的用意是在於重編祖述陳櫟的著作。

隨著因書坊的改題而產生了另一個問題，參照了胡炳文的《四書通》，重編祖述了陳櫟《四書發明》的原稿上，應該列記作者陳櫟和胡炳文的名字，士毅自己的名字也應該以編者校訂者併記才是，這是書信上所說原稿「先列五行」的著者名中三人的著者名，剩下的二人，由凡例、《四書通》等關係來看，趙順孫、吳眞子的可能性最高，從內容上來說可想像原稿上像是如下般地記載著（姓名一般用敬稱）：

趙順孫　纂疏／吳眞子　集成／胡炳文　通／陳櫟　發明／倪士毅　重編

改稱《四書輯釋》的話，就成了士毅自己的作品，所以只要記載他一個人的「賤名一行」就可以了。對於送來的印刷樣本改成如此他也同意了。

書名由重編發明→會極→輯釋等三變是考慮出版情況、書籍完成之後的暗示，可知在這時代裡，書籍也是由著述者的著作意願和出版者的營利志向一致而出版的。以下所談到的王元善，即藏身在博雅堂書坊，「終先師面命之言，酬博雅相成之美」（自序）而著《論語輯釋通考》，這大概是把受書坊之命在其庇護下而成的著述，故以這種美辭來表現，可以想像作品反映了以營利爲目的的意志。以《四書輯釋》來說，就算是購得原稿，書坊尊重作者的意向之事由後述中也可得知道。更改書名是著述者在以祖述爲旨的傳統上，想把老師、祖先之名以著者名的身分傳下去，而相對的，在出版者方面一定是由明示作品爲非祖述改訂版的創作以引起購買欲。關於這事，士毅大概也想擁有自己獨立的作品，而將初稿改名爲《輯釋》，再從事內容的改訂——這是對初稿擅自出版的不滿內幕——爲書坊所觸發而把《重編四書發明》改名爲《四書輯釋》。這點爲書坊所接受。

以下來敘述有關個人觀點的版本：

尊經閣文庫藏《四書輯釋大成》（元版）　後裝本　初冊；大學章句　二冊；大學或問　三冊；中庸章句　四冊；中庸或問　五冊～九冊；論語（一～三篇缺）　十冊～十二冊；孟子（一～二篇、四篇、七～十篇缺）

現存雖為十二冊，但一般認為原來應是十七冊。至正壬午（二年）夏五（月），有日新書堂刊行的牌記（刊記）。

我國（日本）有文化九年（1812）的覆元版。尊經閣文庫藏本有原裝的題簽，可知《大學或問》、《中庸或問》二冊並沒有被刊行。

根據凡例可知正確書名為《四書輯釋大成》，但是如前面所說，士毅自稱是「輯釋」，在這書刊行以前即已寫好了的〈重訂四書輯釋凡例〉中，也稱呼自己的著作為《四書輯釋》，所以「大成」二字大概不是基於他的意思而是書坊所添加的吧！後世也常去掉這二字來稱這書。

隨著上述書名、著者名的變更，在內容上也產生了需要訂正的地方。關於這一點，在書信上分條寫出要求校訂。從現存的版本來看，書坊幾乎完全接受了這個意見而改訂「挑補」，不管是由填塞的部分改訂或是重新刻版，都需要浪費大量的木版，但是都眞心誠意的順從了著者的意向。

要訂正的一點，本來的《重編發明》是以重編老師陳櫟之說為方針，凡例上記載了這點而且本文中記述著「愚謂」、「愚按」的陳櫟之說，因為士毅為著者所以改正凡例，又把「愚謂」、「愚按」改成「先師曰」。關於這一點，他強烈地表明。元版本和刻本在〈大學序〉初出的註文末尾上都有「上文係先師定宇陳先生之說，後凡無書名氏，載於註文逐節之下者同」的陰刻註記，又由於註文中陳櫟之說已成了「先師曰」所以可以知道已經進行了「挑補」。但是士毅的提議也考慮到了減輕書坊的負擔，比如說，把「愚謂」、「愚按」改成「先師曰」的訂正他就指示了如果把原稿的「○愚謂」、「○愚按」的圓圈縮小而成「。先師曰」的話就可以合適該處。

但是一般在引用先人之語時，並不是原文不變地引用，而是常常可見加以更改、節略的形式來引用。宋明的四書註釋書中被引用的先儒之說與原文有異的很多。清代的學者有鑑於此，主張引用古典應忠於原文。顧炎武說：「凡引前人之言必用原文」、「凡述古人之言必當引其立言之人，古人又述古人之言則兩引之，不可襲以為己說也」（《日知錄》卷 20，〈引古必用原文〉、〈述古〉）。

原文的更改，其來源除了引用者因記錯或轉寫而發生錯誤之外，也有的是編纂者隨意改訂利用前人之說。《重訂輯釋凡例》上說：「今輯釋或融合二三說為一段，或析一說附二三處，亦有不及悉著其人姓名者，蓋取其依附經註本文逐字逐節發明義理易見而已。不然，則有破碎贅絮之弊故也，諸說語意或略有未安者亦竊用朱子例，或其意本是而語稍泛者則纂節之」，積極地進行了原文的改正節略。但是，朱子在回答時人：「集注引前輩之說而增損改易本文其意如何」之問時，說明道：「其說有病不欲更就下面安注腳」（《朱子語類》卷 19，64 條）。從這裡可以知道在章句集注方面，諸儒說被朱子用來做爲解釋《四書》的證據而改訂。試舉一例來看，在《中庸輯略》第二十章之條中所舉呂與叔（東萊）說一節有：「愚者自是而不求，自私者①以天下非吾事，儒者甘爲人下而不辭。②有是三者，欲身之修，未之有也。故好學非知，然足以破愚。力行非仁，然足以忘私。知恥非勇，然足以起儒。③知是三者，未有不能修身者也」。章句中引此說而把①改成「徇人欲而忘返」（②③則省略）。關於改定的理由，被《中庸通》所採用的方氏（《通》引用姓氏中有方慤、方逢辰，不知何指）以爲呂氏是從受用上來說，朱子則是從本體上來說。但不管如何，呂氏說因朱子爲了與自己的說法一致而被改了。對於這樣的先儒說的態度，雖然是由來於一面著重祖述傳承，一方面又要統一自己一向所採行的朱子經書解釋方法，但是受朱子方法的影響，在後世的註釋上對原文的改編增易則是寬大的，這件事有必要特別地加以注意。從剛才的書信中可知，在輯釋印刷校正的階段被加入一個更改的例子。

在《四書通》的〈中庸章句序〉末尾的註有：「《大學》言心不言性，故朱子於序言性詳焉。《中庸》言性不言心，故此序言心詳焉」。在士毅的原稿中雖然採用了這個註，但是在書信中卻說道：《大學》的明德包攝性情，《中庸》的未發已發無非是心，所以這個註並不適切，而希望把「言心不言性」挑補成「中不出性字」，把「言性不言心」挑補成「中不出心字」。這部分的推測已付印，本來是應該要削除的，但是爲了減輕出版者的負擔，所以是合增刪字數的提議。這點也被採納，所以爲輯釋所引用的胡炳文說才會被改變成與原文不同的內容。

印刷樣本送到了士毅的手上，反復寫信給書坊的是在至正元年十月。書坊努力地繼續著刊行作業，從元版的至正二年夏五（月）的刊記來看可知在這年全冊已刊行了，包括挑補在內，共花了五、六個月才完成。

在《日知錄》（卷 18〈四書五經大全〉、《經義考》（卷 255）的解題上謂

《四書輯釋》在至正六年附載了汪克寬的序。由於尊經閣本中缺少這篇汪序，所以舊稿推定汪序附載本是續刊本。但是再仔細想想，汪序爲下面將會提到的《四書通義》所收的《重訂四書輯釋》中所收錄，所以可能是《日知錄》、《經義考》沒有注意到初版本和重訂本的區別，而把《重訂四書輯釋》當作是和《四書輯釋》相同的東西來解說。這點以前就可看到混亂的記述，但是王重民的《中國善本書提要》（41 頁）就文化九年的和刻《四書輯釋大成》明確地指出了元刊本和重訂本的不同。

如上，《重編四書發明》因出版時的情況而被改題爲《四書輯釋（大成）》，以倪士毅的創作作品登場。《四書通》現在仍然流傳著，相對地《四書發明》則至今不知下落。雖然這本書透過《四書輯釋》而傳至後世，但是因爲以這種方式被傳承下來，反而可以視爲《四書發明》的版本本身結束了它歷史性的生命。

我們再來看看《四書輯釋》的內容，首先在卷首接在凡例下的是〈四書輯釋大成引用姓氏書目〉，其中把朱子及趙順孫等十四家的姓氏書目列爲「以上依《纂疏》、《集成》引用」，更把七十三家列爲「以上依《發明》、《通引》用仍續增」。據了解，這個引用姓氏基本上是依據《四書通》，而《四書發明》則沒有揭載獨自的引用姓氏書目。在這個引用姓氏書目上，《四書通》所記載的姓氏書目中，曾鞏、孔文仲、林之奇、錢時、衛湜、葉適、陳亮、林夔孫、方慤、周諝、李閎祖、黃繼道、虙氏，及理所當然做爲底本的陳櫟《四書發明》的名字被刪除。取而代之的是加上了孔穎達、蘇軾、陸九淵、程迥、陳傅良、晏氏、朱祖義、朱仲、張彭老、宣氏、汪廷直、張好古、歐陽玄、劉彭壽、更新增了李靖翁《中庸圖說》、江炎昶《四書集疏》、鄒季友《書傳音釋》。後面的三氏雖然以新說而被加上去，但是一般並不認爲在其他的增刪上有什麼積極性的意圖。之所以這麼說，是因爲被輯釋本文引用的程朱學派及陳櫟、胡炳文說占了大半，所以令人覺得上記的姓氏書目只不過是從其他的著述轉載而來，作爲一種形式而已。總之，《四書發明》增纂附加《四書通》的意圖明顯可見。

在《輯釋》上梓以前，士毅手上已有初稿，於是和朱允升等「議定凡例嗣是更加訂正」（〈重訂四書輯釋凡例〉），增定先師的著作之後，編纂了《重訂四書輯釋》做爲自己的著述。

在給劉氏的書信中提到：「愚近所更定之本，名之曰《重訂四書輯釋》，亦錄數板拜呈」，預定花兩三年來做更定。在《重訂四書輯釋》凡例中已註明至正元年九月，而且前文提到過的汪克寬序中也寫著《四書輯釋》付印將要「兩三年」，也就是至正六年。由書信中續上文提到「今後此事且又放緩，庶得詳審，過兩三年更定皆畢，亦當謹藏於家，俟一二十年更與執事議可刊則又刊之，決不便發與坊中他人，以負執事相愛相信之盛心」。可知重訂本續刊的可能性很高。重訂本的出版，定和你相商的這種誓約，據推測在當時也是著者和出版社之間的一種道德約束。而這封書信同時也否定了重訂本續刊的可能性。爲什麼呢？因爲僅僅在數年之間，便需要莫大費用來籌辦新版的事，對書坊而言是不划算的，所以從信中期待一二十年後再新刊的文章也可以知道。由於《四書輯釋》（《重編四書發明》）的刊行而使倪士毅之名爲世人所知，但這書的刊行卻反而堵塞了讓世人知道他做爲自己的作品而注入精力的《重訂四書輯釋》的管道。

《重訂四書輯釋》的原稿到了明代的宣德九年才被發現。這年，士毅的鄉里後輩儒生金仁本（名玹）在黟縣（可能是士毅的資助者汪家的子孫汪士濂家中）得到了「至正丁亥（七年）之重訂，又用工十年之善本」，而尋求曾經出版過《四書輯釋》的劉錦文的從姪孫書林劉剡（字士章）的援助，把金履祥《疏義》、《指義》，朱公遷《通旨》、《約說》，程復心《章圖》，史伯璿《管窺》，王元善《通考》等對重訂有助益的書會粹成一書，將之總稱爲《四書通義》，而由劉剡的親戚書林詹宗睿（進德書堂）出版。因此，《重訂四書輯釋》見聞於世（《四書通義》蘇大序及丘錫序、劉剡跋。在蓬左文庫本中此序跋被排在《大學》卷首。內閣文庫本中只有丘錫序被放在《中庸》卷首，其他的二文則和蓬左文庫相同）。

《四庫提要》存目列舉了《重訂四書輯釋》二十卷。從解題內容來看，和我國（日本）的內閣文庫中著錄著《重訂四書輯釋通義大成》三十九卷、蓬左文庫中著錄著《四書輯釋章圖通義大成》三十九卷，書名卷數雖然不一致，但可視爲同種版本。內閣文庫本是明版，而蓬左文庫則是朝鮮古活字本，兩者的《大學》內題都有「大學章句重訂輯釋章圖通義大成」　倪士毅《重訂輯釋》　趙汸同訂　朱公遷《約說》　程復心《章圖》　王元善《通考》　王逢《訂定通義》，則是與存目的解題一致。卷首有序、重訂輯釋源流本末、四書章圖櫽括總要發義二卷等。蓬左文庫所藏的和版是寬文十一年的刊本，則無此卷首。

這本書由目錄或構成來看的話，雖然可以稱爲《重訂（四書）輯釋通義大成》，但是如果依蘇大序而稱它爲《四書通義》的話似乎較爲適切，顧炎武的《日知錄》和朱彝尊的《經義考》都記載著這個書名。這裡也用這個書名，《提要》存目另有著錄《四書通義》二十卷，但是從解題內容來看，並不是與上述書名有別，而是一種誤認。這作品如上所述般地混亂不統一，其原因正如「存目解題」中所指出的，是由於雜亂無秩序的結構所引起的。

內閣文庫本有正統二年（1437）的刊記，則可以認爲此爲初版年。原來內閣文庫本有正統八年的丘序和十年的蘇序，可知這是初版之後得到名士序文的續刊本。

由於附刻了諸儒的著作，所以《四書通義》成爲一部巨著。明版爲二十冊，朝鮮本和和刻本都爲二十三冊。這部巨著在正統年間刊行實有賴於成爲《四書大全》底本的《四書輯釋》的名聲之處甚多。而且諸儒之說被合纂一事，更顯示了這段時期，除了《大全》以外，學術界對諸儒學說的關心並沒有完全消失。

回到《四書輯釋》和《重訂四書輯釋》來看，可以發現二書有顯著的差異。重訂本中大量地加入了音註、語句義的註。諸儒學說及胡炳文、陳櫟學說的增刪也很明顯，由此可知士毅超越了當初重編祖述老師著作的限制，而在前面重新推出自己的學說，相對地把陳、胡兩說的位置拉了下來，編纂了《重訂四書輯釋》。

就引用姓氏書目而言也有很大的不同。《四書輯釋》的引用姓氏書目是根據《四書通》的引用姓氏書目而補訂新增的，而相對於此的《重訂四書輯釋》則是除了陸德明、顏師古、周敦頤、邢昺之外，也加入了元儒的姓氏書目而將之以年代順序排列。這個姓氏書目和《四書通義》引用姓氏上可看到的著者名、書名，在下面要敘述的《論語輯釋通考》凡例，都可以用來做爲元代通行的《四書》註釋書的大致目錄。

元代很多《四書》註釋書的著作都因《重訂四書輯釋》、《四書通義》的引用姓氏書目及朱彝尊的《經義考》而爲世人所知。這些《四書》學說也爲集成書所採用。元末王元善的《四書輯釋通考》雖然沒有被記載在《經義考》或《四庫提要》中，但不久也被清代陸隴其的《三魚堂四書大全》所採用。內閣文庫所藏的

《論語輯釋通考》書皮上雖然有「（大）學（中）庸孟（子）缺」的添注文字，但是由這書具備了序和凡例這點來看，一般認爲本來只是《論語》這部分的刊本而已（但，《三魚堂四書大全》中四書全面地引用《通考》）。卷首自序中有「永樂歲次丙戌（四年，1406）博雅書堂新栞」的刊記，所以可認爲是在這年初刻的。

依據凡例，以《輯釋》爲本，取捨黃勉齋的《通釋》、趙順孫的《纂疏》、金仁山的《考證》、許益之的《聚說》、吳程的《音義》、熊禾的《標題》、程復心的《章圖》、詹道傳的《箋註》、趙悳的《箋義》、涂溍生的《四書疑斷》、董彝的《四書問答》、黃紹的《四書貫通》、張師曾的《四書例證・音考》、黃四如的《六經四書講義》等附載而成的作品。黃勉齋、趙順孫除外，其他都是元儒，主要依據元儒學說來增補《四書輯釋》，是採用了先揭示輯釋而後附載諸儒之說作爲通考的形式。

永樂十二年（1414）十一月，明成祖下達了編纂《四書》、《五經》、《性理》等三大全的敕命。一般敕撰的書其編纂過程實際上的負責人等大多不太清楚，永樂的《大全》也不例外，因爲沒有關於編纂當事人的證言，所以詳細情形並不清楚。但以翌十三年九月即告完成的這種快速作業的情況來看，引《國榷》（13 年 9 月己酉之條）中陳燧常這人所說的「始欲詳而緩爲之，後被詔促成。諸儒之言，無暇間間精擇，而未免有牴牾」，大概是事實吧！儘管依賴既成之書一事並非當事者的意圖，但因有必要早日完成的關係，所以最後還是全面地依賴既成之書了。根據凡例，在纂修官上署名的有胡廣、楊榮、金幼孜等顯官，其下更達四十二名，但是事實上，有人指出讓在纂修官上沒有載名的陳伯載（名濟）這位徵士當任諸經之事，伯載在此用了簡易的方法訂立了各個依據的書，就《四書》而言，即採用了倪士毅的《四書輯釋》而稍微地加以刪潤（全祖望《鮚埼亭集》外編卷 41〈與謝石林御史論古文大學帖子〉）。

根據凡例，選擇採錄了吳眞子的《集成》、倪士毅的《輯釋》的諸儒學說，再增入二書所遺漏者。關於這點，顧炎武指出《大全》剽竊的情形，謂《大全》比《輯釋》稍有增刪而已，《或問》則雖全依《輯釋》卻反而有舛誤（《日知錄》卷 18，〈四書五經大全〉）。

凡例中也說，《大全》語句的訓義是根據《輯釋》的陳櫟說，大體採用了

《輯釋》所收的先儒說，採用與國本系統的教本等來看，對《輯釋》的依賴度確實很高。

但是，不一定就可以說增補很少，特別是在小註中增補了以朱子爲首的宋儒之說是很明顯的。吳眞子的《集成》由《輯釋》的凡例中指出「甚泛濫」的缺點來看，可以認爲它是因爲集成了眾多的先儒學說，所以才成爲《大全》增補所依據的資料。這點可以調查現存的殘闕本加以確認，如果以上的推論是正確的話，那麼顧炎武所說的剽竊說就過當了，《大全》的凡例上說的是《集成》、《輯釋》的合編就符合實情。既然是合編，那麼和《四書輯釋》合纂了《四書發明》和《四書通》、《論語輯釋通考》在《輯釋》上附纂了其他諸儒學說，基本上有其共同的性格。

根據《四書大全》凡例來看，由《四書輯釋》的引用姓氏削除了十五家、新增補了二十二家，其中吳澄、歐陽玄力、胡炳文、陳櫟、張存中、倪士毅、朱公遷、許謙都是元儒，由凡例中所說的「凡諸家語錄文集內有發明經注而集成、輯釋遺漏者今悉增入」來看，也可知道其有增補宋儒和輯釋以後的代表性元儒學說的方針。這些姓氏依時代之先後排列，但輯釋正確地視爲同一人的徽菴程氏和勿齋程氏，即程若庸，《大全》卻把他視爲別人，則是越改越壞的一個例子。

《四書輯釋》之所以被採用做爲《大全》的底本，由《論語輯釋通考》依據輯釋一事也可知道，這顯示了此書即使到了明初仍然被視爲是最有用的集成書和元末明初時期《四書》學沈滯、沒有出現取而代之的集成書，明儒的《四書》說沒有被蓄積起來。不久如楊士奇（1365－1444）所說的「四書輯釋，倪士毅編。朱子集註四書之後儒先君子著述推廣發明之者無慮十數家，而今讀集註者獨資集成及此書爲多，他蓋不能悉得也，集成博而雜不若此書多醇少疵也。」（《東里文集續集》卷 17〈四書輯釋跋〉）、薛瑄（1389－1464）所說的「《四書集註章句》之外，倪氏《集釋》最爲精簡」（《讀書錄》卷 8）般，《四書輯釋》有其極高的評價。

因爲被評價爲有用的註釋而成爲《大全》的底本，所以《四書輯釋》的評價更加高漲，所以劉剡編《四書章圖輯釋通考》在宣德年間（1426－1435）刊行（參考先揭拙稿），又如前面所述，《重編四書輯釋》因被發現而合纂爲《四書通義》加以刊行。《輯釋》本身就有其一段歷史。

如上所述，由明代初期集成書的編纂刊行可以知道集中興趣在宋元儒學說的吸收遵奉上的時代趨勢。

七、明代晚期的集成書

從明代初期的洪武到永樂年間，以朱子學的理念為基本的科舉制度順利地運用著，因為朱子學的思惟普及之故，思想界的對立抗爭也稍微安定，而其反面則是產生了沈滯的狀況。從《四書》學方面來說，由於集成了宋元儒學說的《四書大全》被視為是科舉的標準解釋，所以從十五世紀初到十六世紀初的期間專以吸收遵奉《大全》為志。但是在這期間也有不盲信朱子《四書》觀的伏流，特別是對《大學》章句本教科書編製改訂教材的嘗試，始終繼續不斷。而十六世紀初，正德、嘉靖年間王陽明一出現，對朱子學的批判意識有明朗化的趨勢，終於到了十六世紀末的萬曆年間、明代晚期，爆發性地出版了很多的《四書》註釋書，編纂了採用新說的集成書。在這裡舉《國朝名公答問》、《皇明百方家問答》、《四書微言》為其代表例。

而在明代雖然試圖部分地修正而基本上繼承了章句集注的《四書》說有很多，其中因有裨益於朱子而受後世高度評價的作品中有弘治十七年（1504）公布的蔡清（1453－1508，成化 20 年進士）的《四書蒙引（初稿）》。嘉靖八年（1529）蔡清之子存遠表進其父之《易經蒙引》，因詔而令其發於建寧之書坊刊行（《世宗實錄》卷 106）。可知高度評價了蔡清的著述。可以認為《四書蒙引》也以此為契機而廣為所讀吧（和刻通行本有嘉靖丁亥 6 年之序）。晚明以後也常被清代的註釋書所引用，我國（日本）也有和刻本通行。繼承此書的作品有林希元（正德 12 年，1517 年進士）的《四書存疑》，保有嘉靖二年（1523）的原序、陳琛（1477－1545）的《四書淺說》。《靈源山房重訂四書淺說》（國會圖書館藏本）雖是崇禎十年（1637）序刊本，但有隆慶二年（1568）的原引。

希元在嘉靖二十九年把根據對朱子的《大學》改定的前人批判重新改定經傳的《大學經傳定本》和《四書存疑》、《易經存疑》進呈上覽乞請刊布，不料皇帝下詔焚其書，去希元之官（《萬曆野獲編》卷 25，〈著述、獻書被斥〉）。《林次崖先生文集》卷四中收錄這時的上奏文〈改正經傳以垂世訓疏〉。但是此書沒有永遠變成禁書，由萬曆年間之初合上述三書而刊行一事也可以知道。人謂《四書蒙引》是朱註的孝子、《存疑》是《蒙引》的忠臣、《淺說》是其集成（《連理堂重訂四書存疑》方文序），此三書是朱子學的註釋書爲人所尊崇。除此之外，也有做爲科舉的考試參考書而被使用，而遵奉朱子學的註釋書之繁眾，就更不用說了。

相對於此的，編纂明儒新說的集成書要等到萬曆年間的中期才出現，這是因爲王陽明不好註釋而求以心傳心的口承、集積《四書》學說需要一些時間等《四書》學本身的條件，及到了隆慶、萬曆年間對陽明學的評價高漲，萬曆十二年因把陽明從祀於孔廟而陽明學得以解禁，思想統制較爲緩和等外在條件，隨著那時出版文化的盛況，註釋集成書陸續地完成。

《國朝名公答問》在萬曆二十二年（1594）序刊（內閣文庫藏）。內題有「新鍥四書新說國朝名公答問　黃洪憲彙選／陳懿典詳閱／郭偉精校／葉世祿繡梓」，是蘇州吳縣（閶門）的刊本。國朝名公姓氏舉了以薛瑄爲首至姚舜牧（原文誤爲受牧）等六十六名。引用書名沒有舉出。形式方面，不記載章句集注，經文的每一章節都用問答的形式記載諸儒學說。不記載章句集注之事在晚明的註釋書中是常見的。這與截至明代初期視章句集注爲準經的神聖性而只著意於疏釋章句集注的註釋書大不相同，這顯示出把章句集注相對起來，超越章句集注來闡明經書眞義的時代風潮。從語義、句義到全文宗旨的指出，諸儒的引用可說到了紛歧的地步，但明顯地帶著科舉用的考試參考書的講章性格。這在其他的集成書、註釋書也可以看到，反映了當時新說的知識也是有必要的科舉動向。

之所以用通行本的章句集注本做爲《四書》的教本，當然是因爲它擁有講章的性格，但就《大學》的部分來看，所引用先儒學說受王陽明的影響是很明顯的。在開頭的「大學之道」這項中揭載了陽明《大學問》的全文就顯示了《大學》的理解是要遵從陽明之說的姿態。這《大學問》與現行《王文成公全書》所收的文章比較，除誤字訛字之外，增添了約六十字。《大學問》是在嘉靖六年，陽明遠征之際所記錄，因爲守益（人稱東廓先生。嘉靖四十一年歿）附刻在《古本大學》和被收錄在隆慶六年序刊的現行《王文成公全書》以前已有刊行，所以不能否定上述《大學問》是與現行本相異的可能性。

就《大學》的定義而言，否定了做爲教育機關而與小學對置的大學學問的說法，而引用吳川樓的「大人之道」、「大學問」說，雖然也是繼承了章句集注的一部分，但是否定了把「親民」改成「新民」的章句，而同時引用作「親民」的陳白沙（獻章）說和作「新民」的諸儒說，而以陽明的所謂四無說作爲正心誠意致知格物的宗旨的解答，就「知止」而言，否定了作「志有定向」的章句，此知非見聞之知而可以說是物格知至的知，引用作「若超然覺悟則眞見道體」、「非語言文學之問」的焦竑說等進行了不受章句拘束的自由解釋。

凡例中指出竊用諸名士姓名的坊刻本雜亂、剽竊的情況雖然在了解以營利爲目的而出版的這種集成書的實情上令人頗感興趣，但這是書籍本身無法免除的弊害，由上記的陳白沙說和事實上王陽明《傳習錄》上卷徐愛錄的文章，引「誠意致知格物」的白沙說，同上陽明的所謂天泉橋上的問答（《傳習錄》下卷）中所見到文章亦可得知此點。

同時期的萬曆二十三年序刊，焦竑等編的《皇明百家四書理解集》（蓬左文庫藏）舉了姓氏一百十一家、百家書目五十六筆。凡例中「玆集者備當代名儒碩言，可云續大全之遺」、「今自《蒙引》、《存疑》下近時所刻之《疑問》等書，及諸名公之語錄凡有裨聖賢之旨者悉加採集」，雖然標榜著輯集《四書大全》以後的明儒學說以爲「維世正心之助」，但是由記載了痛論宋儒《論語》解釋之誤的太祖洪武帝之語，稱讚因今上皇帝使陽明從祀於孔廟和登庸後儒一事來看，也可知道其有集成脫離章句集注的明儒新說的意圖。

如第六章（譯者按：指〈晚明の四書學〉）所記述，由於萬曆年間出現大量的《四書》註釋書，爲因應此事，所以集成書也有必要耳目一新。《皇明百方家問答》、《四書微言》是萬曆年間後期的集成書。

如以前者的《大學》卷之卷首爲示例即如下般。皇明百方家問答大學卷之一（副題四書意）郭偉彙纂／柯仲炯・錢謙益・繆昌期・李維登同校・郭萬祚編次／金陵李潮梓行（內閣文庫、蓬左文庫藏）。依郭偉的凡例：「甲午（萬曆二十二年）余嘗撰著《明公答問》一書，海內之士珍之如拱璧，蘇、杭、暨諸省郡邑處處板而傳之，時更加爗然而紙貴，第自甲午抵今越二十有三載，正有斯文大盛之日，添許多名世儁哲、增許多超拔講意、名公答問之輯所不及者，是集臚列而輯之」。據此可知《皇明百方家問答》有做爲《國朝名公答問》改編增訂本的性格，郭偉與此書有極深的關係存在。根據上述，由於眾所皆知「凡例」是萬曆四十四年之作，而且丘兆麟序記著萬曆丁巳、同四十五年，所以可確定是萬曆年間的末期作品。此書的卷首舉了姓氏一百四十七名，諸書總目一百五十一筆的作品，之外也舉了郭偉的纂著五十五筆，他也是如第七章所述的《四書正新錄》的編著，可知是當時的編輯人。

與採取集成陽明學新說而有明確方針的《國朝名公答問》比較的話，《皇明百方家問答》論說的性格相當不明確。這一點可視爲是萬曆後期集成書的一個特徵。儘管說沒有參入《大全》的諸儒學說，誇示高高地凌駕宋儒的明儒成果，但在繼續前面的凡例中說：「況當甲午之時，士習好異，爭倡新說。所纂之答問不免從俗，蓋亦新竟一時之耳目者非所以爲訓也。茲集有朱註解者兢兢然如奉三尺遵而依之，且爲暢其說，註解所無者則補朱註之所未備，發紫陽（朱子）之所未及發。新不涉詭，奇不悖正，如謂有意操戈與紫陽氏忤則吾豈敢哉」，以明其如三尺法律般地遵守章句集注的姿態。由採取同樣態度的萬曆四十年左右的《刪補四書微言》在例言述其理由，謂：「邇年欽降條約，首遵傳註。其爲創新說以標自異者嚴爲禁革，不得列於學官」來看，可知是因爲對王朝的文教政策的考量。

萬曆年間前半自由化的思想表現，一到後半其弊害已被發現，而再度對思想表現加以約束。其發端最大影響所及的是，萬曆三十年因張問達彈劾李贄（卓吾），及採納馮琦之上言尊聖學，下敕論仙佛和儒術不可混同。同時發生了李贄死於獄中的實例（《神宗實錄》卷 369，三十年閏二月乙卯。同卷 370，三月乙丑之條。及參考《日知錄》卷 18〈李贄〉）。在以營利爲主的出版目的上，文教政策的影響是直接的，萬曆年間後半對集成書中可看到的脫離章句集注的愼重姿勢可視爲是受這種影響。

《皇明百方家問答》避免了對朱註率直的批判。由《國朝名公答問》採用「親民」說，相對地，只是舉了遵從朱子所改訂「新民」說的各家說法，及對於議論頗多的「格物致知」的解釋，一邊舉出解說格字字義的諸家說法，一邊又記載了唐士雅「皆非也，還依朱註爲是」的說法等事，可看到其尊重朱註的姿態。但是，只要一舉明儒學說爲例，則實質上要脫離朱註是不能避免的。編者的意圖在一面保持尊重朱註的方針，另一方面則集成當時所流行的明儒學說。剛才說的唐士雅學說也是一邊以朱註爲是，而另一方面在實際的內容上則是如下般地把所有的關心都挪往傾注於心性涵養的方面。「註，訓格爲至最是」「但不能清楚地認識此至字之人多矣。此至字者『止於至善』之至，言極至。極至者如『知之極精』者，知極精則知愈透而心愈明。若不極其精則識愈紛而心愈窒。此格字之義」。這裡雖然肯定了訓格爲至的朱註，但又說此至非朱子所言窮至之意，而是「止於至善」的「止」，意即要極精知才是格物的意思。以格物致知而言，並非要去認識客觀的、實際存有的物質，而是提示了要依言心性涵養，言正心之應有情況等明儒之大勢來理解。因此從上面的文章中也可以感受到這時代的議論已墮入了煩瑣多歧的地步。

《經義考》（卷 258）中記述了唐汝諤的《四書微言》（存），現在我不加入自己的意見。改編續刊的《刪補四書微言》藏在內閣文庫、蓬左文庫而《四書增補微言》則是藏在尊經閣文庫、加賀市立圖書館。

前者的例言中有「余之輯《四書微言》始於萬曆甲辰（32 年），行之於海內已經九稔」，後者萬曆四十二年潘煥文序（潘氏爲校訂者）中有「歲丙午（34 年）余師唐士雅有微言之輯。嗣又謀余不佞刪所以之業」。因爲書商要續刻所以更在上面的例言中說：「因取舊帙益以新裁，其間重覆者刪，缺遺者補」，而潘序中說：「偕余師嚴加刪定，……刪成走留都（南京）、謁晏（文輝）老師請正之，并丐以序，合之於太史約文暢解，以播寰中」。根據上述可知萬曆三十年代前半刊行了《四書微言》，進入四十年代後面目一新改題爲《刪補微言》。前者的例言中說：「幾別換一番之面目，觀者幸持故紙而毋視之」。

在這裡來比較一下《刪補微言》和《增補微言》。前者卷首置唐汝諤的例言，而後者相對的部分則置潘煥文序、晏安輝序、凡例，其內題有「鐫彙附雲間三太史約文暢解四書增補微言」，在本文之上段附刻了董其昌、張以誠、張鼐的「三太史約文暢解」之書，下段則置微言。前者的例言當然沒有言及約文暢解，相對地，後者從潘序到凡例都有提到此附刻。而舉採用姓氏二百九十七名（蓬左文庫藏本有錯簡，故置於第六冊），援引書目二百一十筆的書名則是兩書所相同的，但是後者在此記爲舊刻，其他則舉了新增四十六名的姓氏、四十九筆書名，由此看似乎可以認爲《增補微言》是《刪補微言》的改訂本，但是根據到《大學》的前半部爲止的調查，則兩書的微言內容完全相同，《刪補微言》、《增補微言》都引用新增所舉的諸說。因此可以認爲《增補微言》只不過在《刪補微言》中加了《約文暢解》而已，而改書名讓人以爲是別種作品則是實情。

不同名的書但事實上卻是完全相同一本，而冠上重編、重訂的同名書籍卻幾乎爲兩種不同的作品，可見註釋書其複雜的情況。以後者而言，有前述的倪士毅《四書輯釋》和《重訂四書輯釋》、明代的姚舜牧《四書疑問》和《重訂四書疑問》（拙稿「明代四書解釋書の基礎的檢討㈠」）。

《刪補微言》採用了顯示尊重朱註的姿態，舉了詳述朱註的各家學說，而新說則降低一格置於其後的形式。但是註釋方面則大量地列記了以明儒學說爲主的先儒學說則可以認爲，與其說是以闡明章句集注爲目的，不如說是在網羅諸儒學說。

《微言》的改編本有《三刻三補四書微言》（內閣文庫藏）。因爲缺少序跋，所以改編的情況不詳。所舉採用姓氏比前記二書的舊刻姓氏少了十三家。這大概可以認爲是加入了校訂整理，但比如，可以看到在姓氏方面被除去的李衷一學說，實際上採入本文的並不統一。加上這個姓氏增添了包括《增補微言》「新增姓氏」的十家姓名。就內容而言，除了抄錄收在二書的諸儒說之外，也收錄了很多這二書中未收的《四書》說。與《刪補微言》卷一（大學）的前半對校後得知補入了沈無回、董日鑄、管登之、顧朗中、莊長孺、姚承菴等學說。其中除了沈氏、姚氏之外，二書的舊刻及新增姓氏中並無記載。因此可以認爲此書更加刪補採用新說後冠題爲「三刻」，但也正因爲採用的姓氏目錄是繼承二書的，所以沒有記載新補的姓氏書目。如上所述，二書中也可以看到的不統一，在三刻時更加增幅，可知加以改編校訂反而帶來混亂的晚明註釋書的另一面。

《增補四書微言》附刻了《約文暢解》，相對的《四書九鼎》在上段附刻了《刪補微言》。蓬左文庫、尊經閣文庫有所藏本。

內題有「新鐫繆當時先生四書九鼎」、本文上段載有「刪補微言　雲間唐士雅輯／門人潘文煥補」、下段載有「㊡ 大全　㊰ 江陰　繆當時　纂要」。卷首有陳繼儒序。纂要是摘錄永樂的《大全》。上段載明儒說，大體而言是宋元明《四書》學說的集成吧！拿《微言》和單行的《刪補微言》來比較的話，諸儒學說有增減。雖然不清楚是基於九鼎所依據的《刪補微言》本身的異同呢？還是編者所增刪的？但是可以知道集成書被換成各種形態印行。繆當時諱昌期，字當時。萬曆四十一年進士，天啓年間因彈劾魏忠賢而死於獄中，以所謂的東林黨名士爲人所知。但是，是不是他自己撰著了纂要則不清楚，因爲講章很多都是假託名士之名，所以這個可能性不太高吧！

在集成書的引用姓氏書目中記載了很多當時的講章作品，可以窺見現在已亡失大半的講章流行的樣子。只是各書的舉例很雜亂，所以綜合性且不遺漏地整理是很困難。這裡訂正了更有講章色彩，郭偉所編的《四書正新錄》（無窮會東洋文化研究所藏，萬曆二十四年刊）的姓氏書目，依科次年代的原排列後揭載在卷末以爲參考。

又只知此書是萬曆中頃的作品而已，所以對揭載萬曆後期作品的《增補微言》「新增姓氏書目」加以整理揭載於後。

此外更合纂了《刪補微言》及《增補微言》「新增姓氏書目」和《皇明百方家問答》的書目而排列之。

八、陸隴其的《三魚堂四書大全》和王步青的《四書匯參》

萬曆以後，天啓、崇禎的明代最末期出現了很多的集成書，而其混亂的程度越來越深。這些明代的集成書即使進入了清代也有被續刻的，這由現存版本中有清代的作品可以知道。這意味著清代初期所必需的《四書》說其內容和明代有共同面。不久，從康熙年間起出現了由清人之手所作成的集成書。眾所周知，清代進行了經書的實證性歷史性的研究，其成集註釋書亦可算在內，但是把《四書》湊在一起處理時，發現幾乎都是纂成應付科舉的講章，所以被採用的《四書》說，很多都是遵守詳解章句集注，對現在的我們而言缺乏知的興趣。幾本這樣的《四書》註釋書、集成書在《經義考》、《四庫提要》、《續修四庫全書提要》等有解題。在這裡想舉其中最爲人知的陸隴其的《三魚堂四書大全》和王步青的《四書朱子本義匯參》來看看。

陸隴其（1630－1692）字稼書，書室之名稱爲三魚堂。其著作爲了和明代的大全作一區別，故通稱爲《三魚堂（四書）大全》。有康熙辛酉二十年（1681年）的自序，門人的識語中有隴其就此書和集成明儒學說的《困勉錄》說：「吾一生之學力盡在此二書」。沒後爲人所刊行，通行本中有康熙戊寅三十八年（1698年）的刊序。因爲集成明儒學說的《四書講義困勉錄》是全面地收集了依照朱註的《四書》說，所以想知道明代穩健的《四書》說的話是有其價值的。進入清代後對明儒學說的關心並未消失，這可從湯傳榘的《四書明儒大全精義》（康熙四十四年刊）可得知，其他的集成書很多都是以蔡清、林希元、陳琛、明代朱子學者爲中心而集錄的。

《三魚堂四書大全》自序中說「去永樂《大全》之繁複和不適切者，附《蒙引》、《存疑》、《淺說》之要於其間」，由於《四庫提要》中也同樣地解題，所以一般認爲是在《四書大全》中增纂了輔翼大全的明儒說法。但是從調查了《大學》和《論語》部分之後得知，幾乎完全採用了上述加在《大全》上做爲「通考」的王元善《四書輯釋通考》中的諸儒學說，而且附纂了前記的明儒學說。可以視爲是在《大全》增纂了元儒和明儒學說，而能全面觀看《四書》說的作品吧！可是《四庫提要》所指出雖然陸隴其親自負責，但校訂卻未盡心的事是正確的，其諸儒說只是附纂而已。書名中有用「大全」二字的集成書，以這書和汪汾的《增訂四書大全》爲代表，可知《四書大全》即使到了清代也常被利用。《大全》、明儒學說在清代被使用，就使用《四書》說內容這一點上來說，顯示了明清時代的科舉有其連續的一面。

正如《三魚堂文集》侯開國序、〈四書朱子本義匯參發凡〉等所指出《三魚堂四書大全》的流通情況那樣，此書廣爲所讀，我國（日本）也很重視此書，朱子學者頗爲珍惜（猪飼敬所《書柬集》卷六）。

王步青（1672－1751），字漢階、罕皆，號芑山。雍正元年（1723）進士，生於康熙十一年（1672）。以下依天保七年（1838）翻刻的和刻本《四書匯參》，內題《四書朱子本義匯參》來說明。卷首有乾隆十年（1745）的自序。

自序中指出了他讀書的方針，「讀聖賢書不可不通本義審也。步青嘗稟此以讀四子書，四子書之本義固以朱子爲宗。而朱子書之本義則必折衷章句集註以爲斷」。據此若要要得聖賢書的《四書》本義，只要求得朱子的本義就可以，因爲朱子的本義在章句集注中已完全地表現出來了，所以此書是專以解明章句集注爲目的。書名《四書朱子本義匯參》也已顯示了此目的，卷首的發凡中詳述著按照此目的的編纂方法。

其中「與孔孟之言脗合，間無章句集注」，就《學》、《庸》而言，以《或問》中亦有勝於朱子晚年所修改的，故採用《章句》和《或問》，就《論》、

《孟》而言將集注各自以大字單行書之，就朱子文集、《語錄》及懷疑是否眞的爲朱子自著的《或問小註》（參考《四庫提要》卷 37）而言，採用與《章句集注》同爲發明之說。此外，也採用《中庸輯略》、《論孟精義》等與諸儒學說同爲雙行細註。諸儒說是從大全取朱子門下後學和張栻（南軒）說，從蔡模、胡炳文、眞德秀、趙順孫、朱公遷等上述之書取宋元儒說，從蔡清的《蒙引》、林希元的《存疑》、薛瑄的《讀書錄》、胡居仁的《居業錄》、羅欽順的《困知記》、《說統》、《翼註》取明儒說。其中《說統》是指天啓三年序刊本藏於內閣文庫的張振淵《四書說統》，《翼註》是指王納諫的《四書翼註》（內閣文庫藏）而言。兩者都是以依據朱註的晚明集成書而有名，也有與他書合纂而續刊。

另外，也採用了步青的高伯祖王樵（嘉靖二十六年進士）的《四書紹聞編》、曾伯祖王宇泰的《論語義府》、族祖王澍（若林）的《學庸困學錄》。

本書這樣地根據宋元明儒及所謂的家學論說來闡明本義的一大特徵是在關於地理、制度、文物的考證方面幾乎一概不取。其理由是汪汾的《增訂四書大全》根據顧炎武《日知錄》、閻若璩《四書釋地》來進行這些考證並不一定妥當，所以由此來懷疑朱子之謬是「尤難盡信」。在明代有薛應旂《四書人物考》、陳禹謨《經言枝指》、《別本四書名物考》等從經傳中考證名物的動向，到了清代即使在註釋上考證名物的事多了起來。此書不想採用這樣的成果，是因爲著者認爲朱子的本義就是《四書》的本義，但另一方面也可以認爲是由於隨著考證研究的進展，使得章句集注的錯誤不得不表面化，所以考慮到積極地保護朱子學的乾隆初期政治環境，更要避開名物的考證。

之後不久，也有對《四書》加以實證性地檢討，節抄了陳禹謨、薛應旂著述，而於乾隆三十四年序刊的陳宏謀《四書考輯要》；廣集有關《四書》的歷史沿革、《四書》說的變遷、諸本教材等諸問題的論說而於乾隆三十六年序刊的翟灝《四書考異》；一邊依據章句集注說，又時而糾正其誤謬而有乾隆六十年自序的曹之升《四書摭餘說》等書出現。專門改正朱子錯誤的毛奇齡《四書改錯》到了嘉慶十六年才重新刊刻出版。

到了這樣的時期，專門集成朱子學《四書》說的步青之書，和其他講章其界限就變得越加分明了。但是這些書只要以章句集注爲基本，把《四書》經文八股式地詳加講說的科舉持續存在，縱使確實有考試參考書性格，也將會繼續被續刊。明代的集成書中有大量採用新說的，在混沌之中仍然可以感受到與當時《四書》學緊密的活力，相對的，清代科舉之學和學術的乖離越深，《四書》大多是爲了科舉考試才被誦讀，這樣的時代變遷也投影在集成書之中。

因爲書籍是時代的產物，因此檢討宋元明清各時代的集成書內容，可以說是相當具有歷史意義的。

——譯自佐野公治著：《四書學史の研究》（東京：創文社，昭和 63 年 2 月），頁 201－266。

經 學 研 究 論 叢
第 九 輯 頁275～286
臺灣學生書局 2001年1月

日本所藏《御注孝經》略說

古勝隆一*

一、序言

傳存於日本的大量漢籍中，舊抄本《孝經》及其注釋諸書，尤占有相當重要的地位。早在江戶時代（1603－1868），日本學者已經注意到日藏《孝經》之可貴，因而致力於校訂出版。其一是太宰春臺（1680－1747）所校《古文孝經》❶，後收入「知不足齋叢書」第一集（1776 年刊行），獲得了盧文弨（1717－1795）等碩學之重視。此外，又有《孝經》鄭注之出版，此書由岡田挺之（號新川，1737－1799）自《群書治要》中輯出並予刊行❷，後亦收於「知不足齋叢書」第二十集（1801 年刊行）中。

在此，我將介紹唐玄宗所注《孝經》，即所謂《御注孝經》之日藏本。日本所傳《御注孝經》，與中國版本實略有差異。依《唐會要》等記載❸，玄宗御注《孝經》早已成書於開元年間（即「開元初注」），之後，天寶年間經修改（即「天寶重注」），至天寶四歲（745）九月一日勒於石臺。宋元以後，中國只傳存天寶重注本《御注孝經》（石臺本及其後各代諸本皆屬於「重注」本），而日本古

---

* 古勝隆一，京都大學人文科學研究所助手。

❶ 原刊本刊行於延享元年（1744）。

❷ 此本有寬政五年（1793）序文。

❸ 《唐會要》卷 36，脩撰：「（開元）十年六月二日，上注《孝經》頒于天下及國子學。至天寶二年五月二十二日，上重注亦頒于天下。」

抄本則基本上是更早的「開元初注」本。開元初注本之存在，在日本江戶時代之學界並非人盡皆知，是經由屋代弘賢（1758－1841）的介紹始行於世。❹屋代氏覆刻本保留較多古寫本之原貌，可以說是較爲精確的模刻本。楊守敬（1839－1915）渡日時，喜獲屋代氏刊本，知其爲「開元初注」，後助黎庶昌（1837－1897）將其刊入於《古逸叢書》中。

《古逸叢書》本《御注孝經》封面上題有「覆卷子本唐開元御注孝經」等字，據此，似爲直接採用舊抄卷子的刻本，其實不然。一如前述，《古逸叢書》本是屋代本的再刻本❺，即曾經過兩次刻版，已稍稍喪失了古寫本之眞貌。除了《古逸叢書》本之底本以外，《御注孝經》亦有多種寫本與刻本藏存於日本。因而，在本稿中，我想報告日藏《御注孝經》諸本之現存情況，並觸及關於《孝經》御注及疏的幾個問題。

二、《古逸叢書》本《御注孝經》與日本傳存諸本之關係

在日本現存《御注孝經》初注本之中，《古逸叢書》本居於何種地位？初注本諸本，約可分爲四類❻，即「三條西本」、「清家文庫本」、「藤原本」、「菅原本」等四個系統。其中，最重要的是「三條西本」與「清家文庫本」，因爲這兩個系統至今仍傳有古寫本❼，「三條西本」系統中主要有「東山御文庫本」，此本之內容經由「屋代本」、「《古逸叢書》本」等版本之覆刻而普及於世。「清家文庫本」系統中有「京都大學本」（略稱「京大本」），此本是公元十三世紀寫本，

❹ 此本有寬政十二年（1800）屋代氏自序。

❺ 《古逸叢書》本書末有「寛政十二年五月九日源弘賢」跋語，及「井上慶壽」四字，皆是屋代本原有的跋文與刊記。

❻ 此四分類，本於林秀一所說（參見氏著〈文章博士御進講の御注孝經に就いて〉，《孝經學論集》（明治書院，1976 年）。不過，林氏未知「京大本」之存在，又未言及各種轉寫本的現存情況，所以在此重新整理各本關係。

❼ 在日本書誌學界，「古寫本」（又稱「古抄本」、「舊抄本」）一語包括書寫於中世（略相當於西曆 16 世紀）以前的寫本。

在日本御注本中，書寫年代最早。可惜的是，此本首尾殘闕，並非完本，不過，卻可以此本來修正「東山御文庫本」中的幾個錯誤。

此外，「藤原本」、「菅原本」兩系統也有相當的參考價値。「藤原本」、「菅原本」系統雖不傳古寫本，但卻不可否定其保存有古寫本樣貌之可能性。❽

今就日本傳存《御注孝經》諸系統列記如下：

㈠三條西本系統

1. 東山御文庫本（室町時期〔享祿辛卯年（1531）〕寫本。三條西實隆跋。御物。今藏於東京、三之丸尙藏館❾）
2. 岩崎本（江戶時代寫本。東京、東洋文庫藏）
3. 屋代本（江戶時代〔寬政十二年（1800）跋〕刊本。〔京都大學人文科學研究所等藏〕）
4. 古逸叢書本（光緒年間〔覆屋代本〕刊本。黎庶昌覆刻本）
5. 三條公美本（明治〔二十四年（1891）跋，覆屋代本〕刊本，京都大學附屬圖書館等藏）

㈡清家文庫本系統

1. 京都大學本（鎌倉時代寫本。卷子本。殘闕。日本國指定重要文化財。京都大學附屬圖書館清家文庫藏。以下略稱爲「京大本」）
2. 久原甲本（江戶時代〔末〕寫本。卷子本。收錄承久三年（1221）清原宣景文書。殘闕。東京、大東急記念文庫藏）

㈢藤原本系統（冠有元行沖序及玄宗序。內容上混雜著「初注」本與「重注」本）

1. 藤原憲本（江戶時代〔寬政十二年（1800）〕刊本。東京大學附屬圖書館等藏）

㈣菅原本系統（冠有元行沖序及玄宗序。內容上混雜著「初注」本與「重注」本）

1. 菅原爲德本（江戶時代〔文化五年（1808）〕刊本。東京大學附屬圖書館等

---

❽ 菅原爲德本後序云：「近得二本，一則數百年前畸本，襯以建保（1213－1219）故紙；一則文明中（1469－1487）所書，頗與今本異。」

❾ 關於此本，辱承宮內廳書陵部梶田明宏先生賜告現存情況。

藏）

2.久原乙本（江戶時代〔天保十三年（1842）〕寫本。零殘。東京、大東急記念文庫藏）

3.釋一桂本（江戶時代〔弘化三年（1846）跋〕刊本。刪去玄宗〈序〉及〈注〉。東京大學附屬圖書館等藏）

4.鷹司甲本（江戶時代寫本。東京、日本宮內廳書陵部藏）

5.鷹司乙本（江戶時代寫本。東京、日本宮內廳書陵部藏）

以上諸本中，在日本學界普遍被利用的本子不過是「屋代本」、「古逸叢書本」及「三條公美本」三種而已。然而，如果檢討「元行沖序」的話，我們不能忽視上述的各種寫本與版本。尤其是必須倚賴京都大學附屬圖書館的藏本。以下，我將介紹京大本的內容，並討論《孝經》御注成立之背景等問題。

三、《御注孝經》之成書背景

就經文及注文兩方面而言，《御注孝經》初注本與重注本之間並無太大差異。[10]初注本最大特點，即在書前冠有「元行沖序」。根據此序文，我們可以知道《孝經》玄宗注成立之具體情況。元序早經《古逸叢書》本而介紹於中國，不過，由於其文字上有幾處錯誤（即沿襲三條西寫本之錯誤，甚至誤「司馬貞」爲「司馬員」），故而對此史料之利用，尚未能到達百分之百正確的地步。現將以京大本及其他諸本來校正三條西本之錯誤，並討論玄宗初注《孝經》如何出現之經過。

《孝經》御注之成立，與開元年間興起的《孝經》論爭有關。據《唐會要》卷七十七「論經義」，可略知其論爭之始末。[11]首先，玄宗曾於開元七年三月一日發敕，敕曰：「《孝經》、《尚書》有古文本。孔、鄭注，其中旨趣，頗多踳駁。若無所歸，作業用心，復何所適？宜令諸儒并訪後進達解者，質定奏聞。」其後，左庶子劉子玄（知幾）即於四月七日上〈《孝經》注議〉一文，主張採用古文《孝

[10] 此事詳參林秀一〈三條本御注孝經に就いて〉，見《孝經學論集》。

[11] 《文苑英華》卷 766，議「經籍」以及《孝經正義·御製序并注》疏，都載錄了同一內容的論爭。

經》，並列以十二驗，以排斥今文《孝經》及其「鄭氏注」。對於此事，國子祭酒司馬貞則反對劉氏建議，司馬氏以古文爲僞，痛烈攻擊古文《孝經》及其「孔安國傳」，堅持採用《孝經》鄭氏注。然而，玄宗本人對此激烈論爭似不以爲然，其年五月五日有詔曰：

> 間者，諸儒所傳，頗乖通議。敦孔學者，冀鄭門之息滅；尚今文者，指古傳爲誣僞。豈朝廷並列書府，以廣儒術之心乎？其河、鄭二家⑫可令依舊行用；王、孔所注，傳習者稀，宜存繼絕之典，頗加獎飾。

據五月五日詔，劉知幾與司馬貞之論爭似乎因此詔而平息，然事實上，此詔並未能根本解決此問題。兩年之後，玄宗不得不親自撰定《御注孝經》，鄭、孔兩注俱不爲採用，換句話說，待《御注孝經》一成立，此論爭始得平息。

《孝經》古文、今文之異，主要在其章數之上，即古文爲二十二章，今文則爲十八章。《御注孝經》經文爲十八章，顯然是採用了今文《孝經》。《孝經正義》論之如下：

> 詔：「鄭注仍舊行用，孔傳亦存。」是時，蘇、宋文吏，拘於流俗，不能發明古義，奏議排子玄，令諸儒對定，司馬貞與學生郗常等十人，盡非子玄，卒從諸儒之說，至十年，上自注《孝經》，頒於天下，卒以十八章爲定。⑬（《孝經正義·御製序并注》疏）

由此，我們可知司馬貞等人意見被玄宗採用，並決定以今文爲底本一事之來龍去脈。《御注孝經》用今文經文，並未可謂玄宗個人之意志，無疑地是來自司馬貞等人之影響。另亦可知，司馬貞的上議非本著他自己學術上要求，不過是迎合蘇、宋

---

⑫ 此次論爭包括《孝經》、《易》、《老子》三書的注釋問題，文中「河」指河上公注《老子》，下文中的「王」則指王弼注《老子》。

⑬ 阮元刻本「十八」下有「年」字，《孝經注疏》諸本皆同。疑爲衍字，今刪去。

等大官的議論而已。⓮又《新唐書》卷一三二〈劉子玄傳〉曰：

> (劉子玄) 嘗議《孝經》鄭氏學非康成注，舉十二條左證其謬，當以古文爲正，《易》無子夏傳，《老子》書無河上公注，請存王弼學。宰相宋璟等不然其論，奏與諸儒質辯。博士司馬貞等阿意，共黜其言，請二家兼行，惟子夏《易》傳請罷。

由此可知，《孝經正義》所謂「蘇、宋文吏」，即指宋璟、蘇頲等大臣。⓯

以下我將另以元行沖〈孝經序〉來補充說明《御注孝經》成立之背景。元〈序〉既言玄宗用心此《注》之厚，又提示幾位儒官參與撰定《御注孝經》的事實，其文曰⓰：

> 乃敕宰臣曰：「(前略) 頃與侍臣參詳厥理，爲之訓注，冀闡微言。宜集學士儒官，僉議可否。」於是左散騎常侍、崇文館學士劉子玄，國子學司業李元瓘、著作郎、弘文館學士胡皓，國子博士、弘文館學士司馬貞⓱，左拾遺、太子侍讀潘元祚，前贊善大夫、鄂王侍讀魏處鳳，大學博士、郯王侍讀郗恆亨⓲，大學博士、陝王侍讀徐芙哲⓳，前千牛長史、鄄王侍讀郭謙

⓮ 《大唐新語》，卷 9，〈著述篇〉：「(劉) 子玄爭論，頗有條貫，會蘇、宋文吏，拘於流俗，不能發明古義，竟排斥之。深爲識者所嘆。」疑《孝經正義》承襲《大唐新語》所說。

⓯ 《舊唐書》，卷 88，〈蘇頲傳〉：「開元四年，遷紫微侍郎、同紫微黃門平章事，與侍中宋璟同知政事。璟剛正，多所裁斷，頲皆順從其美。若上前承旨、敷奏及應對，則頲爲之助，相得甚悦。」《新唐書》，卷 125，〈蘇頲傳〉：「在帝前敷奏，(宋) 璟有未及，或少屈，頲輒助成之，有不會意者，頲更申璟所執，故帝未嘗不從，二人相得甚歡。」

⓰ 今依原寫本付上句讀引用。另以三條西本爲底本，並對校以京大本、菅原本、藤原本等諸本。

⓱ 「貞」，三條西本誤作「員」，今依京大本、菅原本、藤原本而正。

⓲ 「郗恆亨」，三條西本作「郗亨」，藤原本作「郗亨」。京大本作「郗恆□」(下一字如蓋頂)，菅原本作「郗恆亨」。今依菅原本作「郗恆亨」。

⓳ 「徐芙哲」，三條西本作「徐英哲」，今姑從京大本。

光，國子助教、鄫王侍讀范行恭及諸學官等，並鴻都碩德，當代名儒，咸集廟堂，恭尋聖義。

另又述及關於《孝經疏》撰寫之經緯曰：

侍中、安陽縣男源乾曜，中書令、河東縣男張嘉貞等奏曰：「(前略) 望即施行，佇光來葉。其序及疏，並委行沖脩撰。⑳」制曰：「可。」

據以上史料，我們可推知三點如下：

㈠參與撰定《御注孝經》學者知其姓名者，有劉子玄、李元瓘、胡皓、司馬貞、潘元祚、魏處鳳、郄恆亨、徐芙哲、郭謙光、范行恭等十人。雖古文《孝經》不被採用爲《御注孝經》經文之底本，而劉子玄猶在諸儒之列，得參與《御注孝經》之撰定。

㈡諸儒中，潘元祚（太子侍讀）、魏處鳳（鄂王侍讀）、郄恆亨（郯王侍讀）、徐芙哲（陝王侍讀）、郭謙光（鄄王侍讀）、范行恭（鄫王侍讀）六人，皆是皇子侍讀。蓋此諸人皆與開元七年皇太子齒冑禮有關。㉑而《孝經正義》所謂「司馬貞與學生郗常等十人」，或包括此數人。

㈢提案委任元行沖撰《孝經疏》者，乃是源乾曜與張嘉貞二人。㉒値得注意的是，《孝經疏》撰者並非由宋璟、蘇頲諸人決定。加上元行沖本來是劉子玄親友，因此不可視爲阿順宋璟者。

據此，我以爲參與撰定《御注孝經》諸人中，至少含有三個方面立場的人

⑳ 「脩撰」一語，三條西本、京大本並誤作「循撰」，今依菅原本及藤原本訂正。

㉑ 《舊唐書》，卷 102，〈褚无量傳〉云：「開元六年駕還，又敕无量於麗正殿以續前功。皇太子及郯王嗣直等五人，年近十歲，尚未就學，无量繕寫《論語》、《孝經》各五本以獻。上覽之曰：『吾知无量意無量。』遽令選經明篤行之士國子博士郗恆通、郭謙光、左拾遺潘元祚等，爲太子及郯王已下侍讀。七年，詔太子就國子監行齒冑之禮，无量登座說經，百僚集覩，禮畢，賞賜甚厚。」

㉒ 《資治通鑑》，卷 212：「（開元八年五月）丁卯，以源乾曜爲侍中，張嘉貞爲中書令。」

士。一爲玄宗本人，二爲迎合宋璟等儒者，即司馬貞及其徒，三則爲劉知幾。是否有人協助劉知幾，並無法確知，然而從《御注孝經》內容上來看，我們應該說古文《孝經》、孔傳對《御注孝經》影響頗深。換言之，御注既非玄宗一人所成，亦非司馬貞諸人完全排斥古文而成者，事實上可以說是當時在頗爲複雜的學術思想及政治關係下所產生的。

〔補一〕《孝經正義》所謂「學生郗常」，疑「郄恆亨」之誤。《舊唐書》卷一〇二、〈褚无量傳〉云：「經明篤行之士國子博士郄恆通」；《新唐書》卷二〇〇、〈褚无量傳〉則作「郗常亨」。就姓氏而言，舊書作入聲的「郄」，新書作平聲的「郗」，未可卒斷。然日本現存《御注孝經》皆作「郄」字，另京大本此字右傍記曰：「許逆反」㉓，付聲點讀爲入聲，則日本天皇家平安時代以來所傳（包含佚失）本，似皆應作「郄」字。我以爲此或可供作參考。另就其名字而言，舊書作「恆通」，疑避唐肅宗李亨諱而改「亨」爲「通」。新書作「常亨」及《孝經正義》作「常」，疑避唐穆宗李恆諱而改「恆」爲「常」者歟㉔？

〔補二〕論《御注孝經》的學者們，皆以開元初注本成立年代爲「開元十年」。然而，元序明曰：「大唐受命百有四年，皇帝君臨之十載也」，則此序文撰於開元九年矣。因爲玄宗即位於先天元年（712）八月，其第十年是開元九年（721）。不僅如此，據《資治通鑑》卷二一二，劉子玄卒於開元九年。劉氏去世前，因其子劉貺獲罪而被貶爲安州別駕，序中所謂「左散騎常侍、崇文館學士劉子玄」者，顯然爲未貶時之官位。

四、京大本《御注孝經》中之唐人《孝經疏》佚文

京大本《御注孝經》的資料價值，不但在於其文字之可靠，而且在於書眉及書中的注記。其中，殊爲可貴的是關於《孝經》各章章題的注記。但是，因爲此本

㉓ 《廣韻》入，二十，陌韻「郤」字「（綺戟切。）姓，出濟陰、河南二望。《左傳》晉有大夫郤獻子。俗從郄」。

㉔ 亦有宋人避眞宗趙恆諱而改字的可能性。

首尾殘闕，現在可見的注記，只有關於「開宗明義章第一」、「天子章第二」、「諸侯章第三」、「大夫章第四」、「士章第五」、「庶人章第六」等六種。今將以「開宗明義章第一」爲例來加以說明。見於章題上書眉的注記如下：

疏云：「《説文》云：『開，張也』。《廣雅》云：『宗，本也』。此意張孝道之宗本，明孝道之旨義，故冠之於道也。」㉕

由於指的是「疏云」，可知應該是一種《孝經疏》之引文。姑取北宋邢昺所校《孝經正義》來比較的話㉖，此「疏」之內容與邢昺所校之「疏」，可謂大同小異。邢《疏》內文如下：

開，張也。宗，本也。明，顯也。義，理也。言此章開張一經之宗本，顯明五孝之義理，故曰開宗明義章也。

京大本注記與邢昺校「疏」，究竟有何種關聯？事實上，兩文文意基本上一致，因此不可視爲毫無關係。然而，話說回來，兩文間明明有相違之處，且其差異不少，並不該目爲傳寫之誤。日本書誌學者阿部隆一認爲，京大本的書眉及題下注記是元行沖《孝經疏》的佚文。㉗楊守敬也曾指出三條西本書眉有「疏中」等注記曰：「三才章額上題『疏中』，廣要道章額上題『疏下』，知元疏分上中下三卷，與唐志合」㉘，認爲三條西氏用了元行沖《孝經疏》。我個人也同意阿部氏所說。日本

㉕ 原寫本並無句讀，本人參考阿部隆一校文，將其稍作整理。參見阿部氏〈室町時代以前に於ける御注《孝經》の講誦傳流について——清原家舊藏鎌倉鈔本開元始注本を中心として——〉，《斯道文庫論集》（慶應義塾大學附屬研究所，斯道文庫），第4輯，1965年。

㉖ 今本《孝經注疏》卷首題「翰林侍講學士、朝請大夫、守國子祭酒、上柱國、賜紫金魚袋、臣邢昺等奉敕校定」，與《孟子疏》首云「孫奭疏」有所不同。《四庫全書總目提要》則曰：「宋咸平中，邢昺所修之疏，即據行沖書爲藍本。然孰爲舊文，孰爲新説，今已不可辨別矣。」目前大部分學者似乎也不認爲《孝經正義》是由邢昺個人獨力撰述而成的。

㉗ 見阿部氏前引文。

㉘ 見《日本訪書志》卷2，「唐玄宗開元注《孝經》一卷」條。

中古時期以來，解釋《五經》經文時，學者們常引用《五經正義》來說明經義，此《正義》間或是古本，即未經北宋校訂的古寫本。[29]京大本注記雖曰片片段段，然尚存唐人《孝經疏》舊貌，可謂研究唐代思想史的貴重史料。

從內容上來看，京大本注記之特點在於強調「孝道」。毋庸贅言，「孝道」是先秦以來常用的概念，不過，在僅僅數句之文中用了三次「道」字，尤爲特異。《孝經正義》改「孝道之宗本」爲「一經之宗本」，改「孝道之旨義」爲「五孝之義理」，而刪去「冠之於道」。現行《御注孝經》及《孝經正義》中，我們猶發現「孝道」、「道」等字甚多，此等語彙原本是唐人解釋《孝經》的重要概念，只是在宋人修改《孝經疏》爲《孝經正義》的同時，或被刪改、或被存用罷了！

再者，京大本《孝經御注》「開宗明義章第一」等文字之下，又有如下注記：

> 《援神契》有〈天子〉、〈庶人〉五章之號，皇侃《疏》始標其目，而不冠於章首。今檢鄭《注》，見之章名。豈先有後除？將近人追遠？御注依古今，集詳議，儒官連狀，題其章名，重付商量，奏依所請。章者，明也。謂析分段科，使義明。《說文》[30]曰：「樂哥竟爲章也」。

此處並未明言「疏云」，然而，其與邢昺所校「疏」之相類，顯然可見。邢《疏》如下：

> 劉向校經籍，比量二本，除其煩惑，以十八章爲定，而不列名。又有荀昶集其錄，及諸家疏，並無章名。而《援神契》自天子至庶人五章，唯皇侃標其目，而冠於章首。今鄭注見章名。豈先有改除？將近人追遠而爲之

[29] 例如《禮記正義》殘簡（東京：東洋文庫藏）、《毛詩正義》斷簡（京都市藏）等單疏古寫本即傳有《五經正義》唐代原貌。這些手寫殘本的內容，與北宋以後之木刻本《五經正義》不盡相同。另楊守敬說：「余所得日本《易》、《書》、《詩》古鈔，北宋單注本，其楣端往往錄疏中要義，以便講習，不得謂皆從南宋合併之本錄出也。」（《日本訪書志》）

[30] 「說文」原誤作「洸文」。

也？御注依古今，集詳議，儒官連狀，題其章名，重加商量，遂依所請。章者，明也。謂分析科段，使理章明。《說文》曰：「樂歌竟爲一章也」。

這兩則引文皆言及《孝經》章名之始，其中《正義》所說，則對後世產生了相當大的影響。明清諸儒多據《正義》論定《孝經》章名始標於皇侃。[31]可是，京大本注記作「皇侃疏始標其目、而不冠於章首」，其文意不甚明白，然而，如果此注記中無誤字及衍字的話，似可理解爲如此：雖然皇侃在疏文中明示《孝經》各章之名稱，但未曾分別揭示於各章經文之前。[32]有關此事，雖不易論斷，然猶可備一考矣。

五、結語

楊守敬在《日本訪書志》中曾論及三條西本云：「至此本亦間有脫誤，則由鈔寫筆誤，不足怪也。」誠如楊氏所言，《古逸叢書》所收《御注孝經》及其底本（1531 年寫本）有一些錯誤，因此，如果我們只用此一系統的寫本或版本，這些困難並不能得到解決。爲了解決這個問題，我們必須再檢查其它系統的諸本。一如前文中所述之各本傳存情況，除了三條西本系統以外，在日本另有其它不同系統的諸種寫本及刻本。

上文介紹的京都大學所藏「開元初注」本有幾個特點。第一，此本是鎌倉時代的舊抄本，所寫年代比三條西本更早，而且是日本明經博士清原家所傳的正統寫本。第二，此本訛誤較少，可以修正三條西本的錯字。第三，書中有多量注記，尤值得注意的是書眉中有唐人《孝經疏》的佚文引用。

---

[31] 詳參陳鐵凡《孝經學源流》（臺北：國立編譯館，1986 年）。

[32] 個人以爲，「劉向校經籍，比量二本，除其煩惑，以十八章爲定，而不列名。又有荀昶集其錄，及諸家疏，並無章名。而《援神契》自〈天子〉至〈庶人〉五章，唯皇侃標其目，而冠於章首」等文字，無疑是沿用自唐人《孝經疏》，且進一步推想的話，皇侃《孝經義疏》中已存有此說。然而此說並不符合於事實，所以《孝經疏》撰者才會因此懷疑道曰：「今檢鄭注，見之章名。豈先有後除？將近人追遠？」

一般來說，日本所傳的漢籍舊抄本的文字，與中國所傳者不盡相同，因而其校勘價值頗受校勘學者及版本學者之重視。不僅如此，日本舊抄本另有很多注記值得參考。例如音義及舊疏的引用，一方面保存了唐代以來注疏之舊貌，另一方面則明確顯示日本古時漢學教習傳授的實際內容。本稿中介紹的京大本《御注孝經》僅是其中的一個例子，然而日本古寫本的眞正價值，實有待於學者的多方考察與發掘！

附記一　1999 年 6 月 14 日，中央研究院歷史語言研究所主辦了「電子古籍中的文字問題檢討會」，本人曾在此會上作了一個報告，其題目是「略談《御注孝經》日本藏本」。本文是修改前稿而成的。本文及前稿，都由京都大學博士課程白適銘先生協助翻譯，在此表示由衷謝忱。

附記二　京都大學附屬圖書館已在 URL 上公開了《御注孝經》全部照片（網址爲 http://ddb.libnet.kulib.kyoto-u.ac.jp/exhibit/index.html）。在此之前，因爲此本沒有影印出版，其原貌不易得知。通過 WWW，我們便可隨心所欲地閱讀珍貴書籍了。京都大學附屬圖書館網站有豐富的照片及資訊，可供讀者的利用。

經學研究論叢
第九輯　頁287～294
臺灣學生書局　2001年1月

《點校補正經義考》第六、七冊《孝經》部分標點疑誤

彭　林*

林慶彰先生主持點校之《經義考》，卷帙繁冗，工程浩大，經百般艱辛，終得行世，是爲學界之盛舉。近讀是書第六、七冊《孝經》部分，某些標點似有可商之處。今就一時所見，將破句之處，盡行羅列；當斷而未斷之處甚眾，擇要錄之。某學殖淺陋，所舉未敢以爲必，僅供點校者參考。

第六冊

1.第八〇五頁倒二行：

《答臨碩難禮駁許愼異義》

《答臨碩難禮》與《駁許愼異義》當斷開。

2.第八〇七頁第一行：

《後漢史書》存於代者

「後漢史書」非書名，不當用書名號。

3.第八三六頁倒六行：

先王奉法則，乾象著明，哲后尊親，則山川表瑞。

當作：

*　彭林，北京清華大學思想文化研究所教授。

先王奉法，則乾象著明，哲后尊親，則山川表瑞。

4.第八四一頁倒六行：

謹打石臺《孝經》本分之上下兩卷。

當斷作：

謹打石臺《孝經》本，分之上下兩卷。

5.第八四四頁倒四行：

而簡編多有殘缺傳行者，惟孔安國、鄭康成兩家之注，……乃詔群儒學官俾其集議。

當斷作：

而簡編多有殘缺，傳行者惟孔安國、鄭康成兩家之注，……乃詔群儒學官，俾其集議。

第七冊

1.第一頁倒三行：

四年九月，以獻賜宴國子監進秩有差。

當斷作：

四年九月，以獻賜宴國子監，進秩有差。

2.第二十三頁第三行：

如「孝天之經地」之義至「因地之利」。

當斷作：

如「孝，天之經、地之義」至「因地之利」。（「孝，天之經、地之義」爲《孝經》原文。）

3.第二十四頁第一行：

秀夫幼而讀之，莫覺其非長而疑焉。

當斷作：

秀夫幼而讀之，莫覺其非，長而疑焉。

4.第二十四頁第二行：

既入仕，濫次西藏勾當得朱元晦《刊誤》一編而玩味之。

當斷作：

既入仕，濫次西藏勾當，得朱元晦《刊誤》一編而玩味之。

5.第二十六頁倒三行：

蓋三代以前理道明風俗，一人皆曉，知孝之爲孝。

當作：

蓋三代以前，理道明，風俗一，人皆曉知孝之爲孝。

6.第二十七頁倒三行：

予既鋟梓與學士共之。

當斷作：

予既鋟梓，與學士共之。

7.第二十八頁倒三行：

而象山之傳，獨盛于四明正獻、正肅父子。

此處「四明」爲地名，乃正獻、正肅之貫。故專名線當作「四明」。

8.第三十八頁第六行：

患謂禍敗言雖有其始而無其終。

當斷作：

患謂禍敗，言雖有其始而無其終。

9.第四十三頁第二行：

今觀邢氏疏說則古文之爲僞審矣。

當斷作：

今觀邢氏疏說，則古文之爲僞審矣。

10.第四十三頁倒六行：

廣陵郡學訪道諏經者日至。

當斷作：

廣陵郡學訪道，諏經者日至。

11.第四十三頁倒二行：

蓋溫公資質厚重于《孝經》，《今文》尚且篤信，則謂古文猶可尊也。

當斷作：

蓋溫公資質厚重，于《孝經》今文尚且篤信，則謂古文猶可尊也。

12.第四十四頁倒三行：

同門諸友請爲鋟木以公其傳。

當斷作：

同門諸友請爲鋟木，以公其傳。

13.四十六頁倒五行：

士嘗學問必能考聖賢之成法，而或有愧于庶人之孝，行且不可以名人，矧可以名士乎？愚嘗欲松谷采文忠公《孝友堂記》不知孝者不論，知孝而不知友，非孝妻子具而孝衰于親，異姓婦人入門而賊同氣之愛，以戚其親世之犯此者，尤可痛也。

當斷作：

士嘗學問，必能考聖賢之成法，而或有愧于庶人之孝行，且不可以名人，矧可以名士乎？愚嘗欲松谷采文忠公《孝友堂記》，不知孝者不論，知孝而不知友非，孝妻子具而孝衰于親，異姓婦人入門而賊同氣之愛，以戚其親，世之犯此者，尤可痛也。

14.四十六頁倒一行：

一家一宗，蒸蒸仁孝，抑又生理優裕于前人間，全福幾備膺之，天之報仁孝君子，端不誣也。

當斷作：

一家一宗，蒸蒸仁孝，抑又生理優裕于前，人間全福，幾備膺之，天之報仁孝君子，端不誣也。

15.第四十七頁倒七行：

聖天子以孝治天下，篤意是書，表章尊顯圖鏤以行自家，而國自國而天下。

當斷作：

聖天子以孝治天下，篤意是書，表章尊顯，圖鏤以行，自家而國，自國而天下。

16.第五十二頁第三行：

惜此書不廣傳，僅以之教家，學士度大理槃侍御時來相繼成名士，而士棟又以教士，聲籍甚《孝經》何負于人哉！

當斷作：

惜此書不廣傳，僅以之教家學，士度大理粲侍御時來，相繼成名士，而士棟又以教，士聲籍甚。《孝經》何負于人哉！

17.第五十六頁倒二行：

嗣是而後有以孝治天下之明王，在上而四海仁人孝子興起，而振作之。

當斷作：

嗣是而後，有以孝治天下之明王在上，而四海仁人孝子興起而振作之。

18.第五十八頁第四行：

先是自天子至庶人五章惟皇侃標其目，冠于章首，至是用諸儒議章，始各有名，如開宗明義等類，爲之疏者，元行沖也。

當斷作：

先是，自天子至庶人五章，惟皇侃標其目，冠于章首，至是用諸儒議，章始各有名，如開宗明義等類，爲之疏者，元行沖也。

19.第五十九頁倒六行：

乃與儒者議彙，次其先後，

當斷作：

乃與儒者議，彙次其先後，

20.第五十九頁倒二行：

其必人曾參而家閔、損。

當斷作：

其必人曾參而家閔損。（「損」爲閔子騫之名）

21.第六十七頁倒七行：

成化中貢士歸德訓導。

當斷作：

成化中貢士，歸德訓導。（「歸德」爲地名，今商丘）

22.七十一頁倒二行：

《大學》以所以事君，爲治國平天下之要。《中庸》亦以爲政在于修身而歸之，親親爲大。

當斷作：

《大學》以所以事君爲治國平天下之要，《中庸》亦以爲政在于修身，而歸之親親爲大。

23.七十三頁第一行：

先君授以《孝經》一帙，俾塾師授之章句而口誦之時，漫不知省也。

當斷作：

先君授以《孝經》一帙，俾塾師授之章句而口誦之，時漫不知省也。

24.第七十九頁第一行：

魏晉以後，王肅、韋昭、謝萬、徐整之徒注者無慮，百家莫有言古文者。

當斷作：

魏晉以後，王肅、韋昭、謝萬、徐整之徒，注者無慮百家，莫有言古文者。

25.第八十七頁第三行：

聖主承乾，百行惟先于立孝，明王保養萬幾莫要于尊經，衍孔壁之眞傳，證唐皇所謬尚，事如有待，道不虛行，……後倉已誤謬稱玄、晏之疏，顏、孔并行，魚目無辨。……比及大建貞觀科目家獨尊孔氏，……年當萬曆四十載，八荒濟仁，覆之休萃，尊富享保于聖人，重華再見，凝祿位名壽于大德，皆本大孝之推實，是尊經所致。……古文原無脫落，首五言孝引起，原以《詩》《書》，次三發端隨問，咸歸旨趣。

當斷作：

聖主承乾百行，惟先于立孝；明王保養萬幾，莫要于尊經。衍孔壁之眞傳，證唐皇所謬尚。事如有待，道不虛行，……後倉已誤，謬稱玄、晏之疏，顏、孔并行，魚目無辨。……比及大建貞觀科目，家獨尊孔氏，……年當萬曆四十載，八荒濟仁覆之休，萃尊富享保于聖人，重華再見；凝祿位名壽于大德，（此處疑有脫漏，經檢《經義考》原文，確當有「歷代希聞」四字。如此，文義始足）皆本大孝之推，實是尊經所致。……古文原無脫落，首五言孝引起，原以《詩》《書》，次三發端隨問，咸歸旨趣。

26.第一〇二頁倒二行：

周賓與六行曰……

「周賓興」非人名，不可用人名線。《周禮．大司徒》「以鄉三物教萬民而賓興之，一曰六德，……二曰六行，……」。「周賓興」即指此。

27.第一〇二頁倒二行：

齊內政公問卿子之鄉有孝于父母者，有則以告有，而不告謂之蔽明。

當斷作：

齊內政公問卿子之鄉有孝于父母者，有則以告，有而不告謂之蔽明。

28.第一〇五頁第三行：

是經無多字句移晷可畢。

當斷作：

是經無多字句，移晷可畢。

29.第一〇五頁第四行：

令人尋味累日，莫竟何其纏綿弘遠。

當斷作：

令人尋味累日莫竟，何其纏綿弘遠。

經 學 研 究 論 叢
第 九 輯　　頁295～300
臺灣學生書局　2001年1月

履軒先生之經學

狩野直喜著・鍋島亞朱華譯*

各位：今日能在「懷德堂紀念演講會」，由我這樣淺學的晚輩對諸位先生們做一場演講，既感到非常榮幸，也感覺很惶恐。然而從另一方面想，懷德堂不只是對大阪有貢獻，對我國（日本）文教上的貢獻更是眾所皆知，其影響絕不只停留在過去，而是流傳至今。我們今日能夠理解文字、聽聞聖賢之道，是我國（日本）先賢先儒所賜。也正因如此，平時即對懷德堂先生們懷著仰慕、感恩之意，因而自告奮勇地踏上演講臺。

我今日想講的是「履軒先生之經學」。先生是位既博學又多才多藝的人，由他的著作目錄即可知道，先生的興趣遍及各種方面，並且均加以研究。但先生最擅長的乃是在經學方面，若談先生的學術研究而未論及其經學，則宛如作了佛像卻沒有注入靈魂一般。由我來談艱澀的經學或許有些枯燥，煩請各位多多包涵。

竹山先生與履軒先生都是懷德堂的大人物，但兩位先生的經學卻有著極大的不同。竹山先生是研究程朱學的，當然程朱學者中有許多的派別，例如林家也是屬於程朱學派的，而山崎闇齋先生也是以洛閩之學爲主，而其學風相差甚遠。竹山先生的學風非常寬宏，他既不排斥王學也不排斥掘川學。履軒先生則不同，從先生的著述《七經逢原》、《雕題》、《雕題略》等便可得知，先生並不接受程朱學。雖然《七經逢原》均依據程朱學派的課本：例如《易》是據朱子《本義》，《詩》是據朱子《集傳》，《書》是依據蔡《傳》，《禮》是依陳澔等，以此來闡述自己的

---

* 鍋島亞朱華，日本二松學舍大學後期博士課程。

意見。而另一方面也對所依據的本文加以訂正。例如在《論語逢原》中，先生即提及，程子是生在禪學盛行的宋代，不知不覺必受其影響，故絕對不能信奉二程之言，後學者須先摒除二程受禪學影響的部分，只取合乎孔孟之教者。在《論語逢原》中亦寫到，商人會將其所藏的貨物一一分類記入帳簿，再加上徽號以方便檢索，但其徽號是各商家特有的，即使是做同樣買賣的商家，也無法看懂他家的帳簿。「天理無人慾」，這句話乃是程張家的徽號，而不是孔孟家的，即使以此查孔孟家的帳簿，也是無法理解的。學者應當熟習孔孟家的帳簿，進而習得其徽號。至於程張家的徽號，則並不一定需要知道。先生又說，復性、復初、道體等詞皆是程朱的徽號，乃是程朱之思想，而非孔孟之思想。由此可知，先生並不屬於程朱學派。那麼先生到底應屬哪一派？又受誰的影響最深？其實，先生解經，絕不偏頗於任何一家。他博覽諸儒的經說，參酌融合後，建立了己說，並大膽地提出前人未言及或未敢言及之事。然而，從另一角度想，經學本屬中國之學，故我國治經學者都不免會受到中國的影響。在中國，每個時代都有每個時代的學風，而其學風即會影響我國學風，故豪傑之士多多少少都受此感染。接下來，我想討論這方面的問題。

中國的經學可以分成三個時期：第一是漢、唐注疏時代，第二是宋、明理學時代，第三是清朝考據時代。其中多少都會有一些區別，但大致是如此。夫孔子沒而微言絕，七十子沒而大義乖，加上秦皇焚書，學問之道完全斷絕。以至漢代，先秦的古書復出，並由生存的博士口述。武帝時，又表彰六經孔孟，罷黜百家，儒家始得昌盛。此時的學風是專治一經，敬重經文而不敢擅加己見。至東漢，學風逐漸改變，並出現鄭、許等學者，經學日見盛行。但魏晉南北朝後，天下一分爲二，南北風氣不一，而學術也分歧。唐統一天下後，便從經書傳注中選定一本爲正解，命當時的學者孔穎達等人，將注義再加以說明，這即是《五經正義》。此後，《五經正義》便成爲國定的課本，只要熟讀便可通曉經義，這實在是唐朝的一大事業。但因爲當時只要熟讀《正義》便可參加科舉，所以除了少數的學者以外，很少有人立新的經說。而取代艱澀經學的即是詞賦，當時雖然分爲明經與進士，但一般皆以進士爲重。王朝時代的經學也是注疏學，與唐朝毫無差異，意即雖然熟讀注疏，卻無經學者。漢、唐之學唯有訓詁，卻未嘗試批評經書之本文，只知自古流傳的經書是聖人所作，不容懷疑，並將漢儒鄭、許之說視爲金科玉律。在日本的經學也是如此。然而到了宋代，在學風上有極大的轉變，宋代的學者並不墨守漢、唐學者之經說，爭相制立新說，並從本文批評上著手，對自古以爲是孔子刪定的經典提出種種意見，進而懷疑其價値及眞僞。如劉敞（原甫）的《七經小傳》，王氏的《三經新義》均屬此類。王氏《新義》乃是奉王安石之命所作，當時科舉取士均依此，其內容也是將漢儒之說徹底推翻。至於歐陽脩則提出〈繫辭〉、〈文言〉非孔子之作，而其門人與蘇軾、蘇轍兄弟則推翻《周禮》。鄭樵不取《詩序》，蘇轍譏刺《尚書》之〈胤征〉、〈顧命〉，王安石不取《春秋》，李覯、司馬光等人則批判《孟子》。以上皆爲程朱以外的宋代學者。而程朱學派方面則如朱子作《孝經刊誤》，又作《大學》的補傳等。一般而言，宋代的學者是以理爲先，並不會盲從經典。而王柏（魯齋）雖屬朱子學派，卻並不完全接受朱子的學說。王柏著有《書疑》、《詩疑》，他認爲《書》、《詩》均經漢儒之手傳至後世，其中必有斷簡，不能視其爲聖經而盲目信從。以《尚書》而言，王柏以〈堯典〉爲開端對經文多處加以修改，例如將《論語・堯曰篇》中「咨爾舜，天之曆數在爾躬」等二十四字視爲〈堯典〉本文，而移至「舜讓於德弗嗣」之下；又將《孟子》堯的「放勳曰：勞之來之，匡之直之，輔之翼之」等二十四字置於〈堯典〉「敬敷五教在寬」之下。對於《詩經》，王柏則認爲，《詩》三百篇不盡是孔子原來的版本，其中應含有秦火後被漢儒所補的僞篇，現存的三百零五篇有許多淫穢之詩，孔子不可能取，故刪去三十二篇。總而言之，宋人開始嘗試對經文加以批評。

以上談的是宋代的學風，而如前述，先生並不是程朱學派的學者，但以廣義而言，還是受到了宋代學風的影響，而不取漢、唐以來的舊說。至於先生對各經發表自己獨特的意見，並大膽地批評經文，頗似王魯齋的作風。

先生的經說可從《七經逢原》、《七經雕題》、《七經雕題略》等著述得知。據《古詩逢原》可知，先生於三十歲時著《逢原》，而「既而多所增加改正，塗抹重複，至不可讀，乃細書寫在本經上頭，故更命以雕題，爾後三十年。」因本經上已寫不下，故又將重點結集起來另作《雕題略》，但又感其中有不足之點，故又重新撰稿而以原題《逢原》命名。可從「嗟！余行年七十，耄且及焉，是後恐無所增加也，亦已矣。」一句看出，先生窮經之功絲毫未衰。

一、《周易》以爲〈十翼〉非孔子之作，〈象傳〉的〈大象〉（天行建君子以自強不息）是作於孔子之前，並認爲《左傳》昭公二年〔晉〕韓起於魯「觀書於大史氏，見《易象》與《魯春秋》，曰『周禮盡在魯矣』」中之《易象》即是此處之〈小象〉。而其他不分則屬《漢書・儒林傳》中之田何、王同、周王孫、丁寬、服生之作，並將〈說卦傳〉中之「乾爲天爲圜」以下視爲《周易》之傳，認爲是後人之附會；而「帝出乎震」以下（聖人南面而聽天下嚮明而治）將乾坤八卦配上方位之處，則認爲是周末、秦、漢時的異端之言。雖然當時上起朝廷，下至民間皆將其視爲律令般服從，但事實上與《易經》是毫無關係的。

而於《書》、《詩》也與王柏相同，以爲現存的《詩》、《書》不盡然是孔子刪定之原版，故對於不合己意之處一一加以修訂。於《書》則不取《古文尚書》，當然古文爲僞作，已由吳才老、朱子所提出，並不屬於履軒之創見。於《詩》則當然不取《毛傳》，並且與魯齋相同，將《詩》三百零五篇中之淫詩及〈魯頌〉刪除，進而改變其順序。《詩經》原本分爲〈風〉、〈雅〉、〈頌〉三部分，而先生則將原屬〈小雅〉中的詩置於〈風〉，又將屬於〈頌〉的詩置於〈小雅〉，並且還將〈魏風〉放在〈唐風〉之後，而將〈王風〉移至〈豳風〉之後。

至於《春秋》，先生也有其獨特的見解。依先生之說，則《春秋》有兩本，一是魯之舊史，一是孔子之《春秋》。孔子之《春秋》，於孟子之時依然存在，應是毀於楚滅魯之時而非毀於秦火；在漢代從灰燼中復出之《春秋》，乃是舊史，而非孔子之《春秋》。《左氏》、《公羊》、《穀梁》皆誤以爲是孔子之《春秋》，故均爲之作傳，欲明其義，但多臆測附會之辭。而舊《春秋》爲魯之歷史，雖應以伯禽爲始，但或許從灰燼中復出之部份，惠公以前已殆盡。先生又說，《春秋》之經止於昭公十年，而《左傳》亦止於此，故其後乃是擬經擬傳。至於獲麟之事，亦將其視爲周季讖緯家之言，不足採信。而先生大膽修改經文時曾云：

> 此我一人之私言，非有明確證據。嗟夫！後世罪我者，其惟《春秋》乎！

由此可見，履軒先生雖然不是程朱學者，但以廣義而言，還是受了宋明儒者學風之影響。宋明時期之諸多經說，豐富了先生具獨創性的見解。先生不採古人之說，主張己見，實爲一豪邁之士。曾道：

惟有伊藤仁齋、徂徠與我履軒先生而已矣。

而先生亦有與清儒之見解一致之處，對此誠感敬佩。

本會之目的，在於紀念先賢先儒之學德，不同於一般的學術演講。不宜評論其學問之優劣，故只談論先生的學風與宋明諸儒間的關係。先前提到第三「清朝考據學」，這當然是因爲宋明理學的反動而產生。履軒先生卒於文化十四年（1817），享年八十六，時值〔清〕嘉慶二十二年。其生涯歷經雍正、乾隆，而辭世於嘉慶末年。雖然阮元的《皇清經解》是刊行於先生逝世後，但先生必定讀過清朝考據學派的書（《杜解補正》）。然而從先生的經學卻無法看出受清代學術影響的跡象。

好新奇而厭故常之人，不可與論經矣；安故常而憎新奇之人，不可與論經也。若夫學行敦實，篤信先儒，而思慕夢寐者，非君子者乎！然而有不可與論經者，意論經之難，於斯可知矣。（《七經雕題略》）

嗚呼！當今之世，其得幾人手哉。吾竊有望於後之人。

——譯自狩野直喜著：《支那學文藪》（東京みすず書局，昭和 48 年），頁 402－408。

經 學 研 究 論 叢
第 九 輯　　頁301～314
臺灣學生書局　2001 年 1 月

經學博碩士論文目錄
（民國 88、89 年）

張穩蘋*

一、本〈目錄〉收錄民國 88－89 年間，臺灣地區博、碩士研究生完成之「經學類」論文條目。

二、本〈目錄〉所收論文，資料內容若涉及兩類者，則予以「互見」，以方便讀者檢索。

三、論文條目之目錄項，依作者、書名、出版者、出版年月、指導教授等順序排列。

四、《經學研究論叢》第六輯所遺漏之「民國 86、87 年」經學博碩士論文，本〈目錄〉則一併加以補入。

經學史研究

李宗定　先秦儒家政治理論研究　成功大學中國文學研究所碩士論文　87 年 6 月　林朝成指導

陳政雄　先秦儒家的發展及其遭遇　中山大學中國文學研究所碩士論文　89 年 6 月　鮑國順指導

楊兆貴　先秦古籍關於「孔子」論述的分析　清華大學歷史研究所碩士論文　88

*　張穩蘋，國科會專題研究計劃助理。

年 6 月　陳啓雲指導

王德貞　荀子〈非十二子篇〉禮之思想　東海大學哲學研究所碩士論文　86 年 6 月　謝仲明指導

張建群　兩漢儒、法思想研究　中國文化大學中國文學研究所碩士論文　86 年 1 月　陳麗桂指導

郭永吉　西漢儒生之政治地位及其對國家政策之影響力　清華大學中國文學研究所碩士論文　86 年 6 月　朱曉海指導

鄭圓鈴　司馬遷黃老理論之研究　臺灣師範大學國文研究所博士論文　86 年 6 月　黃錦鋐指導

秋先鎬　漢新之際的緯學與古文經學　中國文化大學史學研究所碩士論文　86 年 6 月　馬先醒指導

邱秀春　從《白虎通義》看漢代學術之大一統與崩解　輔仁大學中國文學研究所博士論文　89 年 6 月　林慶彰指導

陳玉台　陳立《白虎通疏證》之禮學研究　中國文化大學中國文學研究所博士論文　88 年 12 月　應裕康指導

吳冠宏　魏晉玄論與士風新探——以情爲綰合及詮釋進路　臺灣大學中國文學研究所博士論文　86 年 6 月　林麗眞指導

胡正之　中唐士人文化反省研究　輔仁大學中國文學研究所博士論文　86 年 6 月　王靜芝指導

張清泉　北宋契嵩儒釋融會思想研究　政治大學中國文學研究所博士論文　86 年 6 月　李威熊指導

廖添州　邵雍處世思想探究　東吳大學中國文學研究所碩士論文　86 年 6 月　沈謙指導

馮曉庭　宋人劉敞的經學述論　東吳大學中國文學研究所博士論文　89 年 7 月　林慶彰指導

陳懿玟　程明道一本論及其實踐根據之研究　中央大學中國文學研究所碩士論文　87 年 6 月　曾昭旭指導

王治平　蘇轍《古史》中的歷史思想　清華大學歷史研究所碩士論文　86 年 6 月

張元指導

周天令　朱子道德哲學研究　中正大學中國文學研究所博士論文　87年6月　莊雅州指導

楊斐芬　朱子成德之學研究　輔仁大學哲學研究所博士論文　88年6月　李振英指導

陳志信　朱熹經學志業的形成與實踐　中正大學中國文學研究所博士論文　88年6月　莊雅州指導

胡元玲　朱熹思想中「存天理去人欲」之研究　臺灣師範大學國文研究所碩士論文　88年7月　陳郁夫指導

丁國華　鄭樵《六書略》研究　逢甲大學中國文學研究所碩士論文　89年6月　宋建華指導

劉秀蘭　化經學為心學——論慈湖之經學思想與理學之開新　臺灣大學中國文學研究所碩士論文　88年6月　何澤恆指導

鄭自誠　明代前期理學思潮研究　臺灣大學中國文學研究所碩士論文　86年6月　古清美指導

侯婉如　薛瑄復性思想研究　高雄師範大學國文研究所碩士論文　86年6月　何淑貞指導

蔡淑閔　王陽明四句教之開展與衍化　政治大學中國文學研究所碩士論文　87年6月　董金裕指導

近藤朋子　陽明學與藤樹學之研究　臺灣師範大學國文研究所博士論文　87年1月　黃錦鋐指導

袁光儀　晚明之儒家道德哲學與世俗道德範例研究——劉蕺山《人譜》與《了凡四訓》、《菜根譚》之比較　臺灣師範大學國文研究所碩士論文　86年6月　莊耀郎指導

陳玉嘉　劉蕺山詩意之研究　中正大學中國文學研究所碩士論文　87年6月　謝大寧指導

陳啓文　劉蕺山之道德主體理論分析　臺灣師範大學國文研究所碩士論文　89年6月　陳郁夫指導

周玟觀　傅山學術思想研究　臺灣大學中國文學研究所碩士論文　88 年 4 月　夏長樸指導

洪淑芬　陸世儀學術思想研究　臺灣大學中國文學研究所碩士論文　87 年 6 月　夏長樸指導

李美惠　王船山人性論之研究　中央大學中國文學研究所碩士論文　87 年 6 月　曾昭旭指導

楊果霖　朱彝尊《經義考》研究　中國文化大學中國文學研究所博士論文　89 年 6 月　王三慶指導

王晉修　清代乾嘉時期徽州學術研究　中山大學中國文學研究所碩士論文　86 年 7 月　鮑國順指導

黃順益　惠棟、戴震與乾嘉學術研究　中山大學中國文學研究所博士論文　88 年 6 月　鮑國順指導

張維屏　紀昀與乾嘉學術　臺灣大學歷史研究所碩士論文　86 年 6 月　王汎森指導

李金鴦　程瑤田及其義理思想研究　高雄師範大學國文研究所碩士論文　86 年 6 月　周虎林指導

李幸長　凌曉樓學術研究　高雄師範大學國文研究所博士論文　87 年 6 月　蔡崇名指導

都惠淑　劉逢祿古音學研究　政治大學中國文學研究所博士論文　88 年 3 月　陳新雄指導

蔡長林　常州學派新論　臺灣大學中國文學研究所博士論文　89 年 6 月　夏長樸指導

賀廣如　魏默深思想研究——以傳統經典的詮說爲討論中心　臺灣大學中國文學研究所博士論文　87 年 2 月　古清美指導

竺靜華　從《正續清經解》的比較論清代經學的發展趨勢　臺灣大學中國文學研究所碩士論文　88 年 6 月　葉國良指導

江俊逸　清代反樸學研究　中國文化大學中國文學研究所碩士論文　86 年 6 月　柯淑齡指導

陳梅香　章太炎語言文字學研究　中山大學中國文學研究所博士論文　86 年 6 月

孔仲溫指導

張至淵　論章太炎對儒學的批判　中山大學中國文學研究所碩士論文　86 年 6 月　王金凌指導

周傳瑛　章太炎及其史學精神研究　高雄師範大學國文研究所碩士論文　86 年 6 月　周虎林指導

邱白麗　由典籍的重新詮釋論知識分子與當代政治、文化的對應關係——以康有為為討論例示　淡江大學中國文學研究所碩士論文　89 年 6 月　周彥文指導

廖本聖　顏李學的形成（1898—1937）　東海大學歷史學研究所碩士論文　86 年 7 月　丘為君指導

吳宗儒　清代學風與清儒的元史學　政治大學歷史研究所碩士論文　87 年 5 月　杜維運指導

胡幸玟　清末民初經學意識的轉變——以《詩經》研究為起點　暨南國際大學中國語文學研究所碩士論文　89 年 6 月　林啓屏指導

陳麗惠　反傳統思潮的批判與超越——錢穆史學思想的形成（1930—1940）　東海大學歷史學研究所碩士論文　86 年 7 月　丘為君指導

李泰德　文化思潮變遷下的臺灣傳統文人——黃得時評傳　臺灣師範大學國文研究所碩士論文　88 年 5 月　莊萬壽指導

黃東珍　張深切《孔子哲學評論》研究　成功大學中國文學研究所碩士論文　89 年 6 月　宋鼎宗指導

張崑將　日本德川時代古學派的王道政治論研究——以伊藤仁齋、荻生徂徠為中心　臺灣大學歷史研究所碩士論文　87 年 6 月　黃俊傑指導

童長義　伊藤仁齋的研究——以「實」概念為中心　臺灣大學歷史學研究所博士論文　88 年 7 月　李永熾指導

易

林文欽　周易時義研究　高雄師範大學國文研究所博士論文　86 年 1 月　張子良指導

朴京烜　周易天人學的初探　東吳大學中國文學研究所碩士論文　86 年 1 月　胡

自逢指導

郭千華 《易》之原理與大象君子思想研究 輔仁大學中國文學研究所碩士論文 86年6月 王金凌指導

彭涵梅 《周易》時間觀 臺灣大學哲學研究所碩士論文 86年6月 關永中、郭文夫指導

楊百菁 周易爻位義例之研究——以初二三爻爲例 臺灣師範大學國文研究所碩士論文 86年7月 莊耀郎指導

黃素怡 易經的管理哲學 中央大學哲學研究所碩士論文 87年12月 朱建民指導

戴妙全 周易審美觀研究 臺灣師範大學國文研究所碩士論文 88年7月 黃慶萱指導

唐玉珍 《左傳》、《國語》引《易》考釋 臺灣師範大學國文研究所碩士論文 89年5月 賴貴三指導

林文莉 《周易・繫辭》義理詮釋 中正大學中國文學研究所碩士論文 89年6月 謝大寧指導

劉馨潔 《易傳》陰陽思想研究 臺灣師範大學國文研究所碩士論文 89年6月

彭俊傑 春秋時期易學演進過程之研究——以《左傳》《國語》之《易》說爲依據 華梵大學東方人文思想研究所碩士論文 89年6月 何廣棪指導

劉慧珍 漢代易象研究 輔仁大學中國文學研究所博士論文 86年6月 王金凌、曾春海指導

貝克定 馬王堆帛書〈易之義〉「數往/知來」段及其相關問題研究 臺灣大學中國文學研究所碩士論文 88年6月 黃沛榮指導

廖伯娥 馬王堆帛書〈易之義〉思想研究 臺灣師範大學國文研究所碩士論文 89年6月 黃慶萱指導

王士詮 虞翻易學研究 暨南國際大學中國語文學研究所碩士論文 89年6月 何澤恆指導

李瑋如 魏晉易學「生生」思想研究 臺灣師範大學國文研究所碩士論文 89年5月 賴貴三指導

蔡月禎 王弼易學研究 中央大學中國文學研究所碩士論文 88年5月 岑溢成

指導

張曉芬　王弼易學研究之《周易略例》分析　輔仁大學哲學研究所碩士論文　89 年 7 月　曾春海指導

朴京烜　朱熹《周易本義》釋法研究　東吳大學中國文學研究所碩士論文　88 年 7 月　林益勝指導

蔡府原　從《伊川易傳》探伊川思想　臺灣師範大學國文研究所碩士論文　88 年 12 月　陳郁夫指導

楊自平　吳澄之易經解釋與易學觀　中央大學中國文學研究所博士論文　88 年 12 月　林安梧指導

周古陽　王龍溪的心學與易學　中興大學中國文學研究所碩士論文　89 年 7 月　徐芹庭指導

許朝陽　胡煦易學研究　輔仁大學中國文學研究所博士論文　89 年 6 月　王金凌指導

書

周少豪　漢書引尚書研究　政治大學中國文學研究所碩士論文　86 年 7 月　李振興指導

李雲龍　蘇軾《東坡書傳》研究　政治大學中國文學研究所碩士論文　89 年 7 月　李振興指導

張靜婷　王船山《尚書引義》天人關係與政治實踐問題之研究　中央大學中國文學研究所碩士論文　89 年 6 月　林安梧指導

林登昱　〈尚書〉學在古史辨思潮的新發展　中正大學中國文學研究所博士論文　88 年 6 月　李威熊、莊雅州指導

詩

陳靜俐　《詩經》草木意義　臺灣師範大學國文研究所碩士論文　86 年 1 月　余培林指導

劉逸文　詩經與西周史關係之研究　中興大學中國文學研究所碩士論文　86 年 1

月　徐芹庭指導

金恕賢　《詩經》兩性關係與婚姻之研究　輔仁大學中國文學研究所碩士論文　86年6月　林明德指導

王清信　《詩經・二雅》《毛序》與《朱傳》所定篇旨異同之比較　東吳大學中國文學研究所碩士論文　88年6月　蔣秋華指導

彭維杰　朱子詩教思想研究　中國文化大學中國文學研究所博士論文　87年12月　李威熊指導

李莉褒　嚴粲《詩緝》之研究　中興大學中國文學研究所碩士論文　87年7月　江乾益指導

楊晉龍　明代詩經學研究　臺灣大學中國文學研究所博士論文　86年6月　張以仁指導

伍純嫺　《詩傳大全》與《詩經傳說彙纂》的比較　中國文化大學中國文學研究所　89年6月　許端容指導

張淑惠　鍾惺的詩經學　東吳大學中國文學研究所碩士論文　89年6月　陳新雄指導

蕭開元　晚明學者的《詩序》觀　東吳大學中國文學研究所碩士論文　89年6月　林慶彰指導

翁慧宏　王船山詩學理論之再研究　成功大學中國文學研究所碩士論文　89年6月　林朝成指導

陳智賢　清儒以《說文》釋《詩》之研究　政治大學中國文學研究所博士論文　86年6月　岑溢成指導

呂美琪　惠棟毛詩古義研究　彰化師範大學國文教育研究所碩士論文　88年6月　黃忠慎指導

胡幸玟　清末民初經學意識的轉變——以《詩經》研究爲起點　暨南國際大學中國語文學研究所碩士論文　89年6月　林啓屏指導

呂珍玉　高本漢詩經注釋研究　東海大學中國文學研究所博士論文　86年1月　龍宇純指導

三禮

吳安安　五禮名義考辨　臺灣師範大學國文研究所碩士論文　89 年 6 月　邱德修指導

林素玟　《禮記》人文美學研究　臺灣師範大學國文研究所博士論文　88 年 7 月　龔鵬程指導

曾佩芬　鄉飲酒禮的源流及其社會功能　臺灣大學中國文學研究所碩士論文　89 年 6 月　葉國良指導

羅保羅　秦吉禮考　輔仁大學中國文學研究所博士論文　89 年 6 月　邱德修指導

陳麗蓮　早期儒家喪禮思想研究　中山大學中國文學研究所碩士論文　86 年 6 月　鮑國順指導

呂欣怡　孟子禮學研究　臺灣師範大學國文研究所碩士論文　89 年 6 月　王關仕指導

王德貞　荀子〈非十二子篇〉禮之思想　東海大學哲學研究所碩士論文　86 年 6 月　謝仲明指導

蘇嫈雰　荀子「禮」學研究——以性、心、學爲基礎　輔仁大學哲學研究所碩士論文　88 年 6 月　黎建球指導

賈宜琛　先秦禮儀中「介」的研究　臺灣大學中國文學研究所碩士論文　87 年 6 月　葉國良指導

杜方立　先秦思想與周人德禮觀的關係　淡江大學中國文學研所碩士論文　87 年 6 月　高柏園指導

陳玉台　陳立《白虎通疏證》之禮學研究　中國文化大學中國文學研究所博士論文　88 年 12 月　應裕康指導

汪惠蘭　東漢禮學史　臺灣師範大學國文研究所碩士論文　86 年 5 月　王關仕指導

溫文龍　南北朝《禮記義疏》析論——以熊安生現存資料爲範圍　淡江大學中國文學研究所碩士論文　86 年 6 月　王文進指導

張文昌　唐代禮典的編纂與傳承——以《大唐開元禮》爲中心　臺灣大學歷史研究所碩士論文　86 年 6 月　高明士指導

王翠君　唐宋生日禮俗研究　東海大學中國文學研究所碩士論文　87 年 6 月　葉國良指導

賴慧玲　段玉裁之《周禮》學——以《說文注》爲範疇　臺灣師範大學國文研究所碩士論文　89 年 5 月　王關仕指導

黃智信　朱彬《禮記》學研究　東吳大學中國文學研究所碩士論文　88 年 6 月林慶彰指導

鄭卜五　凌曙公羊禮學研究　高雄師範大學國文研究所博士論文　86 年 1 月　周虎林指導

春秋・三傳

劉玉娟　左傳用玉研究　淡江大學中國文學研究所碩士論文　86 年 1 月　鄭志明指導

張素卿　敘事與解釋——左傳解經研究　臺灣大學中國文學研究所博士論文　86 年 6 月　張以仁指導

陳嘉琦　春秋戰爭研究　臺灣師範大學國文研究所碩士論文　86 年 7 月　劉正浩指導

許秀霞　《左傳》職官考述　臺灣師範大學國文研究所博士論文 88 年 7 月　簡宗梧指導

葉文信　左傳君子曰考述　臺灣師範大學國文研究所碩士論文　88 年 7 月　劉正浩指導

簡文山　《左傳》出奔研究　中山大學中國文學研究所碩士論文　88 年 6 月　劉文強指導

陳致宏　語用學與《左傳》行人辭令　成功大學中國文學研究所碩士論文　89 年 6 月　張高評指導

蔡炯芳　《左傳》中有關婦女婚姻的研究　華梵大學東方人文思想研究所碩士論文 89 年 7 月　周春塘指導

吳智雄　《穀梁傳》思想研究　中山大學中國文學研究所碩士論文　86 年 6 月王金凌指導

黃肇基　漢代春秋公羊學災異理論研究　政治大學中國文學研究所碩士論文　86 年 6 月　簡宗梧指導

陳忠源　從《春秋》的傳衍論先秦時期的經學發展　中正大學中國文學研究所碩士論文　88 年 6 月　莊雅州指導

李妍承　董仲舒春秋學之研究　臺灣大學哲學研究所博士論文　88 年 6 月　張永鋑指導

吳清輝　董仲舒春秋大一統思想研究　臺灣師範大學國文研究所碩士論文　88 年 6 月　陳麗桂指導

黃國禎　論董仲舒《春秋繁露》與緯書《春秋緯》之關係　東海大學中國文學研究所碩士論文　89 年 6 月　劉文起指導

黃志祥　啖、趙、陸之春秋學　高雄師範大學國文研究所博士論文　87 年 6 月　蔡崇名指導

張穩蘋　啖、趙、陸三家之《春秋》學研究　東吳大學中國文學研究所碩士論文　89 年 6 月　林慶彰指導

鄭丞良　胡安國春秋傳與公羊傳之比較研究　中國文化大學史學研究所碩士論文　89 年 6 月　蔣義斌指導

簡福興　元代春秋學研究　高雄師範大學國文研究所博士論文　86 年 1 月　蔡崇名指導

蔡妙眞　《左繡》研究　政治大學中國文學研究所博士論文　89 年 5 月　簡宗梧指導

蕭淑惠　清儒規正杜預《春秋經傳集解》研究　成功大學中國文學研究所碩士論文　87 年 6 月　宋鼎宗指導

蔡孝懌　惠棟春秋左傳補註之研究　高雄師範大學國文研究所碩士論文　87 年 6 月　周虎林指導

鄭卜五　凌曙公羊禮學研究　高雄師範大學國文研究所博士論文　86 年 1 月　周虎林指導

張廣慶　劉逢祿及其春秋公羊學研究　臺灣師範大學國文研究所博士論文　86 年 6 月　周何指導

徐敏玲　劉逢祿《公羊》學思想之研究　中興大學中國文學研究所碩士論文　86年6月　江乾益指導

吳龍川　劉逢祿《公羊》學研究　中央大學中國文學研究所碩士論文　87年6月　岑溢成指導

陳志修　儀徵劉氏《春秋左氏傳舊注疏證》研究　逢甲大學中國文學研究所碩士論文　89年6月　李時銘指導

林世榮　熊十力春秋外王學研究　中央大學中國文學研究所博士論文　王邦雄指導　89年6月

林威宇　日本正宗寺藏舊鈔《左傳正義》校記　東海大學中國文學研究所碩士論文　86年6月　陳鴻森指導

四書

謝湘麗　《論語》人格類型之恥感研究　淡江大學中國文學研究所碩士論文　86年6月　高柏園指導

黃師翰　《論語》凶禮疏　華梵大學東方人文思想研究所碩士論文　88年7月　許錟輝指導

金容美　《論語》「學」的研究　臺灣大學中國文學研究所碩士論文　89年6月　李偉泰指導

高荻華　皇侃《論語集解義疏》研究　中央大學中國文學研究所碩士論文　89年6月　岑溢成指導

羅碧屏　俞樾之論語學研究　高雄師範大學國文研究所碩士論文　86年6月　應裕康指導

饒祖耀　孟子「義戰」思想之研究　東海大學哲學研究所碩士論文　86年6月　謝仲明指導

洪櫻芬　人的實現——論雅斯培「存在」的實現與孟子「人性」的實現　輔仁大學哲學研究所博士論文　86年6月　李振英指導

劉安剛　孟子仁政思想研究　臺灣師範大學國文研究所碩士論文　88年6月　邱德修指導

魏美媛　孟子工夫論　中央大學哲學研究所碩士論文　88 年 6 月　王財貴指導

呂欣怡　孟子禮學研究　臺灣師範大學國文研究所碩士論文　89 年 6 月　王關仕指導

施輝煌　王安石與北宋孟子學　成功大學中國文學研究所碩士論文　88 年 12 月　宋鼎宗指導

孝經

林佩儒　《孝經》孝治思想研究　政治大學中國文學研究所碩士論文　88 年 7 月　劉又銘指導

讖緯

林政言　讖緯學研究　中國文化大學中國文學研究所博士論文　87 年 6 月　傅錫壬指導

王志攀　緯書裡的孔子　東海大學中國文學研究所碩士論文　86 年 6 月　陳鴻森指導

周德良　白虎通讖律思想研究　淡江大學中國文學研究所碩士論文　86 年 1 月　高柏園指導

秋先鎬　漢新之際的緯學與古文經學　中國文化大學史學研究所碩士論文　86 年 6 月　馬先醒指導

經 學 研 究 論 叢
第 九 輯 頁315～318
臺灣學生書局 2001 年 1 月

首屆海峽兩岸青年《易》學論文發表會

編輯部

中華民國《易經》學會為發揚《易》學精粹，加強兩岸青年學者學術交流，於民國八十九年六月十一、十二兩天，在臺北市國立臺灣師範大學進修推廣部二樓視聽教室舉行「首屆海峽兩岸青年《易》學論文發表會」。發表論文學者二十餘人，參加學者數十人。茲將各場次發表人、發表論文題目、講評人條列如下：

六月十一日 10：40－12：00 第一場（賴明德主持）

1.胡治洪（武漢大學哲學系博士生）
帛書《易傳》天道性命觀發覆（鄔昆如講評）

2.楊立華（北京大學宗教學系講師）
朱熹《周易本義》的易學觀（江弘毅講評）

3.章偉文（中國道教協會研究室助研究員）
略析吳澄《易》道體用的思想（董金裕講評）

4.彭俊傑（華梵大學東方人文思想研究所）
春秋時期《易》學演進過程（高懷民講評）

六月十一日 13：30－14：50 第二場（倪淑娟主持）

1.劉玉建（山東大學周易研究中心教授）

鄭玄《易》學雜論（董金裕講評）

2.邱培超（中央大學中文研究所碩士生）

何晏引《周易》、《老子》注解《論語》之省察（趙玲玲講評）

3.問永寧（武漢大學哲學系博士生）

楊簡《易》學思想初探（楊祖漢講評）

4.李慈恩（臺灣師範大學國文研究所）

高亨《周易古經今注》述補（孫劍秋講評）

六月十一日 15：10－16：30 第三場（歐陽康主持）

1.蔡家和（中央大學哲學研究所碩士生）

張載的《易》學－以《正蒙》為例（蒙培元講評）

2.陳少鋒（北京大學哲學系副教授）

張載的《易》學與天人合一的倫理觀（張永堂講評）

3.戴華萱（臺灣師範大學國文研究所碩士生）

論《周易》道德思想的發端－以《左傳》所載《周易》為例（李振興講評）

4.尹旦萍（武漢大學哲學系博士生）

《周易》的生存智慧與中國家訓文化（林安梧講評）

六月十一日 16：50－18：10 第四場（蒙培元主持）

1.楊自平（中央大學中國文學研究所博士生）

《易經》卦主析論－卦主通例之建立（郭文夫講評）

2.王國忠（輔仁大學哲學研究所博士生）

論《周易》中的人（李振興講評）

3.彭　峰（北京大學哲學系講師）

「鼓之舞知以盡神」美學闡釋（林安梧講評）

4.陳明彪（臺灣師範大學國文研究所碩士生）

《周易》的法律思想（陳麗桂講評）

六月十二日 09：00－10：20 第五場（喬幼梅主持）

1.李尚信（山東大學周易研究中心講師）

序卦卦序中陰陽平衡互補與變通四時思想（高柏園講評）

2.潘柏年（臺灣師範大學國文研究所）

《周易》鄭氏注「氣」之概念（賴貴三講評）

3.丁四新（武漢大學哲學系講師）

從出土竹書綜論《周易》諸問題（張永堂講評）

六月十二日 10：40－12：00 第六場（張永堂主持）

1.許朝陽（輔仁大學中國文學研究所博士生）

《易經》的經學意義及其存有論相關問題（傅武光講評）

2.白　奚（首都師範大學東方文化研究所教授）

論《易經》的原初性質和百科性質（陳麗桂講評）

3.楊冀華（東吳大學哲學研究所碩士生）

射御的參贊濟反復之人性本善初探（高柏園講評）

4.向世陵（中國人民大學哲學系副教授）

重錯之義與六十四卦的生成（郭文夫講評）

六月十二日 13：30－14：50 第七場（杜保瑞主持）

1.賴賢宗（華梵大學哲學系助教授）

朱子哲學論《易》體與心性情的交涉（蒙培元講評）

2.林忠軍（山東大學周易研究中心教授）

論漢魏《易》學之嬗變（黃慶萱講評）

3.林慧貞（中央大學中文研究所碩士生）

《易》學初探（林義正講評）

4.強　昱（北京師範大學哲學系副教授）

唐代的道教《易》學（陳廖安講評）

六月十二日 15：10－16：30 第八場（王守常主持）

1.郭世清（政戰學校政治研究所碩士生）

由《易經》時位中正論現代軍人之指揮道德（賴明德講評）

2.楊育菁（臺灣師範大學國文研究所）

《周易》大衍之法及其蘊含的思想（陳廖安講評）

3.王　博（北京大學哲學系副教授）

〈繫辭傳〉的《周易》觀（陳鼓應講評）

六月十二日 16：50－18：10 第九場（邵崇齡主持）

1.林鈴芳（中央大學中國文學研究所碩士生）

孔子對《易傳》的影響（陳鼓應講評）

2.王新春（山東大學哲學系副教授）

《周易》「時」的哲學發微（曾春海講評）

3.吳家宜（臺灣師範大學國文研究所碩士生）

《周易》天字淺釋（賴明德講評）

經 學 研 究 論 叢
第 九 輯　　頁319～328
臺灣學生書局　2001 年 1 月

出版資訊

一、本專欄收國內外最新出版，有關經學和經學人物之相關專著。惟舊籍重印或再版書，則不予收入。

二、各提要略依經學總論、周易、尙書、詩經、三禮、三傳、四書、孝經、爾雅、讖緯、經學人物等之順序排列。

三、提要前之目錄項，分別依書名、作譯者、出版地、出版這、頁數（冊數）、出版年月等項排列。

四、各提要以簡介各書之內容爲主，如有所評論，僅代表作者之意見。

五、歡迎各界人士提供與本專欄性質相符之著作，以便推介，來書請寄臺北市和平東路一段 198 號臺灣學生書局經學研究論叢編輯部收。

《周易概論》

《周易概論》　劉大鈞著　成都　巴蜀書社　421 頁　1999 年 12 月

《易》始由陰、陽二爻演成八卦，初爲卜筮之用，後增添卦辭、爻辭，並重爲六十四卦，至推展出〈彖辭上、下〉、〈大、小象辭〉、〈繫辭上、下〉、〈文言〉、〈序卦〉、〈說卦〉、〈雜卦〉等十翼，乃成爲哲學之書。若〈繫辭上〉言：「《易》有聖人之道四焉：以言者尙其辭，以動者尙其變，以制器者尙其象，以卜筮者尙其占。」則兼具占卜與哲學二義也。東漢鄭玄嘗云：「《易》一名而含三義：易簡，一也；變易，二也；不易，三也。」（《六藝論》）《易》述天道人事之理，以六十四卦象萬物萬事，以簡馭繁，即爲「易簡」；每卦六爻，變動不居，所得結果不同，即爲「變易」；宇宙萬物，變化無窮，終歸循環無盡，即爲「不易」。《易》又名《周易》，鄭玄《易贊》曰：「《周易》者，言易道周普，無所不備。」唐・陸德明《經典釋文》亦稱：「周，代名也，周至也，遍也，備也，今名書，義取周普。」咸以《周易》之「周」為「周普」之義。然唐人孔穎達則以為「因代以題周」（〈周易正義序〉）所謂《周易》即周代之《易》，別為一說。

本書對於「《周易》泛說」、「《周易大傳》」、「《易》象」、「卦變」、「占筮」、「《左傳》、《國語》筮例」、「變占」以及「歷代《易》學研究概論」、「疑難卦爻辭辨析」與「帛《易》初探」等各部，皆有精闢獨到之見解，實為《易》學名著。本書曾於一九八六年由齊魯書社出版，後經多次重印。此次出版，除對原書文字作修訂外，還附上六十四卦卦爻辭及其譯文，並對卦爻辭的某些難字作了注音。

作者劉大鈞，字長山，山東鄒平人，一九四三年元月生。現任中國周易學會會長，《周易研究》主編，山東大學《易》學研究中心主任。多年從事《易》學研究，尤精于象數《易》，對恢復與弘揚傳統《易》學作出了重要貢獻，其專著《周易概論》在《易》學界產生了廣泛的影響。另著有《周易古經白話解》、《周易傳文白話解》、《納甲筮法》等多部《易》學著作，並校點整理八十五萬字的清人《易》學巨著《周易折中》，主編《大易集成》、《大易集要》、《大易集述》及《象數易學研究》第一輯與第二輯等多部大型論文集，且有《易經全譯》法文版、《周易古經白話解》英文版行世。（劉安剛）

《周易象說》

《周易象說》 錢世明著 上海 上海書店 276頁 1999年1月

《周易》中的美學思想乃是中國藝術美學的源頭之一，因而引起作者研究的動機。他認為卦象與中國古象形文字的美學，在本質上是相同的，其特徵在於「以象見意」。卦形乍看像是一種抽象的符號，而實質上卻是自然界萬物的本質或形式結構的表現體，是一種「意在其中」的表現形式。故作者透過對《周易》中六十四卦之卦象及〈象傳〉內容的闡述，試圖將《易》象研究歸入藝術學及美學的範疇，並期望藉由《易》象的研究，瞭解古代形象思維的特徵。

這本《周易象說》是作者為舊作《易象通說》所作的增訂與擴充，本書內容主要分四個部分：一、易象通說；二、象傳通義；三、周易臆說；四、周易美學淺探。在易象通說中，內容在闡發六十四卦中卦、爻辭所呈現之卦象。其次，《象傳通義》是對《象傳》的闡發。《象傳》的內容主要教人在「觀象得意」之後，能自律修身，即是把外在事物現象的道理，用於人生行爲之中，在此作者也一一爲《象傳》內容作出詳盡解說。至於周易臆說這部分，作者主要針對《周易》一書相關問題做出個人的闡述。最後周易美學淺談的部分，內容在探討易象符號的各種特徵及其所蘊含的美學思想，此乃作者研究《周易》卦象的目的，即是期望能透過美學的觀點來研究《易》象，爲《周易》之研究開拓新的領域。（許馨元）

《出土簡帛周易疏證》

《出土簡帛周易疏證》　趙建偉著　臺北　萬卷樓圖書公司　316頁　2000年元月

關於《易經》，除今日所傳世的本子外，記載中尙有《連山》、《歸藏》，但對於後兩者的內容至今仍究無法得知。近年來陸續公佈有關《易經》的出土資料，包括馬王堆漢墓帛書《周易》六十四卦卦爻辭、《繫辭傳》和《二三子問》、《易之義》、《要》、《繆和》、《昭力》等《易》說，以及安徽阜陽漢簡《周易》六十四卦卦爻辭殘文，這些出土資料的出現，將有助於後人對於《周易》的研究。作者曾與陳鼓應先生合作撰著出版《周易注譯與研究》一書，期間累積了大量的文獻資料，本書即是在這樣的基礎上寫成的。同時目前並無學者對這些有關《易》的出土文獻資料作全面的整理與研究，因此更可見本書的難度及其價值所在。

本書可分兩大部分，前半部（書中第一至三部分）主要以《易經》爲研究範疇，後半部（第四至八部分）則以後人之易說爲研究範圍，作者爲各家《易》說做疏證。本書首先分別對今本、帛本、簡本（即阜陽漢簡《周易》）、《歸藏》的成卦法、卦序及卦名進行研究，第二部分主要針對今本、帛本、簡本六十四卦卦爻辭以及簡本有些卦中殘存的占問卜辭做詮釋，藉此了解古人實占情況。第三部分分別就今本、帛本《繫辭》異文做疏證。第四至八部分則分別對《二三子問》、《易之義》、《要》、《繆和》、《昭力》等《易》說做疏證。（許馨元）

《詩經名物新證》

《詩經名物新證》 揚之水著 北京 北京古籍出版社 528頁 2000年2月

《詩經》，簡稱《詩》，有三百零五篇，舉其整數，又稱「詩三百」，或「三百篇」，是中國第一部詩歌總集。

名物的考證，是詩經研究中一個重要的部分。孔子在《論語・陽貨》提出「多識鳥獸蟲魚之名」觀念，《爾雅》之〈釋草〉、〈釋木〉、〈釋蟲〉、〈釋魚〉、〈釋鳥〉、〈釋獸〉、〈釋畜〉，也是以解釋草木蟲魚鳥獸爲大宗。納蘭成德在《毛詩名物解・序》稱：「六經名物之多，無適於詩者，自天文地理，宮室器用，山川草木，鳥獸蟲魚，靡一不具，學者非多識博聞，則無以通詩人之旨意，而得其比興之所在。」在考校詩中草木蟲魚鳥獸之名，記述異聞別稱，此中以陸璣《毛詩草木蟲魚鳥獸疏》爲最早，後世治名物者多從之。至清，此學乃成其大，著述更較歷代爲多，該洽者，當推姚炳《詩識名解》和多隆阿《毛詩多識》，而圖文並茂的兩部名著，則是徐鼎《毛詩名物圖說》和日人岡元鳳的《毛詩品物圖考》。

《詩經名物新證》一書中計有〈大雅・公劉〉、〈小雅・大田〉、〈豳風・七月〉、〈大雅・綿〉、〈小雅・斯干〉、〈小雅・楚次〉、〈小雅・賓之初筵〉、〈秦風・小戎〉、〈鄭風・清人〉、〈小雅・出車〉、〈大雅・韓奕〉、〈小雅・鼓鐘〉、〈小・雅・大東〉、〈小雅・都人士〉、〈鄘風・君子偕老〉、〈秦風・終南〉十六篇。附論〈駟馬車中的詩思〉、〈詩之旗〉、〈詩之酒〉三篇。收在書裏的十九篇文字，在選題與編排上，帶有作者一點分類的構想，如農業、建築、祭祀、射禮、音樂、服飾、天文等，作者的原意只是想約略的顯示詩中所表現出來的生活圖景。

本書的特點是並不按章逐句的作名物解釋，乃就作者的學養，及擷取現代中國七十年代田野調查考古的成果，用以說詩，使之相互印證，互爲表裡。作者相當注重歷史的問題，從其前言中，「從西土到中國」、「歷史中的細節」可以窺出。另外此書所引用的圖片相當多，〈大雅・公劉〉就用了十三章圖片，〈豳風・七月〉最多有二十張。書前有孫機及作者楊之水的序，書後的後記爲作者夫人所跋。並附有篇名索引。 （陳邦祥）

《詩經名物新解》

《詩經名物新解》　李儒泉著　長沙　岳麓書社　280頁　2000年6月

《詩經》是中國最古老的詩歌總集，歷來研究的學者不勝枚舉。而《詩經》中有許多鳥獸草木之名，或爲寫景，或用於起興，更是學者研究的方向之一。孔子在《論語．陽貨》中認爲學詩可「多識於草木鳥獸之名」，說明了《詩經》中的這些名物也是一門重要的學問。而由於以往受限於科學知識的不足，過去的學者對這些名物往往無法有確切的解釋。作者有鑒於此，於是積數十年之功，終於完成《詩經名物新解》一書。

本書所解釋名物，不但參考前人研究成果，更進一步站在現代科學的角度，描述草木蟲魚鳥獸的外觀、科屬、學名，甚至生長環境和習性等，解釋十分詳盡。本書除了解釋名物之外，作者並在每首詩前都以一句話標明詩的主旨，詩末有翻譯成白話的韻文，另有簡短評析闡述各詩的寫作結構和每一段落的意涵，可說是深入淺出，面面俱到，不論是對專業人員或初學者來說，都是很適合作爲參考用的書籍。（謝旻琪）

《春秋胡氏學》

《春秋胡氏學》　宋鼎宗著　臺北　萬卷樓圖書公司　352頁　2000年4月

《春秋胡氏傳》爲南宋胡安國（1074－1138）所撰，此書初作於宋氏南渡之際，完成並表進於南渡之後。作者感於時事，往往借《春秋》以寓意，因此有不盡合經旨者，其著書的目的在於「尊君父，討亂賊，辟邪說，正人心，用夏變夷，大法略具」（《春秋傳．序》），他破除三傳家法，不拘門戶，兼採眾傳，斷以己意，又沿襲《春秋》傳統，重視《春秋》筆法，寓大義於筆削褒貶之中，對後世的《春秋》學有深遠的影響。

作者以多年來研究《春秋》學的心得，撰成此書。書分七章，第一章導論，介紹胡安國之生平及著述、學統；第二章探討胡安國治《春秋》之態度與方法；第三章爲《春秋》經世說，胡安國治《春秋》，既遠本孟子，近淑二程，於春秋經世之義，其服膺之程度亦可見一斑。本章即闡述胡安國之《春秋傳》經世之法；第四章爲《春秋》寓宋說，闡明胡氏以《春秋》之微言大義以格南宋君臣之非，並期勉高宗發奮進取，以雪國恥；第五章及第六章爲《春秋胡氏傳》之批評，作者先由分析胡傳之體例與義例，進而將《胡傳》之疏謬者，條分縷析，使讀胡書者，得見其瑾瑜之美，而不爲胡書瑕蕪者所拘，亦使有志立言者，知立言之難而不敢輕忽；第七章爲結論，由以上各章節之探討，歸納《胡傳》之成就。

作者宋鼎宗先生，臺灣南投人，臺灣師大國文研究所碩士，現任成功大學中文系教授。著有《春秋左氏傳賓禮嘉禮考》、《春秋宋學發微》、《春秋胡氏學》等書，另有文史哲論文若干篇。（葉純芳）

《春秋經傳研究》

《春秋經傳研究》 趙生群著 上海 上海古籍出版社 337頁 2000年5月

作者撰寫本書的宗旨，在於試圖理清《左傳》與《春秋》的關係，對於此相關的各個重要問題進行全面的研究，力求詳盡蒐集資料，在此基礎上致力於發掘內證，運用分析、對比等方法，結合實證與理論分析，期望在某些方面超越前人的說法。本書在出版之前，全部篇章都曾以論文的形式發表，各篇名及發表情況如下：〈論孔子作《春秋》〉（《文史》第 47 輯，收入南京師範大學文學院編《語言學和文獻學論文集》）；〈論《左傳》爲《春秋》之傳〉（《中國典籍與文化論叢》第 4 輯）；〈論《左傳》無經之傳〉（《孔孟學報》第76 期，收入《語言學和文獻學論文集》）；〈《左傳》有經無傳辨〉（《南京師大學報》1998 年第 4 期）；〈論三傳不書之例〉（《經學研究論叢》第 7 輯，又載《文獻與考古研究》，蘭州大學出版社，1999 年 12 月）；〈略論《左傳》事實與解經之關係〉（1999 年《歷史文獻研究》）；〈論《春秋》大義存乎事實〉（西北大學《周秦漢唐文明國際學術研討會論文集》，又載蘭州大學出版社《文獻與考古研究》）；〈《左傳》敘事意在解經〉（《文獻與考古研究》）；〈三傳以事解經論〉（《南京師大學報》2000 年第 5 期）；〈《左傳》記事不合史法論〉（《文教資料》1998 年第 3 期）；〈《春秋》經傳研究方法芻議〉（《古籍整理與研究學刊》1999年第6 期）；〈論孔子刪詩〉（《古文獻研究文集》第2 輯，1987 年）。

全書分爲八章，第一章，《春秋》的作者；第二章，《左傳》與《春秋》的關係；第三章，《左傳》的無經之傳；第四章，三傳不書之例與無經之傳；第五章，《左傳》有經無傳辨；第六章，《左傳》以事解經；第七章，《春秋》大義存乎事實；第八章，三傳以事解經之比較。書後並附有〈《左傳》記事不合史法論〉及〈孔子刪詩〉二篇。本書作者由於熟悉相關文獻，每論一題，皆能竭澤而漁，網羅大多數的材料，在此基礎上排比歸納，或以經傳對照，或用三傳比勘，進而統計分析，作出結論，對於研究《左傳》與《春秋》學者，應有相當的助益。

作者趙生群先生，1957 年生，江蘇宜興人，文學博士。主要論著有《史記文獻學叢稿》、《太史公書研究》，發表文史學術論文約七十篇，現任南京師範大學文學院教授。

（葉純芳）

《新譯春秋穀梁傳》

《新譯春秋穀梁傳》　周何注譯　臺北　三民書局　2 冊　588 頁　2000 年 4 月

春秋原是當時各國史記的通稱，後來孔子根據魯史記修訂成儒學教科書，「春秋」才成爲經典之專稱，而不同於其他史記之通稱。孔子修訂《春秋》成爲儒學教科書，自有其崇高的道德觀念和偉大的政治理想，但周遊列國，得不到當時人君的賞識，於是才退而依據魯國史記的記載加以修訂，作了各式的評判，留給後人對是非善惡得有一正確的參考指標，由於文字非常簡約，意旨非常廣博，就需要孔子親自講述，弟子才能懂得。之後有左氏、公羊、穀梁、鄒氏、夾氏傳其學，但鄒氏無師，夾氏未有書，後世只有三傳。《左傳》詳於記事；《公羊》、《穀梁》長於闡理釋義，因此，欲探索孔子寓寄之微言大義，捨《公》、《穀》而莫由，而欲尋其事之原委實況，則非讀《左氏》不可，後世研究《春秋》者，三傳皆不可偏廢。

本書作者曾撰〈穀梁朝聘例釋〉、〈穀梁諱例釋義〉、〈穀梁書地例釋〉等文，於《穀梁》義例作過深入探討，感其義例謹嚴周密，通貫經傳，無所牴牾，遠超《公》、《左》二家，又嘗以《穀梁》之時月日例，事涉繁雜，指導碩士班學生李邵陽撰成《穀梁傳時月日例研究》碩士論文一篇，得知鄭玄謂《穀梁》善於經之論，實不誣也。《春秋》經文共一千八百九十八條，穀梁子就經文寫的傳文只有七百四十一篇，其餘的一千一百五十七條經文都沒有寫傳。作者根據《穀梁傳》文，撰成《新譯春秋穀梁傳》一書，上卷記隱公、桓公、莊公、閔公、僖公、文公；下卷記宣公、成公、襄公、昭公、定公、哀公。注譯方式先列《春秋》經文，次列《穀梁》傳文，其後列「注釋」，末列「語譯」。可作爲研究《穀梁傳》的入門書，亦可作爲學者研究之參考。（葉純芳）

《論語體認》

《論語體認》 姚式川著 上海 學林出版社 578頁 1999年 10月

孔夫子爲至聖之先師，萬世之師表，〔宋〕唐庚曰：「天不生仲尼，萬古如長夜。」洵哉是言也。《漢書・藝文志》載：「《論語》者，孔子應答弟子時人，及弟子相與言而接聞於夫子之語也。當時弟子各有所記，夫子既卒，門人相與輯而論纂，故謂之《論語》。」觀《論語》記夫子之道德學問，言行容止，乃孔子畢生思想德業的精華所在，〔漢〕趙岐云：「《論語》者，五經之錧鎋，六藝之喉衿。」（〈孟子題辭〉）則《論語》一書，誠可謂國人之聖經矣。歷來對於《論語》的傳註疏論，析究釋評，宜如汗牛充棟，數點繁星，然此書作者姚式川先生，自述其以苦行僧的生活態度，孜孜探索《論語》眞諦爲樂的精神狀態，以及「人十之，我百之」的意志與毅力，經八載不懈的努力，終成是書，篇中頗見新義，眞可說是「八年辛苦不尋常」也！

全書除附錄外，別爲十章，按分類相從之法，各章依數方面作有系統、有層次的論述。撰作之體例爲：先「原文」，次「譯文」，而後以「按」的形式，用以闡發《論語》眞義，最後偶列「備考」，援引古籍中相關的言語和事例作參證。首章論述孔子之〈爲人〉。二章論述孔子之〈爲政〉。三章論述孔子之〈施教〉。四章論述孔子之〈時評、人評〉。五章論述孔子之〈思想核心：仁〉。六章論述孔子之〈行爲準則：禮〉。七章論述孔子之〈道德規範和道德修養〉。八章論述〈君子、聖人、賢者、成人、善人、有恆者、士〉之標準。九章論述孔子之〈天命觀〉。末章論述時人及弟子〈對孔子之評論〉。附錄部分則對孔門弟子稍作簡介。

本書寫作特色，一是研究方法上的重予結構：既能有條理、有系統、有層次地展現孔子的偉大思想和崇高形象，又能清晰地辨識出至今閃耀智慧光輝，可以古爲今用的精華。二是以按語形式表述體認：不但貼近生活，富有親切感，也更能開闊視野，作爲運用於時世的借鑒。且在列舉事例作正面評論，或根據史實作側面生發時，力求深入淺出，言之成理，持之有故，曉以情，喻於義，盡量「使讀者誦其文，思其義，有以知事理之當然，見道義之全體，而身體力行之，以入聖之域也。」（朱熹語）三是力求文筆流暢，通俗易懂，多一點情趣、啓迪，少一些刻板、說教，有很高的可讀性。（劉安剛）

《宋明の論語》

《宋明の論語》　松川健二著　東京　汲古書院　392，15頁　2000年1月

在中國古典中，《論語》一書是最受日本人歡迎的一種。他們不但把《論語》中的種種規範作爲施政的指導原則，也把它作爲企業經營應遵守的準則。至於作爲一部經典來研究，名著也相當多，如江戶時代伊藤仁齋的《論語古義》、荻生徂徠的《論語徵》、龜井南冥的《論語語由》、安井息軒的《論語集說》。明治時代以來，如澀澤榮一的《論語講義》、林泰輔的《論語年譜》、武內義雄的《論語の研究》、宮崎市定的《論語の新研究》，也都有一定的影響力。這些著作，大抵都是對《論語》本身的研究，對《論語》在中國歷代的發展則用力較少。松川健二教授，數年前曾鳩集國內研究人力，編成《論語の思想史》，是對中、韓、日三國《論語》研究史的重要論述。最近出版的《宋明の論語》，則是對宋明理學家有關《論語》中概念的分析。

全書摘錄《論語》中天、道體、天命、性、心、意、孝悌と仁、克己と仁、好惡、恕、利、貧富、道と死、生と死、學、不知、無知、聞と知、異端、一貫と道等二十個概念，引用宋、明學者的論述，以呈現宋明理學家研究《論語》的面貌。方法相當新穎，引用資料也詳備，是研究宋明理學應參考之重要著作。

（編輯部）

《爾雅譯注》

《爾雅譯注》　胡奇光、方環海撰　上海　上海古籍出版社　459頁　1999年9月

《爾雅》是中國史上第一部按義類編排的綜合性辭書，也是唯一由晚唐政府升格爲經的上古漢語辭典。《爾雅》升格爲經書比《孟子》早，在十三經中的排次，也在《孟子》之前。內容計有十九篇，前三篇是解釋一般詞語的，可以說是普通的辭典；〈釋親〉以下十六篇是按事物分類，解釋所分各類事物，可以說是小百科名詞詞典。十九篇每篇一類，共十九類，有單音詞，也有複音詞。《爾雅》一書的編纂體例，和訓詁方法，也一直爲後世所繼承和發展，自漢迄清以來，群雅的書籍，據《中國叢書綜錄》，所知書目，有百來種以上。

《爾雅》爲《十三經》之一，本書《爾雅》原文以中華書局一九七九年影印的《十三經》爲主要的依據，參照其他研究《爾雅》的著作，進行了必要的校勘。於每篇的篇題上都撰有題解。內容重點放在注譯上，論其注譯特點有：⑴難字，以漢語拼音方案注音。⑵釋義盡量博采古今通人之說。⑶注釋疑難詞義，引古籍例句爲書證。⑷《爾雅》中「二義同條」一類之特殊義例，則加按語說明。⑸同一詞有不同解釋時，則酌情兼收兩說。

本書由方環海先寫注譯初稿，胡奇光對初稿進行校改。全書按照《爾雅》一書〈釋詁〉、〈釋言〉、〈釋訓〉、〈釋親〉、〈釋宮〉、〈釋器〉、〈釋樂〉、〈釋天〉、〈釋地〉、〈釋丘〉、〈釋山〉、〈釋水〉、〈釋草〉、〈釋木〉、〈釋蟲〉、〈釋魚〉、〈釋鳥〉、〈釋獸〉、〈釋畜〉十九篇的內容排列，書前有胡奇光所撰的前言及凡例九條，書後附錄〈《爾雅》詞語筆畫索引〉，係方環海所編，另有胡奇光的後記。大陸方面在《爾雅譯注》之前，有關《爾雅》注譯的書籍有徐朝華《爾雅今注》（南開大學出版社，1987 年）；顧廷龍、王世偉撰《爾雅導讀》（巴蜀書社，1990 年），可供讀者參考。 （陳邦祥）

《經學研究論叢》撰稿格式

本《論叢》為方便編輯作業，謹訂下列撰稿格式：

一、章節使用符號，依一、㈠、1.、⑴……等順序表示。

二、使用新式標點，以 Word 全形標點符號表為主。如刪節號為……，書名號為《 》，篇名號為〈 〉，書名和篇名連用時，以「·」斷開。如《詩經·小雅·鹿鳴》。

三、用語句所用括號，外括號用「 」表示，有內括號時，用『 』表示。

四、獨立引文，每行低三格。

五、論文之體例，請依下列格式：

㈠人名生卒年

吳澄（1249－1333）

㈡年代時間

1.正德戊寅十三年（1518）

2.西元 1999 年

3.民國八十九年十月十七日

㈢古籍卷數

《王陽明全集》第二十六卷

六、注釋之體例，請依下列格式：

㈠注釋號碼請用阿拉伯數字標示，如❶，❷，❸，……。

㈡以隨頁註方式，採用 Word「插入」工具中之註腳表示。

㈢引用古籍

1.古籍原刻本

〔明〕梅鷟：《尚書考異》（清嘉慶十九年刊《平津館叢書》本），卷1，頁4。

2.古籍影印本

〔明〕羅欽順：《整菴存稿》（臺北：臺灣商務印書館，1983 年影印清乾隆年間寫《文淵閣四庫全書》本，第 1261 冊），卷 5，頁 63。

㈣引用專書

王夢鷗：《禮記校證》（臺北：藝文印書館，1976 年 12 月），頁 102。

㈤引用論文

1.期刊論文

屈萬里：〈宋人疑經的風氣〉，《大陸雜誌》第 29 卷第 3 期（1964 年 8 月），頁 23－25。

2.論文集論文

侯外廬：〈吳澄的道統論與經學〉，林慶彰主編：《中國經學史論文選集》（臺北：文史哲出版社，1993 年 3 月），下冊，頁 293。

3.學位論文

張以仁：《國語研究》（臺北：臺灣大學中國文學研究所碩士論文，1958 年），頁 201。

4.報紙論文

丁邦新：〈國內漢學研究的方向和問題〉，《中央日報》，1988 年 4 月 2 日。

㈥再次徵引

1.再次徵引時，可用簡單方式處理，如：

❶ 程元敏：〈書疑考〉，《書目季刊》第 6 卷 3、4 期合刊（1971 年 6 月），頁 93。

❷ 同前註。

❸ 同前註，頁 98。

2.如果再次徵引的註，不接續，可用下列方式表示：

❹ 同註❶，頁 96。

七、投稿方式

㈠逕交或寄送（以下二處擇一）

1.[106] 臺北市大安區和平東路一段 198 號

臺灣學生書局經學研究論叢編輯部

2.[115] 臺北市南港區研究院路二段 128 號

中央研究院中國文哲研究所清代經學研究室

3.來稿請以電腦中文打字，並附上磁片。

㈡或以電子郵件寄送至以下位址：

lwenchon@pcmail.com.tw

請在「主旨」中註明「經學研究論叢投稿稿件」。

國家圖書館出版品預行編目資料

經學研究論叢．第九輯

林慶彰主編.— 初版.—臺北市：臺灣學生，
2001[民 90]　面；公分

ISBN 957-15-1062-9 (平裝)

1. 經學 – 論文，講詞等

090.7　　90002500

經學研究論叢・第九輯（全一冊）

主編者：林慶彰
責任編輯：張穩蘋
出版者：臺灣學生書局
發行人：孫善治
發行所：臺灣學生書局
臺北市和平東路一段一九八號
郵政劃撥帳號00024668號
電話：(02)23634156
傳真：(02)23636334
本書局登記證字號：行政院新聞局局版北市業字第玖捌壹號
印刷所：宏輝彩色印刷公司
中和市永和路三六三巷四二號
電話：(02)22268853

定價：平裝新臺幣四○○元

西元二○○一年一月初版

09007

ISBN 957-15-1062-9 (平裝)